BYD MOC

Hunangofiant Moc Morgan

Byd Moc
Hunangofiant Moc Morgan

Gol. Lyn Ebenezer

Diolch

A minnau newydd ddathlu fy mhen-blwydd yn bedwar ugain oed, gwahoddwyd fi i goffi gan Lyn Ebenezer a Myrddin ap Dafydd. Y bwriad oedd fy annog i ysgrifennu fy hunangofiant. 'Na', oedd yr ateb cyntaf. Ond wedi cryn berswâd, cytunais. Mae fy niolch yn fawr i'r ddau – am y syniad, am eu cymorth, eu harweiniad a'u hamynedd – ac i Wasg Carreg Gwalch am ei ffydd.

Mae fy niolch hefyd i fy ngwraig Julia, a fu'n gefn mawr i mi gydol y broses. Dydw'i ddim yn greadur taclus, a hi fu'n didoli popeth a rhannu'r baich. Hebddi, rwy'n amau a fyddai yna gyfrol.

Cofiwch mai gŵr yn ei bedwar ugain sy'n siarad. Os bu nam ar y cof, gobeithio y caf faddeuant.

Moc

Argraffiad cyntaf: 2012

(h)testun: Moc Morgan a Lyn Ebenezer/y cyhoeddiad: Gwasg Carreg Gwalch

Rhif rhyngwladol: 978-1-84527-347-7

Mae'r cyhoeddwyr yn cydnabod cefnogaeth ariannol
Cyngor Llyfrau Cymru

Cynllun clawr: Tanwen Haf

Cyhoeddwyd gan Wasg Carreg Gwalch,
12 Iard yr Orsaf, Llanrwst, Conwy, LL26 0EH.
Ffôn: 01492 642031 Ffacs: 01492 641502
e-bost: llyfrau@carreg-gwalch.com
lle ar y we: www.carreg-gwalch.com

Argraffwyd a chyhoeddwyd yng Nghymru.

I'm teulu a'm cyfeillion –

boent yn bysgotwyr neu heb eto ddeall pleser pysgota –

am eu cwmnïaeth ddifyr a rhadlon

Cywydd Mawl
i'r pysgotwr-ddarlledwr Moc Morgan

Deil Moc ei stoc yn ddi-stŵr,
A gweddus i gywyddwr
Yw cyhoeddi teg haeddiant
Amryddawn ŵr, Myrddin nant.

Dyffryn tawel am sbel, sbo,
Hwnnw fydd y nef iddo.

Mae sŵn gwâdd yn ymson gwynt,
Cario mae gwŷs y cerrynt
Yn daer ar lasiad y dydd
O gwr mawnog a'r mynydd,
A thwym, twym yw'r alwad hen
I le'r hwyl â'r wialen.

Tua'r hen ffrwd y try'n ffri
I'r twyn ar ddeudroed heini
O'r Polaris a'r Miseil
Ffôl rhyw ddiafol a ddeil
Bobun yn ninbych Babel
Gelyn cudd, peryglon cêl.
Am stoc cymer Moc i ma's
Ei daith o ŵydd Cymdeithas,
O ffrae'r bom a chyffro'r byd
I iach henfaes a chynfyd
Na welodd wae neu alar
Na bywyd gwyllt ein 'byd gwâr'.

Ac i'r fan deg ar fin dŵr
Ar ei sgawt y daw'r sgotwr
I bêr sŵn lli. Brysia'n llon
I felys ddi-ofalon
Baradwys oed â'r coed cyll,
Ambr eithin a llam brithyll,
A bwrdd oen, o boen y byd
A'i wylofus Hil hefyd.

Taer ei llais wrth sgotwr llon,
Nef ryfedd, – tynfa'r afon.
Ond o helwyr y dyli
Y cawr yw MOC. Rho i mi
Y dyn hwn, dewin hynod
Glan môr, a glyn. Mawr ei glod.
A mynych i lan Menai
Y troes, adeg noethni'r trai
I loffa sandbanc crancod
Di-lun eu sgidadlu od,
Moddion heb ddim mwy addas
I hawlio gwledd heli glas:
'At ddal, cranc-meddal i mi
Heb os, a bachaf bwysi, –
Meniw gwych i gwmni gwâr,
Cawell i'r Epiciwar
A phwyslais ar chwaeth ffyslyd,
Basged drom o bysgod drud'.

Pa law all lunio pluen
Yn yr un byd â'r 'hen ben'?
Pluen yn swp o liwiau,
Un fain, giwt, edefyn gwau,
Un olau dân at li du,
Uwch buanddwr, – coch-bonddu;

Gorau at ddyfroedd gerwin
Y lli gwaed, – yw'r corff-lliw-gwin;
Trwsio plu petris y plas
Yn ddieflig sgram ddiflas:
Gwedd wir bert a guddia'r bach
Na luniwyd mo'i greulonach
Â'i sgorpion o gynffon gudd,
Tro culfain, temtiwr celfydd.

Pa law fu'n castio pluen
Â dawn a hwyl dewin hen
Sy'n trin y lein mor heini?
Gwawn yw, pan ddisgynno hi,
Ripl yn nŵr, pluen eira,
Arwydd siŵr o daflwr da
I lonydd bwll glanwedd, bas,
Neu i lyn o alanas
O gadwyn goed yn ei gau,
Tw mieri tymhorau.
Wele'r ffleiar â phluen,
Taer y cais â phob tric hen
I dwyllo'r pysgod allan
Yn rhes brudd, lonydd, ar lan.

Yn y fan llwyr ddiflannu
O weld y Gŵr, i'r dŵr du
Diwaelod a wna'r sgodyn
I'w lawr dwfn, rhag fflêr y dyn:
Ond Moc, er ei bryfocio
O'r dyli oer, a'i deil o!

'Samon!' medd plwc disymwth,
Frwydrwr cryf rhy dew i'r crwth!

Gwledd yw llam i arglwydd llyn
A swyn dala sy'n dilyn.
Sgodyn call? Wele'i gallach
I'w ddenu â phlu. Fel fflach
Bu lwc . . . ac edwyn blycian
Yn y dŵr, a'i ruddiau'n dân.
Dyna bris i sgodyn braf
A ddaliwyd â'i wledd olaf!

Mudan defosiwn meudwy
Fydd i Moc yn nefoedd, mwy.
Y llyn hael a llwyni hen
Yr helyg a'r wialen
Ger afon iddo'n grefydd
A chnwd nant yn Foliant fydd:
Ymyl dŵr, Mawl di-eiriau
Ael cwm, yn fynachlog gau,
A phuraf liw'r Offeren
Ar wedd grug hardd y graig hen;
Gras eglwys a'i gwersiglau
Mewn afon, â'i thôn ni thau.

I Moc, gwefr ydyw'r cwm cêl.
I'r dewin, nef yw'r dawel
Gilfach sy'n bell, bell o'r byd
I anghofio'i ing hefyd.
Llawn hwyl ger llwyni helyg,
Byw i lwydd, – a genwair blŷg.

Y Prifardd Emrys Edwards
(buddugol yn Eisteddfod Gadeiriol y Rhyl
a'r Cyffiniau 1985)

Ble i ddechre?

Pan oeddwn yn fy ugeiniau cynnar, cofiaf fod yn un o griw a oedd yn wynebu'r her o glirio cerrig oddi ar wyneb cae oedd o'n blaen. Roedd 'na gymaint o gerrig fel na wyddem ble i ddechrau. O ofyn y cwestiwn, yr ateb chwimwth a doeth a gefais i oedd 'Dechre wrth dy drâd'! Ac mae'n debyg bod hwnnw gystal cyngor â'r un.

Nawr, mae penbleth wahanol ond yr un mor ddyrys yn fy wynebu, gan imi fod yn ddigon ffôl i addo cofnodi fy hunangofiant. Mae nifer o hunangofiannau wedi dod o'r wasg yn ystod y blynyddoedd diweddar a phan wnes yr addewid roedd yn ymddangos yn syniad da. Ond haws dweud na gwneud, a'r broblem fawr yn fy wynebu i oedd: ble i ddechre? Wel, wrth fy nhraed wrth gwrs.

Pysgota'r Teifi – brenhines afonydd Cymru – a'm hoff afon i.

Erbyn hyn, a finne wedi croesi'r pedwar ugain oed ac yn edrych yn ôl o ben y dalar, mae 'na gerrig mawr a mân ar wyneb y cae. Sut i'w didoli, a sut i'w gosod nhw'n drefnus rhwng dau glawr? Dyna'r cwestiynau oedd yn fy wynebu.

Pan o'n i'n ddisgybl yn Ysgol Uwchradd Tregaron roeddwn i'n gorfod gwneud 'precis' (neu grynodeb) mewn gwersi Saesneg, sef cyfleu ystyr tudalen gyfan o ysgrifen mewn ychydig frawddegau. Er mwyn i ni'r disgyblion ddeall yn

Cawio – yn fy nwylo – arfer oes.

hollol beth oedd y broses, byddai'r athro yn ein hatgoffa drwy ddweud: 'Cofiwch nawr beth yw'r dasg – troi tarw blwydd i mewn i Oxo ciwb!' Ie, cadw'r blas a'r sylwedd ond gwaredu'r trimins! A dyna'r dasg i finne. Gyda digwyddiadau dros bedwar ugain mlynedd i'w didoli, byddai angen tipyn o gasglu a gwaredu.

Er mai fel pysgotwr y bydd y mwyafrif yn fy adnabod, fe fûm yn bracsu mewn sawl maes arall. Yn y tudalennau sy'n dilyn gobeithiaf i mi fedru rhoi blas o'r mwynhad a gefais yn y meysydd hynny. Er hynny, ar y dechrau fel hyn hoffwn ddweud gymaint o wefr a gefais ychydig flynyddoedd yn ôl o ddarllen cywydd a ysgrifennwyd amdanaf 'nôl yn 1985. Cyfaill a ddaeth o hyd i'r cywydd wrth iddo bori drwy *Gyfansoddiadau a Beirniadaethau Eisteddfod Genedlaethol y Rhyl a'r Cyffiniau* y flwyddyn honno. Roedd Pwyllgor Llên yr Eisteddfod wedi gosod her o gyfansoddi cywydd mawl i unigolyn o'n cyfnod ni ac fe ysgrifennodd un ymgeisydd (a ddyfarnwyd yn fuddugol) amdanaf fi o bawb! Y bardd buddugol oedd y Prifardd Emrys Edwards o Gaernarfon, enillydd y Gadair yn Eisteddfod Genedlaethol Rhosllannerchrugog yn 1961. Yn briodol iawn, ei ffugenw yn y Rhyl oedd 'Isaac Walton', sef brenin yr awduron pysgota. Y beirniad oedd Gerallt Lloyd Owen – ef ei hun yn heliwr. Dyma oedd ganddo i'w ddweud am y gerdd: 'Y mae yma afiaith llifeiriol, cynganeddu cadarn, ystwythder ymadrodd, meistrolaeth lwyr ar y mesur, rhai llinellau'n pefrio gan ddychymyg ac, o gofio gofynion y gystadleuaeth, digonedd o fawl.'

Yn anffodus, ni allaf gofio imi gwrdd â'r bardd erioed; y diweddar fardd erbyn hyn, ysywaeth. Ond am iddo fy anrhydeddu yn y fath fodd, teimlaf fraint a dyletswydd i ddyfynnu'r cywydd yn y fan yma (gyda chaniatâd caredig Llys yr Eisteddfod) gan fod ynddi nifer o gwpledi cywrain a disgrifiadau cywir am y gŵr dan sylw!

Doldre

Er bod fy nhystysgrif geni'n dangos i mi gael fy ngeni yn Teifi Terrace, Pontrhydfendigaid, cefais fy magu mewn rhan o dref Tregaron a elwir yn Doldre gan i'm rhieni benderfynu symud i fyw i Dregaron pan nad oeddwn i ond yn chwe mis oed. Does gen i ddim cof am y symud ac rwy'n amau a ofynnwyd fy marn! Ond wrth edrych yn ôl does gen i ddim amheuaeth nad oedd e'n benderfyniad gwych.

Saif Doldre ar lan afon Brennig – nid nepell o afon Teifi. Ni fedrwn fod wedi cael gwell lle i fyw gan fy mod i'n ddiweddarach yn fy mywyd yn mynd i syrthio mewn cariad ynfyd â phob math o sbort cefn gwlad. Yma yn y clwstwr o ddeg ar hugain o dai roedd y peth agosaf i Academi Cefn Gwlad y gellid breuddwydio amdani. Ac yma ymysg y meistri y cefais fy addysg bore oes.

Safai ein tŷ ni, sef Rock House, y drws nesa i weithdy Dafis y Crydd ac yn ystod blynyddoedd fy mhlentyndod a'm harddegau treuliais oriau di-ben-draw yn y gweithdy hwnnw – oriau pleserus a bythgofiadwy. Roedd y gweithdy'n gyrchfan i bob un o fewn yr ardal a ymddiddorai yng ngweithgareddau cefn gwlad – a synnwn i ddim nad o fewn y gweithdy y byddai'r mwyafrif o gwningod a hwyaid gwyllt y gymdogaeth yn cael eu saethu!

Prifathro'r academi oedd Dafis ei hun, gŵr bychan o gorff a ymddangosai'n un digon sarrug gan fod rhyw fygythiad i'w gyfarchiad bob amser, ond o'i nabod roedd Dafis yn ŵr triw a hynaws iawn. Prawf o hyn oedd y ffaith nad oedd y gweithdy byth yn wag ac mai dyma lle'r ymgasglai pawb i drafod y byd – a Doldre.

Yn ystod misoedd y gaeaf byddwn yn treulio bron bob nos yno gan ymgolli'n llwyr yn y storïau am helyntion y saethu a'r hela. Yn rhyfedd iawn, ychydig o sôn a geid am bysgota. Cydweithiwr i Dafis yn y gweithdy oedd Isaac, un o'r storïwyr gorau erioed a heliwr heb ei ail. Er y byddwn wedi clywed ambell stori saethu ganddo drosodd a thro, byddwn yn ailwrando'n astud gan fod rhywbeth newydd i'w ddysgu bob tro. Pwysleisiai Isaac yr angen am ofal a diogelwch wrth drafod dryll ac yn wir, ef aeth â fi mas i saethu am y tro cyntaf erioed.

Pan oeddwn yn ddisgybl yn y Cownti Sgŵl yn Nhregaron, pob prynhawn Mercher (prynhawn chwaraeon yr ysgol) byddwn yn mynd allan i hela gyda Dewi Powell, sef brawd S. M. Powell y prifathro. Yn rhyfedd iawn ni chefais air o gerydd erioed am golli'r ysgol y dyddiau hynny – er i bethau newid wedyn!

Roedd Dewi'n gymeriad drygionus iawn ac yn llawn triciau. Cofiaf un tro iddo fy anfon i brynu dau ddwsin o wyau brown gan Dai Edwards, y bwtsier. Roedd Dai yn cadw ieir ac yn eu dangos mewn sioeau. Enillai wobrau'n rheolaidd am ei ddofednod a hefyd am ei wyau – yn y dosbarth 'chwech o wyau'. Fodd bynnag, yn Sioe Llangeitho, wyau Dewi Powell a enillodd y dosbarth 'chwech o wyau' gyda Dai Edwards yn ail. Prin fod angen egluro beth oedd wedi digwydd!

Rhwng Isaac a Dewi cefais ddau athro cydwybodol a charedig i'm dysgu i saethu, ond er bod yr athrawon yn saethwyr gwych, nid felly eu disgybl. Nid oeddwn yn saethwr da o gwbl. Yn ddiweddarach yn fy mywyd ymunais â gwahanol saethfeydd nodedig lle cefais gyfle i saethu ffesantod wrth iddynt gael eu gyrru uwch ein pennau. Ond saethu tyllau yn yr awyr oedd fy hanes i gan amlaf.

Cofiaf ddigwyddiad pan oeddwn i'n gweithio ar raglen deledu *Shot Olau* a roddodd gryn ddychryn i mi. Roedd dau dîm yn cystadlu yn erbyn ei gilydd gyda saethwr profiadol a gwestai ym mhob tîm. Fi oedd y beirniad. Y gamp oedd anelu a saethu at rifau ar olwyn fawr o'u blaen. Roeddent i gyd wedi bod yn ymarfer trin dryll ond y tro hwn dyma un o'r gwesteion, un o actorion *Pobol y Cwm*, yn tanio cyn pryd gan ffrwydro twll yn y ddaear rhyw bum llath o'm blaen. Cododd hyn ddychryn ofnadwy – nid yn unig arnaf fi ond ar bawb oedd yn gysylltiedig â'r rhaglen. Nid teclyn i chwarae ag ef yw dryll dwbl-baril.

Er mai saethwr purion oeddwn, mae'n rhaid i mi gyfaddef fy mod yr adeg honno yn mwynhau cerdded y caeau â dryll ar fy mraich. Tybed a yw perfformiwr gwael yn cael mwy o foddhad o'i ychydig lwyddiant nag a gaiff y meistri gyda'u perfformiadau perffaith? Credaf fod rhywfaint o wir yn hyn. Bodlonwn i bob amser ar gael aderyn neu gwningen i'r bag. Choeliech chi fyth pa mor drwm y gall bag gwag fod i saethwr.

Rwy'n cofio aml i ddadl yn y gweithdy rhwng Dafis y Crydd ac Isaac. Un tro cododd y cwestiwn a ddylid cau un llygad wrth anelu'r dryll i saethu. 'Na ddylid,' meddai Isaac – y meistr ar saethu. 'Dylid,' meddai Dafis – a oedd bob amser yn cael y gorau ar unrhyw ddadl. Ie, Dafis oedd y bòs!

Cofiaf un digwyddiad diddorol iawn yn Nhregaron – digwyddiad a seliodd fy edmygedd o Dafis y Crydd am byth. Roedd bachgen ifanc o Lerpwl o'r enw Joe yn gweithio i'r doctor yn y Fron. Un noson cafodd glipsen gan y sarjant lleol ac ymatebodd Joe drwy roi clipsen 'nôl iddo. Aethpwyd â Joe i lawr i'r carchar yn Abertawe ar unwaith ac yno y bu am rai wythnosau wrth ddisgwyl i'r achos ddod o flaen y Llys.

Roeddwn i'n weddol gyfarwydd â Joe gan ei fod e'n galw yn ein tŷ ni ambell waith i weld Nhad, gan mai Nhad oedd yn edrych ar ôl ceffylau'r Fron. Y noson cyn i'r achos ddod o flaen y Llys, roeddwn i'n eistedd gyda Dafis yn y gweithdy pan ddaeth dyn dieithr i fi i mewn. Dyna'r dyn cyntaf erioed i mi ei weld yn gwisgo dici-bow. Roedd hi'n amlwg bod

Dafis yn ei nabod. Roedd pâr o esgidiau ysgafn mewn pecyn llwyd o dan ei fraich. Wedi iddo ofyn i Dafis eu tapio ac i hwnnw ateb drwy ddweud nad oedd y 'blydi rhacs' yn werth eu tapio, dyma Dafis yn bwrw i mewn i'r dieithryn gan ddweud wrtho am beidio creu 'lot o nonsens' drannoeth. Deallais yn syth fod gan ddyn y dici-bow rywbeth i'w wneud ag achos Joe. Geiriau olaf Dafis wrth iddo adael y gweithdy oedd: 'Gofalwch beth y'ch chi'n neud fory!'

Drannoeth roedd Neuadd y Dre yn llawn; pawb yno i wrando ar yr achos – a finne yn eu mysg. Synnais weld mai dyn y dici-bow oedd Cadeirydd y Llys. Wedi hir drafod cafodd Joe ei rhyddhau ac wrth glywed y dyfarniad dyma bawb yn curo'u dwylo'n frwd. Rhedais adre'n union i ddweud wrth fy rhieni gan ychwanegu fy mod i'n gwybod y deuai Joe yn rhydd am i Dafis y Crydd ddweud wrth y dyn dici-bow mai fel hynny roedd e i fod i wneud. Cefais fy siarsio i beidio ag ailadrodd yr hyn a glywswn yn y gweithdy wrth neb. Deallais ddifrifoldeb y siarsio – ond gwn hefyd i'm hedmygedd o Dafis esgyn i'r entrychion.

Gallai tafod Dafis fod cyn feined â'r tacs a gadwai yn ei geg; serch hynny roedd e'n ŵr teg a phawb yn ei hoffi. Tybed ai dyna pam roedd pobol yn barod i aros hydoedd am eu sgidie, er bod y crydd wedi eu damnio a'u galw nhw'n 'rhacs'! Pe byddai'r lle yn llawn, cawn eistedd wrth ymyl Dafis; lle digon anghyffforddus ond *'top of the pecking order'* fel y dywedodd rhywun wrthyf flynyddoedd yn ddiweddarach!

Mae'n debyg bod Dafis yn chwaraewr pêl-droed aruthrol o dda yn ei ddydd. Doedd neb yn cadw'r bêl yn rhy glòs pe bai Dafis yn taclo. Biti na fuaswn wedi ei adnabod yn yr oes honno! Galwai beldroedwyr Tregaron fy nghyfnod i yn 'Blydi bois y blomonj a'r jeli' yn hytrach na 'Bois y caws a'r cawl' fel yn ei gyfnod e!

Pe digwyddai fod yn noson dawel a neb ond fi a Dafis yn

y gweithdy, byddwn yn cael gwneud ychydig o waith crydd. Roeddwn eisiau bod yn grydd yr adeg honno ac roeddwn i'n cael cryn hwyl gyda'r cŷn a'r last ac ar dynnu'r hoelion o'r gwadnau er mwyn i'r sgidie fod yn barod i Isaac roi gwadnau newydd arnynt drannoeth. Isaac oedd yn tapio'r sgidiau; pedoli a chlipio wnâi Dafis gan fwyaf. Nid fyddent yn gwneud sgidie newydd yn y gweithdy.

Roedd crydd arall yn gweithio yn Station Road adeg y rhyfel. Roedd pawb yn ei nabod fel y Crydd Tywyll am ei fod yn ddall. Roedd John Edwards hefyd yn rhedeg busnes digon llewyrchus a byddem yn galw yno o dro i dro – ond nemor byth yn sefyllian yno.

Roedd nifer o gymeriadau lliwgar yn Noldre a'r mwyafrif yn mwynhau hamddena yng nghefn gwlad. Un o'r rhain oedd y dihafal Dai George, neu 'Painful' fel y cafodd ei lysenwi gennym. Pe gofynnai rhywun iddo 'Shwt ma' pethe heddi, Dai?' ei ateb bob tro fyddai 'Painful'. Wn i ddim beth oedd ei gefndir ond roedd hi'n amlwg iddo gael damwain fawr rywbryd oherwydd roedd e'n gloff herc ac wedi colli tri o fysedd ei law chwith a dau o'r llaw dde. Er hynny byddai'n cario'r post bob dydd.

Roedd Painful yn bysgotwr gwych ac yn medru pysgota pluen wlyb yn ardderchog. Yn anffodus, roedd e hefyd yn dioddef o glefyd Parkinson ac oherwydd hynny yn crynu'n ofnadwy ar adegau. Hoffai gwmni wrth bysgota er mwyn cael cymorth pe digwyddai'r lein ddrysu. Byddai'r cryndod yn ei ddwylo yn ei gwneud hi'n amhosibl iddo ef ei datrys.

Galwai heibio i'n tŷ ni yn foreol am gwpaned o de. Ambell ddiwrnod byddai'r cryndod yn peri i hanner y te fynd i'r llawr. (Wn i ddim pam ond roedd llawer un – gan gynnwys cardotwyr – yn cael paned o de yn ein tŷ ni. Tybed ai am fod Mam yn rhoi rhywbeth bach i'w fwyta iddynt gyda'r te? Cofiaf gymeriad o'r enw Dafydd Gwallt Hir a fyddai bob amser yn galw pan âi a'i gart o amgylch y wlad.)

Er ei holl broblemau roedd Painful yn ŵr hapus ac wrth ei fodd yn cwmnïa â phobl ac yn galw mewn gwahanol dai yn gyson i gael sgwrs a phaned.

Cofiaf fynd gydag e i bysgota lawr ym Mhont Llanio. Gan ei bod hi'n ddiwrnod gwyntog roedd ei lein yn drysu o hyd ond wrth geisio ei helpu i gadw'r lein yn isel uwch y dŵr, dysgais innau sut i osgoi'r drysi. Oherwydd y cryndod yn ei ddwylo roedd ei enwair hefyd yn crynu a bûm am gyfnod hir yn credu mai dyna'i gyfrinach wrth ddal pysgod. Roedd e wrth ei fodd yn clywed hyn! Roedd gan Dai George y gallu i greu chwerthin pa le bynnag y byddai'n mynd ac roedd hi'n donic bod yn ei gwmni.

Roedd gan Dai frawd, sef Will George, ac roedd hwnnw'n gwbwl wahanol i'w frawd. Fe oedd yn gofalu am y biliard rŵm ac felly roedd e'n dduw i ni'r llanciau yn ein harddegau cynnar. Ni châi neb ei dderbyn i'r cysger sancteiddiolaf uwchlaw'r fynedfa i'r neuadd ond ar air Will George. Bûm yn ddigon ffodus i gael fy nerbyn yn weddol ifanc.

Credwn weithiau y medrwn fod yn bencampwr biliards gan ennill y ffowlyn yn y gystadleuaeth Nadolig flynyddol – ond ni ddigwyddodd hynny. Colli fu fy hanes bob tro! Roedd stafell chwarae biliards ym Mrynawel hefyd ac yno y byddwn i a Jac Heulfryn, brawd Lyn Ebenezer, yn chwarae bron bob nos. Roedd Jac yn gweithio yn siop y fferyllydd a oedd hefyd yn Swyddfa'r Post. Gan fod honno'n cau am hanner awr wedi pump, a bws yn mynd â Jac 'nôl i'r Bont am saith, caem awr a hanner o chware biliards bron bob nos. Jac oedd y meistr bob amser ond gwnawn yn burion pe cawn ugain o start!

Roedd Will George yn bysgotwr mwydyn i ryfeddu ac ar brydiau byddai, fel llawer o bysgotwyr mwydyn y cyfnod, yn rhoi 'jam' neu 'bâst' ar yr abwyd. Jam oedd enw Doldre am y stwff (anghyfreithlon) a gâi ei wneud o wyau eog er mwyn denu pysgod. Byddai'r jam yn cael ei roi ar glincer, sef darn o olosg, a'i daflu i'r dŵr. Pan fyddai'r pysgod yn arogli neu'n blasu'r jam byddent yn ysu am ei fwyta ac yn mynd yn ddwl. Câi jam ei werthu am bunt y potyn – eithaf pris yr adeg honno. Roedd cyfrinachedd mawr yn gysylltiedig â'r jam.

Roedd Dan Ferndale (Dan the Fisherman neu Wncwl Dan – gan ei fod e'n cael ei alw'n Wncwl gan bawb!) yn un o'r cymeriadau mwyaf hoffus a ddeuai ar ei dro i Ddoldre. Deuai i fyny o Ferndale i bysgota bob hyn a hyn ac roedd yn giamster ar y grefft, ond ni fyddai byth yn gor-bysgota – 'brace bach' chwedl Dan, a dyna hi. Roedd e'n ŵr caredig tu hwnt a deuai ag offer pysgota newydd sbon o siopau Caerdydd gydag e. Credaf mai Wncwl Dan yn anad neb oedd yn gyfrifol am ddysgu dulliau modern pysgota i ni yn Nhregaron.

Roedd Wncwl Dan yn ffodus gan ei fod bob amser â phlu wedi eu cawio o blu gwar ceiliogod – plu arbennig o dda ar gyfer creu pryfyn artiffisial. Roedd e'n cadw nifer o geiliogod – rhai *Pembrokeshire Blues* – adar gwych yn y *boxing ring* chwedl Wncwl Dan, gyda winc.

Dydw i ddim yn siŵr iawn am yr ochr honno o'i fywyd lliwgar ond clywais ef yn adrodd stori fel y bu i nifer o fois Ferndale ymgynnull mewn seler yng Nghlwb y Glowyr un bore Sul. Yr atynfa oedd ymladd ceiliogod. Wedi gornest ddigon erchyll dyma un o'r ceiliogod yn hedfan i fyny at sil y ffenest uwchben a diflannu. Rhedodd un o'r bois nerth ei draed i fyny'r grisiau ar ei ôl a phan gyrhaeddodd y stryd gwelodd y ceiliog yn cerdded ar hyd y

Wncwl Dan, Ferndale yn dal yn dynn yn ei bencampwr pluog, crand.

ffordd. Yn cerdded yn araf i fyny'r stryd tuag ato roedd y plismon lleol. Aeth y boi 'nôl i'r seler ar ras a rhybuddio'r criw fod plismon y tu fas. Bu panig mawr. Pawb yn ofni cael ei ddal gan mai llys a chosb fyddai'n dilyn. Mae'n debyg bod dau flaenor o'r capel cyfagos ynghanol y criw! Yn ffodus, mynd o'r tu arall heibio wnaeth y plismon!

Arwr arall i mi oedd Ifan Thomas, 1 Well Street – joci penigamp a heliwr gwych. Treuliais lawer orig yn ei gwmni. Ganddo ef y cefais gyfarwyddyd ar sut i eistedd ar gefn ceffyl. Ni wn ble y dysgodd farchogaeth ond roedd yn eistedd ar gefn ceffyl yn union fel y gwna jocis enwog heddiw: eistedd gan gadw'r gwartholion lan yn uchel. Byddai Ifan yn codi ar ei draed yn y gwartholion, yn union fel y bydd Frankie Dettori yn ei wneud ar ôl ennill ras. Credaf mai hyn a ddechreuodd fy nghariad at farchogaeth a bûm yn marchogaeth ceffylau mewn rasys yn ddiweddarach. Bûm hefyd yn marchogaeth llawer o geffylau gwyllt i'w dofi.

Porthmyn oedd un o'n teuluoedd drws nesa ni yn Noldre. Pan aeth y mab hynaf, Bili, i'r rhyfel bu'n gwersylla am gyfnod yn agos i Haymarket ac un tro daeth 'nôl â dau geffyl rasio gydag ef – ceffylau pedigri gwych. Bu Ifan Thomas a finne'n rasio'r rhain ar y cae oedd gan Bili ar waelod y pentre. Roeddwn yn ddisgybl da i Ifan ac weithie byddwn yn ei faeddu. Er mai'r un ddau geffyl fyddai gennym, gan farchogaeth yr un ceffyl bob tro, ni allwn lai na chredu bod ceffyl Ifan yn gynt na'r un oedd gen i er nad Ifan oedd yn ennill bob tro. Beth oedd i gyfrif am hyn tybed? Tybed a yw ceffylau fel milgwn yn rasio'n well ambell ddiwrnod na'r llall?

Byddai Ifan neu Ianto Thomas Llofft Fach a finne'n mynd allan i hela cwningod â milgwn yn aml. Roedd cwningod yn hanner coron yr un bryd hynny ond y mwynhad yn hytrach na'r arian oedd yn bwysig – a'r cyffro o weld y cwrso a'r ras rhwng y gwningen a'r ci. Doedd dim

*Tîm pêl-droed Tregaron, yn y rhes flaen a sigaret rhwng ei wefusau –
Ifan neu Ianto Llofft-fach, fy athro hela.*

gwahaniaeth bod y gwningen yn dianc. Y ras a sut oedd y ci
yn gweithio oedd bwysicaf.

Am gyfnod bu Ifan a finne'n gweithio ffured a byddem
yn aml yn mynd i ffureta ar dir ffermydd cyfagos. Doedden
ni ddim yn hidio pwy oedd berchen y cloddie – y ffaith fod
degau o gwningod yn cuddio o'u mewn oedd yn denu.
Roedd digonedd o gwningod o gwmpas ac roedd yr hanner
coron a gaem am bob un yn bris da. Byddai llawer o ddynion
yr ardal yn ennill bywoliaeth drwy drapio cwningod.
Byddai'r rhain yn mynd o ffarm i ffarm gan osod hyd at ddau
neu dri chant o drapiau i lawr bob nos. Byddent wedyn yn
rhannu'r arian gyda'r ffermwyr. Oherwydd hyn nid oedd y
ffermwyr yn or-hoff o weld unrhyw un arall yn dal cwningod
ar eu tir.

Cofiaf yn fyw iawn un tro, a ninnau wedi mynd yn
llechwraidd i fferm Pencefen. Mae'n debyg mai gwneud
ychydig o botsian oedden ni gan ein bod yn cadw'n glir o
olwg clos y ffarm. Ar ôl gosod y rhwydi ar draws y tyllau
dyma ni'n rhyddhau'r ffured i mewn i'r warin. Tasgodd dwy
gwningen i mewn i'r rhwydi'n union ac roedd hi'n amlwg
fod digon o gwningod yno gan i ni weld un arall yn syllu

arnom ar ben y twll. Ond yn sydyn dyma Ifan yn gweiddi o'r ochr draw i'r clawdd, 'Cod y rhwydi ar unwaith a dere!' Gwyddwn wrth ei lais fod yna helynt a dyma fi'n codi'r rhwydi a'i ddilyn dros y clawdd ffin i dir ffarmwr arall ar ras wyllt.

Wedi cyrraedd man diogel dyma Ifan a finne'n gorwedd wrth fôn y clawdd. Gofynnais iddo pam wnaethon ni redeg gan fod digonedd o gwningod ar dir Pencefen a doedd neb wedi dod i'n tarfu. Ni fedrai Ifan egluro, dim ond dweud nad oedd yn teimlo'n ddiogel yno. Ni fedrwn ddeall hyn ond ymhen rhyw ddeng munud dyma ni'n gweld Dic Pencefen, perchennog y ffarm, yn cerdded i lawr at yr union fan lle'r oedden ni wedi bod yn potsian. Oni bai bod Ifan wedi ein symud mor glou buasem wedi cael ein dal. Gofynnais iddo droeon beth oedd wedi dweud wrtho am adael tir Pencefen y diwrnod hwnnw. Nid oedd ganddo esboniad, a hyd heddiw mae'r holl beth yn ddirgelwch i mi ond credaf fod gan Ifan rhyw ddealltwriaeth o bethau cefn gwlad oedd uwchlaw'r cyffredin.

Mae cyfnod yr arddegau yn anodd i bawb – ac felly oedd e i mi – cyfnod o holi a chwilio am atebion. Yn ystod y cyfnod hwn roedd nifer o gwestiynau'n mynd trwy fy meddwl, yn enwedig wedi'r profiad gydag Ifan. Tybed a oes gan y bobol hynny sy'n treulio'u hamser yn agos at fyd natur rhyw synnwyr ychwanegol i'r pum synnwyr arferol o weld, clywed, teimlo, arogli a blasu? Rwy'n argyhoeddedig bod anifail gwyllt yn

Ffereta – cwningen yn bolltio o flaen y ffured i'r rhwyd.

medru synhwyro perygl. Tybed a yw ambell fod dynol â'r synnwyr hwn hefyd? Mae'r cwestiwn wedi fy mhoeni ar hyd fy oes – a hyd yn oed nawr rwy'n credu bod gan ambell heliwr a physgotwr rhyw ddimensiwn y tu hwnt i'r cyffredin.

Weithiau wrth bysgota daw rhyw sicrwydd drosof y byddaf, y diwrnod hwnnw, yn cael helfa dda o bysgod. Nid oes esboniad am hyn ond mae rhai wedi cyfeirio at y ffenomenon fel 'y chweched synnwyr', rhywbeth sy'n perthyn i'r rhai

Milgi milgi

sy'n byw yn agos at natur. Clywais lawer stori yng ngweithdy'r crydd a oedd yn anodd ei hesbonio.

Gan Ifan y dysgais sut i faglu pysgod. Byddem yn gwneud magl o rawn ceffyl, ei glymu ar flaen brigyn hir o gollen, chwilio'r afon am bysgodyn a'i ddal â'r fagl. Roedd Ifan yn giamster ar wneud hyn ond anaml iawn y byddwn i'n llwyddo. Hoffai Ifan bysgota am lyswennod drwy godi cerrig mawr o wely'r afon a dal y llyswennod oddi tanynt â fforch fawr. Ches i ddim llwyddiant ar hynny chwaith ond erbyn hyn roeddwn wedi dechrau pysgota go iawn, pysgota gyda gwialen a phluen.

Cymeriad diddorol a lliwgar arall oedd Charles Harrison. Nid oedd yn mwynhau'r iechyd gorau ac oherwydd hyn byddai'n treulio llawer o amser yn eistedd mewn cadair esmwyth ger y tân gyda bocsaid o siocled *Dairy Milk* ar un fraich a phaced o sigarennau *Craven-A* ar y llall.

Roedd Charles yn bysgotwr gwych a chredaf mai ef oedd y pysgotwr pluen sych gorau a welais erioed. O ran ei sgiliau, roedd e'n byw flynyddoedd o flaen ei amser. Nid oedd yn pysgota'n aml iawn ond bob tro y byddai, deuai 'nôl â helfa dda. Meddai ar yr offer pysgota gorau ac roedd yn ei drafod fel meistr. Ni fyddai byth yn gwerthu pysgod gan fod tipyn o steil y byddigions yn perthyn iddo. Byddai llawer yn galw yn 7 Well Street i weld Charlie – gŵr na fedrai fyth ddioddef ffyliaid.

Gan ei fod e'n drwm ei glyw, roedd ganddo beiriant bach yn ei boced i'w helpu i glywed yn well. Wrth iddo ei gynnau byddai gwich fain yn treiddio'r tawelwch. Ar yr adegau hynny pan fyddai rhywun yn anghydweld â Charlie, byddai'n diffodd y peiriant ac yn anwybyddu pawb!

Byddwn yn prynu plu pysgota ganddo am eu bod nhw'n rhai godidog. Yn anffodus nid oedd yn gwisgo llawer o blu ond roedd yn grefftwr gwych am gawio.

Cofiaf fynd yn ei gwmni i saethu gwyddau gwyllt ar dir Camer Fawr, hen gartref Ambrose Bebb. Roeddem wedi mynd i lawr at glawdd y gors ac roedd reiffl gyda Charlie. Wedi i ni gyrraedd o fewn ergyd dyma ni'n tanio. Methais i, ond roedd Charlie wedi cwympo un o'r adar. Trueni mawr nad oedd ei iechyd yn well oherwydd roedd yn ŵr dawnus iawn ac mi ddysgais lawer wrth ei wylio'n pysgota.

Roedd dau frawd, Sianco a John Llwyngefus yn byw yn Noldre ac yn gweithio ar yr hewl. Byddai'r ddau yn treulio amser yn hela a saethu cwningod. Roeddent yn mwynhau'r sbort ac wrth gwrs yn hoffi'r arian poced. Gweithiai John ar ran o'r hewl o Dregaron am y Bont a byddai'n gosod maglau yn y cloddie. Cefais aml i gyfarwyddyd ganddo ar sut i osod magl.

Ceid dau ofaint yn Noldre: Daniel Williams, fy athro ysgol Sul oedd un ac oherwydd rhyw barchedig ofn, anaml iawn yr ymwelwn â'i efail ef; Llew Gof oedd y llall ac roedd ei efail ef yn gyrchfan beunyddiol bron i mi. Roedd Llew yn saethwr o fri a'i sgwrs bob amser yn fy niddori. Galwai llu o ffermwyr yno i bedoli eu ceffylau a phob un yn fwy na pharod i ganiatáu i Llew hela ar eu tir.

Ychydig a ŵyr pobol heddiw am waith gof ond roedd gan ofaint statws arbennig yn y cyfnod hwnnw – y cyfnod cyn dyfodiad y tractor – ac roedd e'n waith pwysig a chaled iawn. Er nad oedd ei gorff yn fawr, roedd Llew yn ŵr cadarn ac edmygwn ef yn fawr. Nid ar chwarae bach y byddai rhywun yn mynd i'r afael â cheffyl gwedd. Byddai ambell geffyl a ddeuai i'r efail yn anodd iawn i'w drin a gwelais Llew yn crynu lawer tro ar ôl sesiwn hir o bedoli a thrin y cobiau mawr a'r ceffylau gwedd. Gwaith anodd a pheryglus tu hwnt oedd pedoli ceffyl am y tro cyntaf.

Pe gwelwn Llew yn mynd i nôl y morthwyl mawr, gwyddwn fod pethau'n o arw

Dan a Llew, dau ofaint Doldre – crefftwyr hanfodol yn oes y ceffylau a'r offer haearn.

yn y rhan o'r efail a neilltuwyd ar gyfer pedoli. Pan fyddai ceffyl yn rhwyfus a dim modd ei dawelu byddai Llew yn ei daro â'r morthwyl.

Roedd Llew yn saethwr gwych a phan fyddai Isaac ac e gyda'i gilydd ni fyddent yn methu'n aml. Roedd e hefyd yn ddyn cŵn ac un ci a fu'n ffefryn mawr ganddo oedd Pero. Mae hi'n grefft adnabod ci – ei wendidau a'i rinweddau. Yn ôl Llew nid oedd y fath beth yn bodoli â chi gwael; y bobol a oedd yn eu trin fyddai bob amser ar fai.

Ie, dynion arbennig yw dynion cŵn. Heb unrhyw amheuaeth mae rhyw ddolen gudd yn bodoli rhwng y ci a'i feistr, rhywbeth sy'n anodd iawn ei ddirnad. Pa ryfedd fod Alecsander Fawr wedi dweud 'Po fwyaf y gwelaf o'm cyd-ddyn, mwya'n y byd rwy'n caru fy nghi'!

Sbaniel oedd Pero, ci Llew; ci ufudd â thrwyn cyn feined â nodwydd. Roedd yn weithiwr caled ac yn mwynhau bod allan yn hela gyda'i feistr. Roeddwn inne hefyd yn hoffi hela gyda Pero am na fyddai byth yn gwylltio.

Wedi marw Pero, prynodd Llew gi newydd – ci marcio, neu *pointer*, bach ifanc. Yn anffodus collodd Llew ei iechyd yn fuan wedi hynny a bu raid iddo roi'r gorau i weithio fel gof ac i hela. Roedd y diciâu wedi cydio'n dynn ynddo a bu'n wael am hir amser. Fi fyddai'n mynd mas â'r ci newydd i hela am ryw awr neu ddwy wedi'r ysgol bob hwyrnos ond byddai'n rhaid i mi fynd i'r stafell wely ac adrodd yr hanes i gyd wrth Llew. Er fy mod yn ifanc iawn deallais mai hanes datblygiad y ci yr oedd Llew am ei glywed.

Yn ystod cyfnod y rhyfel roedd Llew yn aelod pwysig o'r Cartreflu, neu'r *Home Guard*. Roedd gwylio'r rhain yn ymarfer ar brynhawn Sul o flaen y *Llew Coch* cystal â gwylio *Dad's Army* – ac roeddent lawn mor ddoniol! Roedd ambell aelod yn ansicr iawn o'r dde a'r chwith. Credaf mai Llew oedd y sarjant ac roedd yr *Home Guard* yn llwyfan iddo ddangos ei allu i drafod dynion – ac roedd hwnnw'n allu heb ei ail. Dywedodd Llew Post fod ganddo ddawn i fod 'yn fòs heb fod yn *bossy*'.

O holl gymeriadau Doldre, fy hoff gymeriad a'r un a ddylanwadodd fwyaf arnaf i oedd Dai Lewis. Roedd Dai yn byw yn Nhan-y-graig, rhyw ganllath i lawr y ffordd o'n tŷ ni, ac wrth gwrs, byddwn yn ei wylio'n pysgota byth a hefyd. Pan oeddwn yn naw oed cefais enwair ar ôl wncwl i mi. Un prynhawn, a minnau o flaen y tŷ yn chwifio'r enwair 'nôl a blaen, daeth Dai heibio. Bu'n siarad yn hir â Mam a finne a'r peth nesaf a wyddwn, roedd e wedi prynu trwydded bysgota i fi! Roedd hon yn weithred tu hwnt o garedig, yn enwedig o gofio bod ganddo lond tŷ o blant ei hun. Y noson honno dyma Mam yn dweud wrth Nhad fynd â hanner slîper, sef un o'r trawstiau reilwe oedd y bois yn eu cael o bryd i'w gilydd ar gyfer coed tân, i Dan-y-graig i Dai. Roedd yn rhaid i Mam dalu 'nôl am unrhyw weithred garedig.

Dyna gychwyn fy nghyfeillgarwch i â Dai, gŵr gweithgar

heb un asgwrn segur yn ei gorff. Gwnâi ei fywoliaeth drwy bysgota a gwerthu pysgod yn yr haf a hela a gwerthu cwningod yn y gaeaf.

Roedd gwybodaeth Dai am bysgota yn aruthrol a byddai byddigions yn dod o bob cwr o Brydain i Dregaron i'w weld. Heb os dyma'r pysgotwr a roddodd Dregaron ar y map. Byddwn yn galw gyda Dai yn aml a'i gael yn eistedd ger ffenest fach y parlwr yn gwisgo plu pysgota. Byddai'n cadw'r offer cawio ar sil y ffenest. Mae llawer wedi gofyn i mi beth oedd yn gyfrifol am ei

Fy arwr mawr, Dai Lewis: y pen-bysgotwr a gŵr o flaen ei amser.

allu anhygoel i ddal pysgod ond mae'r ateb y tu hwnt i ddirnadaeth dyn. Treuliais oriau yn ei gwmni ar lan afon ac eto nid oes gennyf esboniad am ei lwyddiant. Roedd ganddo adnabyddiaeth lwyr o afon ac roedd hynny'n bwysig ond roedd e hefyd yn bysgotwr caled ac ymroddedig.

Cofiaf un tro pan oeddwn yn gweithio dros yr haf ar ffarm Maesglas – ffarm nid nepell o gapel bach Soar y Mynydd – daeth Dai â phedwar pysgotwr nodedig i'r clos a gofyn am fenthyg ceffylau gan eu bod am fynd i bysgota sewin yn y Doethie Fach. Pedair ar ddeg mlwydd oed oeddwn i ar y pryd ond roedd yn rhaid i fi fynd gyda nhw mor bell â Maesbetws a sicrhau bod y ceffylau'n iawn. Dewisodd y pedwarawd leoliadau pysgota ac yna dyma Dai – a minnau'n ei ddilyn – yn cerdded rhyw dair milltir i lawr y cwm a dechrau pysgota ym mhwll y Foelfraith.

Gallaf ei weld heddiw, dros drigain mlynedd yn ddiweddarach, yn ei blyg ac yn lluchio'r mwydyn i geg y pwll

Cartŵn o Dai – mae'r neges yn y darlun

gan adael iddo dreiglo i lawr gyda'r lli. Wn i ddim sut y gwyddai Dai bod pysgodyn yn cydio ond bron yn ddieithriad byddai'n bachu pysgodyn. Ar ddiwedd y dydd byddai gan Dai rhyw ddwsin o sewiniaid breision. Ni fyddai'r un o'r pedwarawd wedi dala dim!

Roedd Dai yn gymeriad lliwgar ac mae dyled pysgotwyr afon Teifi yn fawr iawn iddo. Dywedir yn aml fod pysgotwyr yn tueddu i ymestyn pethau, yn enwedig am hyd a phwysau'r pysgod sy'n diengyd. Roedd tad Dai, sef Dai Peg (am fod ganddo goes bren) yn nodedig am raffu storïau er y byddai'n dweud ar hanner bob stori: *'there's no point in lying'*!

Un noson, a Dai Peg yn ei morio hi wrth adrodd ei hanes yn rhyfeloedd y Crimea a'r Boer, dyma ymwelydd a oedd yn aros yn y *Talbot* ond a fyddai'n treulio bob nos yn Nhan-y-graig yn dweud: 'Ond Dai, os oeddet ti'n ymladd yn Rhyfel y Crimea, mae'n rhaid dy fod ti'n gant a hanner mlwydd oed erbyn hyn!'

'Ti'n iawn, bachan,' meddai Dai. 'On'd yw amser yn hedfan!'

Ni fyddai Dai Lewis byth yn brolio. Roedd Dai uwchlaw pethau felly.

Teulu o borthmyn oedd yn byw drws nesa yn Clifton House. Roedd y tad, sef Ben Jones i ni'r plant – ond Ben Crown i bawb arall, wedi porthmona am flynyddoedd ac fe fyddai ef a'r mab hynaf, Bili, ac yn ddiweddarach yr ail fab, Ifan, yn ymweld â ffermydd yr ardal gan brynu gwartheg, defaid a moch. Byddent naill ai yn eu lladd

Eifion Davies ger carreg goffa Dai Lewis; saif yn yr union fan ar lan y Teifi lle bu farw'r gwron hawddgar mor ddirybudd – a hynny ar ddydd ei benblwydd yn 65 oed.

a gwerthu'r cig yn eu siop neu'n eu hanfon i ffwrdd gyda'r trên i Loegr. Roedd siop gigydd lewyrchus ganddynt yn Noldre ac yn fy arddegau byddwn yn helpu yn y lladd-dy. Doeddwn i ddim yn hoff o ddal dafad wedi'i lladd ond gallwn ei blingo'n weddol rwydd. Byddai diwrnod lladd mochyn yn ddiwrnod mawr yn Noldre a byddai hyn yn digwydd yn yr awyr agored – reit tu fa's i'n tŷ ni!

Bu Ifan a finne'n gwneud tipyn o botsian gan godi eogiaid oedd yn dod lan afon Teifi wedi'r Nadolig. Eogiaid gleision oedd y rhain ac nid oedd y ciperiaid yn hidio llawer amdanynt am eu bod yn gwneud difrod i eogiaid y gwanwyn. Cofiaf un noson i ni gael cwrs. Roeddem ar ganol yr afon pan ddaeth bloedd o'r tywyllwch: '*Stay where you are!*'

Wedi'r sioc gyntaf dyma Ifan a finne'n dechrau ei heglu hi. Fe groesais yr afon i'r ochr draw a lan at y reilwe a'i dilyn 'nôl am Dregaron. Wrth nesáu at Dregaron gwelais Moc y

Bryn yn dod heibio yn ei gart llaeth a dywedais wrtho fod y ciperiaid ar fy ôl. Chwarae teg i Moc, cuddiodd fi ar lawr y cart a mynd â fi'n syth adref. Roedd Ifan wedi cyrraedd o'm blaen. Nid oedd yr un ohonom yn siŵr pwy oedd wedi gweiddi ond dyna'r tro olaf i fi fynd allan i botsian. Roeddwn wedi cael llond tin o ofan!

Fel y dywedais, roedd dau fab hynaf Ben Jones yn gweithio gydag e'n y busnes. Roedd Bili yn borthmon i'r carn ac Ifan bryd hynny'n gweithio yn y cefndir yn gwneud manion waith gyda'r stoc. Bili oedd y ceffyl blaen ac ef oedd â'r pen am fusnes. Yn rhyfedd iawn, o tua 1990 ymlaen dyma Ifan yn datblygu'n ŵr busnes o fri. Mae'n anodd credu ond ar yr adeg honno roedd e'n trafod dros filiwn o bunnau'r flwyddyn wrth brynu a gwerthu anifeiliaid draw yn sir Benfro.

Roedd gan Ben drydydd mab sef Benjamin, a bu Benjamin a finne'n ffrindiau mawr, yn enwedig wedi i ni'n dau ddod yn brifathrawon yn sir Aberteifi yn y 1960au.

Roedd Doldre yn y cyfnod cynnar hwnnw yn llawn o gymeriadau. Digon syml a chyntefig oedd tai pawb ohonom, gyda'r tai bach ar dop yr ardd. Roedd dau deulu, sef teulu Twm Lein (a oedd yn storïwr gwych wedi iddo 'oilo'i dafod' chwedl yntau) a theulu'r Lovells (teulu â thair o ferched pert iawn) yn rhannu'r un tŷ bach – tŷ bach â dwy sedd ochr yn ochr iddo. Beth oedd y drefn rhwng y ddau deulu, pwy a ŵyr, ond fe fyddai'n destun trafod weithie!

Roedd dwy ysgol gynradd yn Nhregaron ar y pryd, Ysgol yr Eglwys ac Ysgol y Cownsil, ac anaml y byddai plant y ddwy ysgol yn cyd-chwarae, hyd yn oed o fewn ein clwstwr bach ni o dai. Er hynny, ni fyddai unrhyw ddrws yn cael ei gloi ac roedd y gymdeithas yn un glòs iawn.

Un eithriad o bosib oedd Mrs Ashton a oedd yn byw ar ei phen ei hun. Roedd tipyn o oedran arni a Saesneg oedd hi'n siarad. Doedd dim llawer o Saesneg gan bobol Doldre bryd hynny ac felly nid oeddent yn gallu cyfathrebu â hi yn hawdd iawn. Fe fyddwn i'n mynd ag ambell bysgodyn iddi ond byddai bob amser yn fy rhybuddio fod y Jyrmans yn mynd i fomio Doldre. Roedden

Afon Brenig sy'n rhedeg drwy Dregaron.

ni'r plant yn cael sbort o glywed hyn ond o edrych 'nôl, bywyd unig iawn a gafodd yr hen Mrs Ashton ac wrth gwrs, yn yr oes honno nid oedd neb yn gofalu am yr henoed.

Gan fod Doldre mor agos i afon Brenig a

Effaith Haf sych 1976 ar yr afon fach

honno'n gorlifo'i glannau o leiaf unwaith bob gaeaf, byddai'r trigolion yn gorfod paratoi rhag y llif. Cofiaf weld y llif lan dros dair o risiau'r stâr – bydden ni'r

Gaeaf – a'r afon wedi rhewi'n gorn.

plant yn cael hwyl ond roedd e'n waith a gofid mawr i'r gwragedd i gyd. Un tro, methodd Isaac Llys Caron symud ei bethau mewn pryd a difrodwyd bocs mawr a'i lond o blu pysgota a glymwyd gan Dai Lewis. Roedd e'n ei gadw dan y dresel. Colled enfawr.

Cofiaf weld Mam yn llefen yn hidl wedi un llif. Wyddwn i ddim pam ond roedd ei gweld hi'n llefen yn fy mrifo innau

Saith o fechgyn Doldre sydd wedi ennill eu capiau am bysgota dros Gymru ar y llwyfan rhyngwladol.

hefyd – doedd Mam ddim fod i lefen. Mae'n debyg bod yr esgid fach yn gwasgu mewn man na wyddwn i.

Aeth y blynyddoedd heibio a dyna sioc a siom a gefais pan ymwelais â Doldre cyn etholiad sirol 1988. Roeddwn wedi bod yn gynghorydd sir am wyth mlynedd a'r flwyddyn honno roedd yn rhaid sefyll lecsiwn – ac os ydych am nabod tre neu bentre, sefwch lecsiwn!

Am gynrychioli ardal Tregaron – sy'n cynnwys Doldre – oeddwn i, a dim ond nawr wrth edrych yn ôl y sylweddolaf pa mor dwp y bûm i. Roeddwn wedi bod yn curo ar ddrysau tai'r dre ac wedi cael syndod o weld cymaint o Saeson oedd yn byw yno, ond tybiwn y byddai pethau'n wahanol yn Noldre. Sioc o'r mwya felly oedd sylweddoli mai pobol ddieithr i mi oedd bron pob un o drigolion Doldre hefyd. A dieithryn oeddwn inne iddyn nhw. A'r iaith – wel Saesneg bron ym mhob tŷ.

Cofiaf wneud rhaglen deledu ar lan afon Dwyfor yng

nghwmni'r cipar Edgar Owen a gofyn iddo pa newidiadau oedd e wedi ei weld mewn cyfnod o hanner can mlynedd o gipera. Y newid mwya oedd yn y bobol – cynifer o ddieithriaid wedi symud i'r ardal a dim diddordeb o gwbl yn y diwylliant na'r gymdeithas leol. Aeth yn ei flaen i'w cymharu â rhododendrons, am fod y rheiny hefyd yn ymledu ac yn tagu'r bywyd gwyllt o'u hamgylch. Gyda lwc byddai un blodyn gwyllt o dro i dro yn ymddangos yng nghanol y drysni!

Clod i Doldre fel meithrinfa i bysgotwyr oedd i hanner dwsin o'i meibion ennill capiau am bysgota dros Gymru.

Cap Cenedlaethol Cymru am bysgota pluen.

Ar yr aelwyd

'Ble mae Doldre?' fe'ch clywaf yn gofyn. 'Wel, yn Nhregaron!' atebaf i.

Enw yw Doldre ar glwstwr o ryw ugain o dai ar lan afon Brennig. Yn ystod fy magwraeth roedd cymuned Doldre'n un glòs iawn ac o'r herwydd yn fan arbennig i bob un o'r trigolion. Erbyn hyn mae pawb fu'n byw yno – er caleted yr amgylchiadau ar y pryd – yn ymfalchïo yn eu cefndir. Ac mae gan bob un atgofion melys am eu cyfnod yno.

Mam a Nhad a'u pump plentyn ar fflagen drws Rock House.

Enw ein tŷ ni oedd Rhydfen House, enw crand iawn ar dŷ nad oedd ond cegin fyw, dwy stafell wely a sied yn y bac. Ond dyna lle

Ein stryd ni yn Doldre.

roedden ni'n byw yn deulu bach sef Nhad – John; Mam – Ellen a phump o blant, sef fi yr hynaf – Morgan John (Moc), Mary Elizabeth (Bisha), William (Bili) Margaret Heather (Marged) a Gwyneth (Wla) y chwaer ieuengaf. Erbyn heddiw anodd dirnad sut oedd hi'n bosib i deulu o saith fyw mewn lle mor gyfyng. Ond dywed y cof iddo fod yn gartref hynod o hapus a chysurus. Nid oedd moethusrwydd o unrhyw fath yn perthyn i'r tŷ. Ond roedd ein rhieni'n gweithio'n galed ac yn gwneud eu gorau glas i greu awyrgylch gartrefol a hyfryd ar yr aelwyd.

Wrth i ni'r plant dyfu daeth angen mwy o le arnom a phan ddaeth tŷ cyfagos Rock House yn wag, symudom yno i fyw. Roedd ynddo ddwy ystafell ar lawr a dwy ar y llofft, a'r pedair yn weddol o faint. Gan fod Rock House yn dŷ talcen roedd sgwaryn o dir wrth ei ochr lle byddai Nhad yn cadw'r slîpers reilwe a gâi'n fonws blynyddol fel pob gweithiwr rheilffordd bryd hynny. Roedd gardd tu ôl i'r tŷ lle byddai Nhad yn tyfu tato a gwahanol lysiau eraill a blodau. Ac ar dop yr ardd roedd 'Tŷ'r Cyffredin' neu'r tŷ bach!

A dweud y gwir, braidd yn gyfyng oedd Rock House ar

Priodas Mam a Nhad – adwaenid Nhad fel Jac Doctor –
a'r gwestai ar y dde yw Doctor Jac.

35

Dad-cu a Mam-gu Bont.

ein cyfer i gyd. Hwyrach mai dyna pam fy mod i, yr hynaf, yn dal y bws i Bontrhydfendigaid a threulio nos Wener a dydd Sadwrn ar aelwyd Mam-gu a Tad-cu. Gan nad oedd bysus ar y Sul teithiwn adre nos Sadwrn. Yn ôl fy chwiorydd roeddwn yn cael fy sbwylio'n rhacs gan Mam-gu – ac efallai eu bod yn iawn.

Wrth edrych yn ôl mae rhywun yn meddwl a oedd honno'n sefyllfa ddelfrydol i fachgen ar ei brifiant. Teimlwn fy mod fel pe bawn yn rhannu fy mywyd yn ddau, gymaint felly fel y teimlwn ar brydiau nad oeddwn yn wirioneddol berthyn i'r un o'r ddau le. Byddai'r teimladau hynny gryfaf wedi i mi dreulio gwyliau hir y Pasg a'r haf lan yn Bont gan golli bwrlwm beunyddiol aelwyd Rock House.

Roedd 'bysus bach y wlad' yn chwarae rhan bwysig ym mywyd trigolion cefn gwlad yr adeg honno. Os cofiaf yn iawn, Danny Rees oedd enw'r perchennog a gyrrwr y bys oedd yn mynd o Dregaron i'r Bont. Digon di-ddal oedd amserau'r bysus ac amhosib oedd dweud a oeddent yn cyrraedd yn gynnar neu'n rhedeg yn hwyr! Y peth pwysig oedd eu bod nhw'n mynd â ni o le i le. Seddi pren oedd i'r bysus, a chan fod y ffyrdd yn anwastad byddai pen-ôl rhywun yn gleisiau ar ôl ambell daith!

Roedd Mam yn ferch bert ac annwyl iawn. Cyn priodi bu'n gweithio fel morwyn mewn tŷ mawr ar gyrion Tregaron ond ar ôl priodi, y cartref a'r teulu oedd yn cael y flaenoriaeth. Dyna arfer yr oes honno ac nid oes gen i gof am

36

un o wragedd priod Doldre yn mynd mas i weithio.

Nid oedd unrhyw ffws na ffwdan yn perthyn i Mam ond roedd ganddi bersonoliaeth dawel a chadarn. Nid oes gen i gof amdani'n mynd o'r tŷ yn aml iawn, ddim hyd yn oed i siopa. Roedd hi'n gwbwl hapus ar yr aelwyd ac i ni'r plant roedd e'n beth mor braf i'w chael yno i'n croesawu gartre o ble bynnag y byddem wedi bod.

Roedd Mam wrth ei bodd yn cwcan ac mi roedd hi'n gwc heb ei hail. Pan oedd hi'n forwyn roedd paratoi prydau bwyd o bob math yn rhan o'i dyletswyddau ac roedd hi'n cael pleser mawr wrth baratoi bwyd i ni'r teulu. Yn ystod fy mywyd rydw i wedi bwyta mewn mannau crand iawn ac ambell waith wedi talu'n ddrud am ambell bryd, ond ni phrofais erioed well na'r arlwy fyddai ar ford Rock House, yn enwedig i de bob dydd Sul.

I mi roedd Mam yn un o'r cwcs gorau a droediodd daear erioed. Pe bai cystadleuaeth i baratoi pryd blasus o gynhwysion syml, naturiol medrai hyd yn oed Dudley ac Ena roi'r gorau iddi. Roeddwn yn adnabod y ddau gogydd hyn yn dda iawn – wedi cyd-weithio â nhw ar raglenni teledu *Heno* – ac er bob eu prydau'n flasus, i mi ar fwyd mam yr oedd y 'relish'. Er mai stôf olew fechan oedd ganddi, medrai gwcio teisen sbwnj a fyddai'n toddi yn y geg.

Rwy'n cofio bod unwaith yn agoriad swyddogol gornest bysgota'r byd yng Nghanada ac o gylch yr ystafell enfawr roedd stondinau'n cynnig bwydydd cynhenid y gwledydd oedd yno'n cystadlu. Nid oedd gen i syniad ble i fynd gyntaf ond wedi gweld bod bwyd Siapan yn denu ciw hir o bobol, draw â fi. Roedd canmoliaeth fawr i'r bwyd – ac efallai mai Siapan fyddai wedi ennill Rhuban Glas y wledd honno – ond doedd e'n ddim i'w gymharu â bwyd Mam.

Roedd Mam â'i gofal yn fawr iawn ohonom fel teulu, yn awyddus i ni gael y gorau ac i gael y cyfle i gyflawni'r gorau fedrem. Daeth geni fy mrawd Bili â gofid a phryder ychwanegol iddi am fod gan Bili nifer o anableddau ac wrth iddo dyfu deuai'r rheiny'n fwy a mwy amlwg. Ni fedrai glywed na siarad ac roedd ochr dde ei gorff yn gyfan gwbl wan, ei fraich yn ddiffrwyth a dim llawer o gryfder yn ei goes chwaith. Roedd cariad a gofal Mam ohono'n enfawr a byddai'n darganfod dulliau o gyfathrebu ag ef er mwyn ei wneud yn llai rhwystredig. Sylweddolem i gyd fod y byddardod yn amharu ar ddatblygiad Bili. Ond roedd e'n frawd annwyl i ni bob un.

Pan oedd ond yn ei ddeugeiniau cynnar aeth Mam yn dost, a siom a sioc oedd clywed ei bod yn dioddef o'r canser. Nid oedd meddyginiaeth a allai ei gwella a heb os fe ddioddefodd yn enbyd. Ond ni chlywais mohoni erioed yn cwyno na'i gweld hi'n arddangos unrhyw dristwch na diflastod, dim ond bwrw 'mlaen â'i gwaith. Byddai'r cartref bob amser yn lân a thwt a'r bwyd ar y ford yn brydlon.

Pan fu farw Mam a hithau ond yn bump a deugain oed bu'n ysgytwad enfawr i ni bob un.

Roedd Nhad yntau yn weithiwr caled iawn; a dweud y gwir, nid oedd asgwrn segur yn ei gorff. Roedd e'n byw i weithio ac yn gweithio i fyw. Gweithiai fel gangyr ar y rheilffordd, hynny yw, roedd e'n gyfrifol am gang o ddeg a oedd yn gofalu am ddeg milltir o gledrau o Bontllanio i Lanilar. Bryd hynny roedd rheilffordd o Gaerfyrddin i Aberystwyth. Roedd hi'n rheilffordd brysur iawn ac yn sgil yr holl fusnes oedd yn deillio o'r ffatri laeth ym Mhontllanio dywedwyd mai'r stesion honno oedd y brysuraf a'r fwyaf phroffidiol ar y lein i gyd.

Mae'n debyg mai bwriad cwmni M&M ar y cychwyn oedd gosod rheilffordd rhwng Aberdaugleddau (*Milford Haven*) a Manceinion (*Manchester*) ond i'r cwmni wneud colledion mawr wrth geisio gosod sail i'r trac ar hyd Cors Caron. Gymaint fu'r trafferthion nes iddynt fynd yn fethdalwyr. Roedd pob llwyth o graig neu gerrig yn suddo i'r

gwaelod ar amrantiad. Yna camodd David Davies
Llandinam i'r bwlch a chyda'i weledigaeth ef gosodwyd
sachau llawn gwlân ar hyd y gors a llwyddodd hyn i osod
sylfaen ddigonol ar gyfer gosod y cledrau. Ond yn hytrach
na mynd i fyny am Fanceinion penderfynwyd mynd am
Aberystwyth. Dyna pam y caed tro mor siarp yn y cledrau
ger gorsaf Strata Florida oedd rhyw filltir islaw pentre'r
Bont. Sicrhaodd y rheilffordd waith i ddegau o bobol yr
ardal yn y cyfnod hwnnw.

Er mwyn cyrraedd y gwaith yn brydlon byddai Nhad yn
codi cyn chwech bob bore ac yn y gwaith erbyn chwarter i
saith. Ei orchwyl cyntaf fyddai cynnau tân yn y cwtsh ar gyfer
gwresogi a sychu dillad. Yma byddai bois y gang yn gadael eu
beics – rhai wedi seiclo i lawr o'r Bont. Byddai'n rhaid iddyn
nhw godi'n gynnar er mwyn cyrraedd y gwaith yn brydlon ac
ni fyddent gartre tan saith y nos. Diwrnod caled o weithio
gyda chaib a rhaw ond doedd neb yn cwyno; pawb yn falch
o gael gwaith.

Byddai Nhad yn cyrraedd gartre chwap wedi pump ac
wedi swpera byddai'n mynd ar ei union i'r Fron, sef cartref

Gang Nhad ar y relwê – roedd y criw yn gyson ennill gwobrau am y milltiroedd
mwyaf taclus o'r rheilffordd yng Nghymru.

Doctor Williams y meddyg lleol. Roedd y doctor yn cadw dau neu dri o ferlod gan ei fod e'n hoff o farchogaeth a byddai Nhad yn eu bwydo a glanhau'r stablau ac ati. A chyn dod gartre byddai ef a'r doctor yn cael sgwrs dros baned o de. Bron yn ddieithriad byddai'n ddeg o'r gloch arno'n dod i'r tŷ. Rhwng y ddwy swydd byddai allan o'r tŷ am oriau. Ni fyddai byth yn segura. Rwy'n cofio Mr Roberts, yr athro bioleg yn y Cownti Sgŵl, yn dweud ei fod e'n credu mai Nhad oedd y gweithiwr caleta y gwyddai amdano.

Byddai Nhad yn gorffen gweithio ychydig yn gynharach ar nos Sadwrn ac yn mynd i dafarn y *Sunny Hill* i gael peint neu ddau yng nghwmni ffrindiau. Weithiau wrth gwrs fe allai fynd yn dri neu bedwar – ac wedyn fe fyddai yna siarad!

Roedd e'n hoffi cadw ffured ac weithiau amser cinio byddai'n dal cwningen neu ddwy ar gyfer swper. Roedd e hefyd yn smociwr trwm a weithiai byddai'n cael pyliau o besychu diddiwedd o ganlyniad i anadlu mwg yr *Woodbine*, yn enwedig y peth cynta'r bore neu pan fyddai'n plygu. Rwy'n cofio mynd gyda fe i hela un diwrnod a'i wylio'n gweithio'r ffured a chael helfa dda. Wedyn y ffured yn blocio – sef sefyll dan ddaear. Nid oedd dim i'w wneud ond aros iddi ymddangos. Ond ymhen tipyn byddai Nhad yn penlinio wrth ymyl un o'r tyllau a pheswch yn uchel. Mewn chwinciad byddai'r ffured fach mas o'r twll a 'nôl yn ei law!

Ambell nos Sadwrn pan fyddai'r hwyliau'n dda byddai'n adrodd hanesion ei fywyd cynnar. Roedd wedi gorfod gadael yr ysgol yn dair ar ddeg oed a mynd adre i weithio. Fe fyddwn wrth fy modd yn gwrando ar ei hanesion am sut y byddai'n cerdded defaid dros y mynydd i Aberhonddu.

Roedd ei storïau bob amser yn ddiddorol a chefais sawl cyngor ganddo ar sut i drafod defaid pan oeddwn yn gweithio fel gwas bach. Wrth yrru rhyw gant neu ddau o ddefaid roedd hi'n bwysig peidio dechrau ar ras ond gadael iddynt gerdded yn sionc. Drwy gerdded byddai'r defaid gorau yn sicr o ddod i'r blaen am eu bod yn hoffi arwain, a thrwy hynny'n denu'r gweddill i'w dilyn.

Byddai Nhad yn cerdded defaid o Dregaron i Nantstalwyn, taith o ryw ddeng milltir cyn aros dros nos. Allan gyda'r defaid y byddai e'n cysgu – chwilio am le o afael y gwynt wrth fôn y clawdd. Berwai ddau wy amser brecwast ond dim ond un a wnâi ei fwyta gan gadw'r llall ar gyfer cinio. Bu Nhad yn hoff o gerdded ers pan oedd yn ifanc ac roedd e'n gerddwr cyflym pan fyddai angen. Byddwn yn aml yn gorfod rhedeg i barhau wrth ei ochr.

Rwy'n cofio gwneud eitem am gerdded defaid ar gyfer y gyfres deledu *Gwlad Moc*. Roedd hanesion Nhad yn fyw yn y cof pan ofynnais i Martha Hughes, Diffwys gymryd rhan. Roedd gan Martha gŵn defaid da ac roedd wedi eu rhedeg mewn amryw o dreialon. Hefyd yn y cwmni roedd gŵr o Abergwesyn a oedd wedi bod yn gyrru defaid am flynyddoedd. Dechreuwyd y ffilmio yn Nhregaron yn heulwen braf mis Chwefror ac roedd pethau'n mynd yn dda nes cyrraedd Cwmberwyn. Yno dechreuodd y tywydd waethygu gydag eira'n disgyn. Cododd y gwynt a chan ei fod yn chwythu i wynebau'r defaid dyma bethau'n troi'n ddrwg. Ni allai Martha na'i chŵn symud y defaid ac roedd hi'n amlwg nad oeddem yn mynd i fedru cwblhau'r daith na'r ffilmio. Cafwyd cryn broblem i ddod 'nôl i lawr y mynydd gan fod yr eira'n rhewi gan wneud yr hewl yn beryglus o lithrig. Dyna brofiad ffilmio na fynnwn fyth ei ail-fyw. Ni fûm erioed mor hapus o gyrraedd y *Talbot* yn Nhregaron!

Trueni na fyddai Nhad yno gan na chlywais mohono erioed yn dweud fod defaid wedi ei drechu. Credaf fod gyrru defaid – a gwartheg am wn i – yn gofyn am gryn brofiad gan na ŵyr neb beth all ddigwydd wrth groesi gwlad heb unrhyw rybudd am newid yn y tywydd.

Ychydig amser yn ôl cawsom gyfres o raglenni teledu am fywyd ac arferion y porthmyn a bu dilyn mawr ar y gyfres, ond fe hoffwn i pe bai stori'r drofers hefyd yn cael ei phortreadu. Porthmon oedd fy nhad-cu ond roedd fy nhad yn ddrofer.

Rwy'n cofio sgwrsio lawer tro gyda'r Parchedig Ieuan Jones, gweinidog gyda'r Methodistiaid oedd yn dod yn flynyddol i dreulio pythefnos o wyliau pysgota yn Nhregaron. Byddai'n galw yn y tŷ i gasglu ei ddwsin o blu pysgota ar gyfer twyllo brithyllod nentydd Cae Tudur. Byddai Ieuan yn cyfeirio'n aml at allu Nhad yn yr ysgol. Roedd y ddau yn yr un dosbarth ac ym mhob arholiad ef a Nhad fyddai'n ymgiprys am fod ar frig y dosbarth.

Wedi marw Mam syrthiodd mwy o gyfrifoldebau ar ysgwyddau Nhad. Doedd Gwyneth ond yn ei harddegau ac roedd yna ddealltwriaeth hyfryd rhwng y ddau. Erbyn hyn hefyd roedd Bili'n medru gwneud tipyn o orchwylion o gwmpas y tŷ ac yn help mawr. Ond yn y 1970au cafodd Nhad ei daro'n wael a bu farw yn 63 mlwydd oed.

Dywedir bod agosatrwydd mawr rhwng mam a merch, a heb unrhyw amheuaeth roedd fy nhair chwaer sef Bisha, Marged a Gwyneth yn agos iawn at Mam ac yn help mawr iddi yn y tŷ ac yn ei gofal o Bili. Er hyn roedd Mam yn awyddus i'r tair wneud yn dda yn yr ysgol. Am wn i ei bod hi am i'r tair, fel fi, weld mwy ar y byd nag a wnaeth hi.

Roedd dros ddeng mlynedd rhyngof fi a'm chwaer ieuengaf, Gwyneth a phan ddes i 'nôl i ddysgu yn Nhregaron bu am gyfnod yn ddisgybl yn fy nosbarth – sefyllfa ddigon anarferol a dweud y lleiaf! Roedd ei hymateb i mi fel brawd ac fel athro yn gwbl wahanol, a da o beth oedd hynny gan fy mod i'n awyddus i sicrhau disgyblaeth o flaen y dosbarth bob amser.

Cafodd fy nhair chwaer lwyddiant yn yr ysgol ac roeddent yn fwy na pharod i gymryd rhan mewn gwahanol weithgareddau. Cofiaf fod Bisha wedi bod yn aelod o barti cyd-adrodd a gafodd lwyddiant mawr mewn eisteddfodau, ac roedd Marged yn mwynhau chwaraeon a bu'n aelod o dîm hoci'r ysgol.

Am wn i nad oedd Gwyneth yn fwy mentrus na'i dwy chwaer hŷn. Un sefyllfa sydd bob amser yn dod i'r cof pan fyddaf yn meddwl am Gwyneth yw'r noson honno yn y 1970au pan ddaeth cnoc ar y drws a dau blismon yn sefyll yno. Wedi iddynt gael cadarnhad fy mod i'n frawd i Gwyneth Morgan, dyma nhw'n dweud bod Gwyneth wedi ei charcharu – yn Rhufain. Pan ddeallais ei throsedd bu'n rhaid i mi wenu. Roedd hi a rhai o'i ffrindiau wedi bod yn dathlu llwyddiant tîm pêl-droed Cymru yn yr Eidal drwy fracso yn un o ffynhonnau hardd y ddinas a chanu 'Hen Wlad fy Nhadau'. Gan nad oedd plismyn yr Eidal erioed wedi clywed yr iaith Gymraeg roeddent wedi credu bod y criw yn Gomiwnyddion ac yno'n ennyn gwrthdaro! Ie, dyna Gwyneth i'r dim, a da medru dweud iddi gael ei rhyddhau heb unrhyw gyhuddiad.

Erbyn hyn mae'r tair a'u teuluoedd wedi ymgartrefu ymhell o Dregaron: Bisha yn Llundain, Marged yn Llanpumsaint a Gwyneth yn Llandeilo ond oherwydd eu llu ffrindiau, bydd y tair yn gwybod am bopeth sy'n mynd ymlaen yn Nhregaron ymhell o fy mlaen i!

Fel y crybwyllais eisoes roedd gan Bili anableddau

Fy nhair chwaer Gwyneth, Bisha, Margaret a fi.

Bili, Margaret a Gwyneth – yn dathlu dydd Gwyl Ddewi.

dirfawr. Ond eto roedd e'n fachgen hoffus tu hwnt ac yn rhan annatod o'n teulu ni. Byddai fy chwiorydd yn ei ddeall i'r dim ac yn fawr eu gofal ohono. Fe'i derbyniwyd ef i'r 'National Sgŵl' fel gweddill plant y dre ac fe gafodd ofal tyner a charedig gan athrawesau dosbarth y babanod. Ond wrth iddo heneiddio roedd y bwlch rhyngddo ef a'r disgyblion eraill yn dwysáu ac nid oedd athrawon dosbarthiadau hŷn yr ysgol yn medru dygymod cystal â'i anghenion. Yn y blynyddoedd hynny nid oedd dim yn cael ei ddarparu ar gyfer plant ag anawsterau dysgu dwys.

Er hynny, pan oedd Bili tua phedair ar ddeg oed gwnaed ymdrech i gael lle iddo mewn ysgol arbennig. Nid oedd ysgol ag adnoddau addas yn unman yng Nhymru ac wedi cryn siarad ar ran y gwybodusion fe gafwyd perswâd ar Nhad a Mam i adael iddo fynychu ysgol arbennig i'r mud a'r byddar yn Lerpwl. Aeth Nhad ag e yno ac roedd ar dorri'i galon wrth orfod ei adael mor bell oddi cartre. Ni fu Bili yno ond am ychydig ddyddiau – ni allai'r staff gyfathrebu ag e ac nid oedd modd iddo yntau gyfathrebu â nhw. Trychineb llwyr.

Gartre yn Nhregaron roedd Bili'n adnabod y mwyafrif o'r trigolion a hwythau'n ei adnabod ef. Roedd aml i gartref yn barod iawn i'w groesawu, er bod gofid ar Mam ei fod ar brydiau'n cerdded i mewn i dai pan na ddylai wneud hynny, ond roedd pobol y dre fel pe baent yn deall y sefyllfa a phawb yn garedig tu hwnt.

Roedd yna adegau pan fyddai Bili'n mynd yn rhwystredig iawn ac yn gwylltio oherwydd ei anallu i gyfleu'r hyn yr oedd arno eisiau ei fynegi – neu oherwydd na fedrem ni ei ddeall.

Mi es ag e i bysgota unwaith ond oherwydd ei fraich wan ni fedrai ddal a thrin y wialen. Wedi hynny nid oedd dim diddordeb ganddo pan fyddwn yn mynd i lawr i'r afon.

Roedd gan Bili galendr bob amser ac fe nodai ar hwnnw pryd yr oedd pethau'n digwydd yn y neuadd. Byddai'n mynd i'r gwahanol gyfarfodydd, pwyllgor neu ymarfer côr, gan eistedd yn y cefn. Heb amheuaeth roedd ein dyled yn fawr i bobol y dre am fod mor gefnogol ac amyneddgar. Roeddent mor barod i dderbyn Bili.

Darllenais yn rhywle'n ddiweddar nad yw plentyn ag anableddau fyth yn llwyr ymwybodol o'r problemau sy'n ei wynebu; ni fydd y rhieni hwythau fyth heb ofid am y plentyn – byddant o hyd am ei arbed rhag unrhyw gam neu boen, ac roedd hynny'n wir yn ein tŷ ni. Dywedir hefyd fod anabledd yn effeithio ar y teulu cyfan. Ac er nad wy'n siŵr faint ddysgodd Bili o fy nghael i yn frawd, gwn i mi ddysgu peth wmbredd o'i gael ef yn frawd i mi. Mae mwy yn cael ei ddarparu heddiw ar gyfer plant ag anableddau nag a fu erioed ond credaf i Bili brofi cariad llwyr ar yr aelwyd gartre.

Pan fu farw Mam ac yna Nhad roedd y merched a minnau'n medru rhannu'n galar, ond drwy ystum yn unig y medrai Bili gyfleu ei hiraeth dwys ef. Wedi marw Nhad aeth Bili i fyw at Margaret, a oedd ar y pryd yn byw yn Aber-arth. Un diwrnod aeth Bili allan gyda Margaret i ddewis llyfrau o fan y llyfrgell a oedd yn galw yno'n wythnosol. Wrth gamu allan o'r fan trawyd Bili gan lori a bu farw yno o'i anafiadau. Roedd yn saith ar hugain oed. Siom a sioc enfawr fu colli Bili mor ddirybudd a mawr fu'r hiraeth ar ei ôl.

Cofiaf i mi wylltio'n llwyr wrth ddarllen yn y *Cambrian News* fod gŵr '*deaf and dumb*' wedi ei ladd yn Aber-arth. Ni allwn dderbyn y disgrifiad hwnnw. Fodd bynnag, wedi ystyried, roedd yr adroddiad yn berffaith gywir – yr oedd Bili'n fud a byddar, ond nid i'n teulu ni.

Bydd pob teulu'n dygymod ag anableddau unrhyw

aelod arall yn ei ffordd ei hun. Yr unig beth a wn i yw bod y teulu bach a fagwyd yn Rock House yn deulu agos ac i mi fod y tu hwnt o ffortunus i gael fy magu ar yr aelwyd gysurus honno.

Disgynyddion Rock House yn dathlu Priodas Aur Bisha a John.

Pennod 4
Yr ysgol fach

Tua phedair neu bump oed oeddwn i pan ddaeth hi'n amser i mi ddechrau'r ysgol ac yn y cyfnod hwnnw byddai'r Eglwyswyr yn anfon eu plant i'r National Sgŵl tra byddai gweddill plant y dre'n mynd i'r Cownsil Sgŵl. Safai'r National Sgŵl ar fryncyn uwchben Doldre – rhyw dafliad carreg o'n tŷ ni – a dyna ble'r es i.

Does gyda fi fawr o gof am fy niwrnod cyntaf yn yr ysgol ond cofiaf fy mod yn gafael yn dynn yn llaw Ianto Crown – sef Evan Jones – crwt deuddeg oed a chymydog drws nesa wrth gerdded lan y rhiw. Roeddwn i'n addoli Ianto a rhaid dweud ei fod e'n fachgen hynaws tu hwnt a bu'n dipyn o asgwrn cefn i mi yn y cyfnod cynnar hwnnw yn yr ysgol.

Bryd hynny roedd plant o bump i bedair ar ddeg oed yn mynychu'r ysgolion cynradd gan mai dim ond y plant oedd yn pasio'r ysgoloriaeth (neu'r 'sgolarship' i ni) yn un ar ddeg oed oedd yn mynd ymlaen i addysg uwch. Doedd e ddim yn rheidrwydd ar unrhyw blentyn i sefyll y sgolarship. Roedd hynny i'w benderfynu gan y disgyblion, neu'r rhieni, wrth gwrs.

Oherwydd lled yr ystod oedran, roedd hi'n fantais bod rhywun o'r 'top class' yn cadw llygad ar y plant bach, yn enwedig amser chwarae. Ni allwn i fod wedi cael gwell gofalwr na Ianto. Byddai'n gwneud yn siŵr 'mod i'n hapus bob

Y National Sgŵl neu'r Ysgol Eglwys – lle cawsom ein haddysg gynnar

amser. Dwi ddim yn cofio bwlio fel y cyfryw yn digwydd yn yr ysgol ond mae gen i gof am ambell ffeit yn torri mas ar yr iard rhwng rhai o'r bechgyn mowr. Roedd rhai o'r rheiny'n gallu bod yn ddiamynedd gyda'r plant llai a hwyrach na ellid eu beio gan fod cynifer ohonynt â'u bryd ar ddim byd mwy na chael gadael yr ysgol, cael gwaith ac ennill cyflog. Roedd nifer ohonynt yn feibion ffermydd ac yn gorfod torchi llewys a helpu ar y ffarm ar ôl cyrraedd adre o'r ysgol bob nos. Gyda llaw, rhyfedd meddwl bod yna ysgolion yn cael eu sefydlu yng Ngheredigion heddiw ar gyfer addysgu disgyblion o dair i ddeunaw oed – ystod lletach fyth!

Ysgol fach iawn oedd y National Sgŵl: dwy stafell ar gyfer rhyw drigain o blant a'r rheiny wedi eu rhannu'n dri dosbarth. Roedd y plant pump i saith oed gyda Miss Bessie Jones mewn un stafell, a'r stafell fawr wedi ei rhannu gyda'r plant wyth i ddeg oed gyda Miss Pugh a'r plant un ar ddeg hyd bedair ar ddeg oed dan ofal y prifathro, Mr Griffiths. Roedd hi'n sefyllfa ddigon anodd ond dyna oedd y drefn yn y rhan fwyaf o ysgolion cynradd bryd hynny. Yn wir, roedd dosbarth uchaf y National Sgŵl yn dipyn o broblem. Gan nad oedd ysgolion uwchradd – heblaw'r ysgolion gramadeg – mewn bodolaeth, roedd yn rhaid cadw'r disgyblion yn yr ysgol fach hyd nes eu bod nhw'n bedair ar ddeg oed. Nid oedd hon yn sefyllfa ddelfrydol o bell ffordd a chredaf fod pawb yn ymwybodol o'r diffygion yn y gyfundrefn addysg. Nid oedd nifer yr athrawon yn deg iawn chwaith.

Pan agorwyd yr Ysgolion Uwchradd Modern yn y 1950au, collodd amryw o brifathrawon ddiddordeb llwyr yn yr ysgolion cynradd am mai gyda'r plant hŷn yr oeddent am fod a gwn i nifer ohonynt fynd ati i chwilio am swyddi mewn ysgolion uwchradd.

Roedd digon o liw a lluniau yn stafell Miss Bessie Jones ar gyfer y plant bach ond byddai yna dipyn o lefen ar ddiwrnod cynta pob tymor. Ni chofiaf i mi lefen – a

Top Class yr ysgol tua 1938 – fi yw'r talaf yn y rhes gefn.

gobeithio na wnes i gan fod disgwyl i bob bachgen, boed fawr neu fach, fod yn ddewr a pheidio ildio i'w deimladau.

Tân glo oedd yn y stafell fach ond roedd stôf yn y dosbarth mawr a phe bai'r gwynt o'r de byddai'r stafell honno'n llenwi â mwg a phawb â'u llygaid yn goch ac yn pesychu'n ddi-baid.

Cofiaf i mi gael tipyn o anhawster gyda darllen a sillafu yn yr ysgol fach. Roeddwn i wrth fy modd yn gwneud sỳms a'r pynciau eraill ac felly'n fy nghysuro fy hun nad oeddwn i'n hollol dwp. Ond o edrych yn ôl, mae rhywun yn sylweddoli pa mor anodd oedd hi ar athrawon i roi sylw unigol i bob disgybl o ystyried yr ystod oedran. Bu sillafu'n dipyn o broblem i mi drwy'r ysgol. Cawn farciau da ym mhob pwnc ar wahân i ddarllen a sillafu.

Fedra' i ddim cofio llawer am weithgareddau 'Standard 3' a 'Standard 4' – er, yn fy marn i, dyma'r blynyddoedd pwysicaf a mwyaf dylanwadol yn nhwf addysgol pob plentyn. Dyma pryd y byddant yn datblygu i fod yn annibynnol, gan ysu am wybodaeth; cyfnod yr holi di-baid a'r diddordebau'n ehangu o hyd. Mae angen athrawon brwdfrydig ar blant saith i naw oed er mwyn ehangu eu gorwelion a'u harwain at lyfrau o bob math. Dyma'r blynyddoedd sy'n gosod seiliau ar gyfer twf y dyfodol.

Pan gyrhaeddais y flwyddyn sgolarship roedd yr Ail Ryfel Byd ar ein gwarthaf a chofiaf i ni gael cyfres o athrawon dieithr dros dro am fod Mr Griffiths, fel nifer o'i gyfoedion, wedi gorfod mynd i'r rhyfel. Cofiaf i ni gael dros hanner dwsin mewn cyfnod byr iawn a chyda'r holl newid roedd disgyblaeth o fewn y dosbarth yn arswydus o wael. Fel plant pob oes, byddai'r plant mowr yn gweld cyfle i greu helynt am na wyddai'r athrawon 'newydd' ddim byd amdanynt. Roeddem ninnau'r plant iau wrth ein bodd yn dilyn eu hesiampl. Cofiaf ein bod ni fechgyn yn rhedeg lan i chwarae ar Bica Bach, sef bryn y tu ôl i'r ysgol, a hynny bron bob dydd heb hidio dim am yr ysgol.

Eto, mae'n rhyfedd fel mae ambell brofiad plentyndod yn aros yn fyw yn y cof. Roedd Mam am i mi sefyll y sgolarship ac yn fy nghymell i wrando a gwneud yn dda yn yr ysgol. Un diwrnod rhoddodd un o'r athrawesau dros dro dasg i'r dosbarth cyfan sef ysgrifennu traethawd ar 'Fy Hoff Anifail'. Roeddwn i'n dwli ar geffylau ac mi ysgrifennais draethawd hir a manwl am y ceffyl. Roeddwn i'n falch iawn ohono, ond – O! y fath siom pan gefais fy llyfr yn ôl wedi i'r athrawes ei farcio. Roedd bron pob gair wedi'i groesi â phensil coch. Tanseiliwyd fy hyder yn llwyr. Ni chyfeiriodd at y cynnwys, dim ond at y gwallau sillafu. Wedi hynny, chwilio am esgusodion dros beidio ag ysgrifennu wnawn i.

Tybed faint o blant tebyg i mi sydd wedi cael eu siomi o weld cymaint o'r pensil coch ar eu hymdrechion oherwydd gor-gywirdeb athro? I mi, ysgogi ac nid marcio yw'r gamp ac yn ystod fy nghyfnod fel athro ni ddefnyddiais bensil coch wrth farcio gwaith unrhyw ddisgybl erioed.

Cyn diwedd y flwyddyn sgolarship penodwyd Mr E. D. Jones yn brifathro llawn amser ar y National Sgŵl a gweddnewidiwyd yr ysgol yn gyfan gwbl. Roedd E. D. yn athro gwych ac yn mynnu disgyblaeth berffaith. Mi ddylwn wybod gan mai fi gafodd y gansen gyntaf gyda'r meistr newydd! Roeddwn i wedi dringo i ben clawdd yr ysgol i siarad â Twm Talbot a oedd yn digwydd cerdded heibio ar hyd y ffordd. Roedd y sgwrs mor felys fel na chlywais gloch yr ysgol yn canu, felly roedd pawb ond fi wedi mynd yn ôl i mewn i'w dosbarth a minnau'n dal i siarad â Twm am hela. Roedd Twm yn heliwr penigamp, prif saethwr cwningod ar lwybrau eithinog Pica Bach ac roeddwn innau bryd hynny'n dwli ar ffilmiau cowbois Billy the Kid. I mi, Twm *oedd* Billy the Kid. Yn gwbwl annisgwyl, dyma gansen yn disgyn ar fy nwy law noeth a llais awdurdodol E. D. yn dweud wrtha' i ble a sut i fynd. O! y sioc a'r siom! Ac fel pob euog un, roeddwn i'n teimlo fy mod wedi cael cosb ar gam. Wedi'r cwbwl, doeddwn i'n gwneud dim drwg, dim ond wedi methu clywed y gloch. Ond roedd y cyfan yn brofiad cwbl annymunol. A do, mi bwdes! Aeth mis heibio cyn i mi ynganu gair wrth y prifathro! Roeddwn i'n gwneud pob gorchwyl a ofynnai i mi ei wneud ond yn gwrthod ateb unrhyw gwestiwn, dim ond edrych ar y llawr. Mae'n rhyfedd sut y bydd rhywun yn ymateb i ambell sefyllfa ac rwy'n fodlon cyfaddef, os bydd rhywun wedi fy nolurio mai fy nhuedd i yw i bwdu gan anwybyddu'r unigolyn hwnnw. Canlyniad y 'cam' yma oedd na fu cansen erioed yn fy llaw i, er imi fod 'yn athro ac yn brifathro am ddeg mlynedd ar hugain.

Dysgais drwy brofiad chwerw y gall cansen dorri'r berthynas rhwng athro a disgybl ac os mai cansen yw'r gosb, rhaid gofyn: a'i mwy o gansen yw'r ateb wrth gosbi pechu pellach? Nid yw defnyddio cosb gorfforol yn gwneud synnwyr i mi ac o'r herwydd, dangos parch y naill at y llall fu fy *mantra* i ar hyn y blynyddoedd.

Un tro, a minnau newydd gael fy mhenodi'n brifathro,

daeth rhiant ataf a dweud wrtha'i am roi'r gansen i'w fab os byddai'n camymddwyn yn yr ysgol. Roedd y bachgen yn amhosib i'w drin gartre ac roedd y prifathro blaenorol wedi dweud wrtha' i ei fod e'n medru bod yn gwbwl afreolus yn y dosbarth. Daeth y bore cyntaf ac wedi cwblhau'r gofrestr dyma fi'n aildrefnu'r dosbarth a gosod rhyw ddau neu dri o'r bechgyn yn agos at y ffrynt, a hwn yn eu mysg. Wedi rhyw ddau neu dri diwrnod o osod canllawiau ymddygiad ac i ambell un golli amser chwarae oherwydd camymddwyn daeth heddwch a chydymffurfio i lawr y dosbarth. Rhoddais y swydd bwysig o ganu'r gloch i'r bachgen dan sylw a chyda'r cyfrifoldeb newydd, newidiodd ei agwedd yn llwyr. Gwelais y rhiant eto ymhen pythefnos ac ni allai gredu nad y gansen oedd wrth wraidd y newid. Roedd y bachgen wedi dechrau dweud 'plîs' a 'thenciw' yn rheolaidd. Ni allaf ddweud ei fod wedi troi'n angel ond ni chawsom yr un gair croes fyth wedyn. Gwnaeth yn rhyfeddol o dda yn yr arholiadau pen tymor a daeth y rhiant ataf yn ei ddagrau gan ddiolch am y 'dröedigaeth'. Roedd yn arferiad gen i roi swydd benodedig i unrhyw blentyn y byddwn yn gofidio yn ei gylch ac roedd hynny bob amser yn gweithio.

Dewisais yrfa fel athro a rhoddodd hynny gyfle i mi edrych 'nôl a chymharu sut yr oedd pethau pan oeddwn i'n ddisgybl yn yr ysgol fach. Ar ôl deg mlynedd ar hugain fel athro a phrifathro deuthum yn ymwybodol iawn fod yna sawl math o athro ac athrawes yn ein hysgolion – rhai yn dda ac eraill ddim cystal, rhai yn ysbrydoledig o flaen dosbarth, eraill â diffyg sbarc angenrheidiol – ond er bod gwendidau, roedd y mwyafrif yn cyflawni gwaith rhagorol.

Cofiaf pan oeddwn yn ymddeol yn 1980 fod adrannau babanod mwyafrif yr ysgolion yn adrannau gwych gyda digon o gyfarpar i gwrdd ag anghenion addysgol plant bach. Treuliais oriau maith yn nosbarthiadau'r babanod pan oeddwn yn brifathro yn Ffynnon Bedr, Llanbed ac roedd y rheiny'n rhai o'r oriau mwyaf ysbrydoledig a hapus i mi yn yr ysgol.

Byddwn bob amser yn gosod pwyslais mawr ar ddarllen. Teimlwn os nad oedd plentyn wedi meistroli darllen erbyn ei fod yn wyth neu naw oed, yna byddai talcen caled o'i flaen. Mae'r gallu i ddarllen yn agor drysau i'r byd yn ei gyfanrwydd. Ar brydiau bydd angen sylw un i un er mwyn rhoi'r hwb angenrheidiol i feistroli darllen. Byddwn yn annog pob cartref i neilltuo amser i helpu plentyn i ddarllen. Pa obaith sydd i roi sylw i unigolyn mewn dosbarth o ddeg ar hugain o blant? Ond 'pe bawn i'n frenin trwy ryw hap, yn gwisgo coron yn lle cap' fe fyddwn yn anfon plant yn eu harddegau – sydd wedi gwneud yn burion yn yr ysgol ond heb gael swydd – i mewn i'r ysgolion i wrando ar blant yn darllen ac i'w helpu i ddadansoddi geiriau. Bu darllen yn broblem i mi ac fe fyddwn i wedi gwerthfawrogi pob cymorth. Yn aml iawn mae plant yn dysgu'n well yng nghwmni cyfoedion na chydag athro. Felly, beth amdani?

Heb os, bu fy nghyfnod yn y National Sgŵl yn un digon hapus ar y cyfan. Byddai'r ysgol yn cyflwyno pasiantau Nadolig yn rheolaidd ac wedi i E. D. gyrraedd roedd safon y perfformiadau'n uchel gan ei fod e'n gerddor mor dda ac yn llwyddo i gael y plant hŷn hefyd i ymddiddori yn y cyfan. Gan ei bod hi'n ysgol eglwys byddai pob un o wasanaethau'r gwyliau crefyddol yn cael sylw, gan gynnwys y Pwnc.

Doedd fawr o siâp arnaf fi fel perfformiwr. Fedrwn i ddim adrodd na chanu'n swynol iawn ond mi gefais fod yn Joseff sawl tro. Nid fyddai gan yr hen Joseff rhyw lawer i'w ddweud ac felly teimlwn i mi gael fy nghastio'n dda.

Mae tuedd i anghofio bod plant oedran cynradd yn medru bod yn bethau bach digon swil. Cofiaf pan oeddwn yn athro i mi gastio bachgen digon swil yn un o'r Brenhinoedd Doeth ym mhasiant y Nadolig. Roedd ganddo lais canu hyfryd ond daeth yn amlwg nad oedd yn hapus o gwbwl gyda'r rhan, yn enwedig wedi i mi ddweud wrtho y byddai'n canu dau bennill ar ei ben ei hunan. Gwnaeth ei ran yn dda, a hyfryd medru dweud bod hwn ymhen rhyw bymtheg mlynedd wedyn wedi ennill gwobrau am ganu gwerin mewn llu o eisteddfodau, a hefyd gymryd rhan yn rheolaidd mewn cyngherddau. Mae ambell ddawn yn amlygu'i hun mewn plentyn pan fo'n ifanc iawn.

Er mawr ryddhad i mi, a llawenydd llwyr i Mam, llwyddais i basio'r sgolarship i'r Cownti Sgŵl. Dim ond dau o'r National a safodd yr arholiad y flwyddyn honno sef Vera Williams – merch y gof, a fi. Er i mi basio roeddwn yn ddiflas tu hwnt gan y byddwn nawr yn symud ysgol a gadael fy ffrindiau ar ôl, sef Ianto Siôn, Bryn Ebenezer, Gwilym Evans, Islwyn Gwarallt, Evan Pencefn a Jennie Thomas – sef cariad y bechgyn i gyd!

Roedd camu i'r Cownti Sgŵl yn brofiad newydd ac yn un digon diflas ar y dechrau. Nid oeddwn wedi disgleirio o gwbwl yn yr ysgol fach. A dweud y gwir, roeddwn yn nes i'r gwt nag i'r blaen ym mhob arholiad, felly roedd hi'n syndod i mi fy mod wedi llwyddo i gyrraedd y Cownti Sgŵl o gwbwl.

Pan oeddwn yn yr ysgol fach roeddwn yn nabod pawb. Roedd plant o deuluoedd mawr yn mynychu'r ysgol a'r eglwys. Yn Noldre roedd teulu'r Thomasiaid â phump o blant, y teulu Edwards â phedwar o blant, y teulu Morgan â phump o blant ac roedd teuluoedd mawr yn y ffermydd cyfagos hefyd. Roedd digon o ffrindiau o'm cwmpas o hyd a byddem wrth ein bodd yn chwarae ar y stryd yn Noldre. Cofiaf i Sidney Cameron a fi ddal y frech goch a chael ein cadw o'r ysgol am bythefnos. Pythefnos o wynfyd yn chwarae yn yr hen furddun ar ben y stryd!

O symud i'r Cownti Sgŵl roedd y cylch ffrindiau yn ehangu. Yn y cyfnod hwnnw roedd plant o ysgolion cyfagos a oedd wedi pasio i'r Cownti Sgŵl yn gorfod lodjo yn Nhregaron yn ystod yr wythnos. Tipyn o newid i blentyn un ar ddeg oed ond roedd hyn cyn oes bysus bach y wlad.

Erbyn fy mod i'n bedair ar ddeg oed ac yn y trydydd dosbarth yn y Cownti Sgŵl roedd y ffrindiau a adawswn yn y National Sgŵl wedi gadael ysgol ac wedi dechrau gweithio ac ennill cyflog. Gan ein bod ni'n deulu o bump o blant, roedd y ffaith nad oeddwn i'n ennill cyflog yn galed ar y teulu ond roedd Mam yn benderfynol fy mod i'n sefyll yn yr ysgol. Nid oeddwn wedi llwyr sylweddoli ar y pryd ond roedd Mam yn gweld ymhell ac roedd hi am i mi gael y cyfle gorau mewn bywyd. Credai mai dim ond drwy aros ymlaen yn yr ysgol y deuai hynny i'm rhan. Oedd, roedd fy ngweld i'n llwyddo yn yr ysgol yn bwysig i Mam.

Bûm yn lwcus tu hwnt i gael fy addysg gynnar yn y National Sgŵl. Roedd yn brofiad unigryw oherwydd roedd yno ysbryd brawdgarwch ac undod rhwng plant y dref a phlant y wlad – a dyw hynny ddim yn wir ym mhobman.

Y Cownti Sgŵl

Erbyn mis Medi 1939, roedd y ffaith fy mod i'n mynd i'r Cownti Sgŵl yn rhoi pleser enfawr i Mam, er nad oedd Nhad na minnau'n rhoi'r un pwyslais ar fy llwyddiant yn y Sgolarship. Roedd nifer o'm ffrindiau heb sefyll y Sgolarship ac felly'n dal yn y National Sgŵl ac fe gaen nhw adael yr ysgol yn bedair ar ddeg oed i chwilio am waith ac ennill cyflog. Yn eu mysg roedd 'na sgolars da ac roedd un ar ddeg yn oedran ifanc iawn i orfod penderfynu rhwng bwrw ymlaen ag addysg neu beidio. Roedd nifer yn feibion a merched ffermydd ac felly roedd eu hangen gartre i helpu ar y ffarm a byddai'r gweddill yn chwilio am waith yn y cyffiniau gydag ambell un mentrus yn troi ei olygon ymhellach.

Beth bynnag, dyma fi'n cyrraedd Cownti Sgŵl Tregaron, a dyna ddechrau ar gyfnod digon diddorol a gwahanol yn fy hanes. O'i chymharu ag ysgolion gramadeg gweddill Sir Aberteifi, sef ysgolion Llanbed, Llandysul, Aberaeron ac Aberteifi, ysgol gymharol fechan oedd Tregaron. Tua dau gant a hanner o blant oedd yno ac wyth o athrawon i'w dysgu, a'r rheiny'n gorfod dysgu ystod eang o bynciau ynghyd â pharatoi'r plant hŷn at arholiadau'r 'Senior' a'r 'Higher'.

O gofio 'nôl rwy'n credu 'mod i'n dipyn bach o rebel yn ystod y blynyddoedd cyntaf. Fel bachgen o

Heddiw'n llyfrgell – ond Cownti Sgŵl Tregaron pan own i'n ddisgybl.

Dregaron roedd gen i fantais ar lawer o'r bechgyn a'r merched oedd yn yr un dosbarth â mi. Doedd dim bysus yn cludo plant i'r ysgol yn y cyfnod hwnnw ac roedd y plant o bentrefi Cwmystwyth, Pont-rhyd-y-groes, Pen-uwch, Tal-sarn ac ati yn gorfod lletya yn Nhregaron yn ystod yr wythnos – profiad digon anodd iddynt a hwythau mor ifanc. Ond roeddwn i gartre ac felly wrth fy modd yn cadw cwmni iddyn nhw gyda'r hwyr.

Byddai'r plant yn dod â bwyd megis wyau, menyn, bara, cig moch ac ambell gacen i'w cynnal am yr wythnos ac roedd ambell stori ddiddorol am ddiflaniad cig moch neu gacen o ambell dŷ lodjin – er bod tuedd i feio llygod (llygod dwygoes oedd gan amlaf yn gyfrifol!).

Roedd pob disgybl i fod yn y tŷ bob nos erbyn chwech o'r gloch. Dyna reol yr ysgol ac roedd y mwyafrif yn ei pharchu, yn enwedig o gofio bod athrawon allan ar batrôl wedi chwech o'r gloch ac yn cofnodi enw unrhyw dresmaswr parhaus yn y llyfr mawr. Gan fy mod yn byw yn Noldre – ac yn ddigon pell o'r stryd fawr – tybiwn na fyddai'r athrawon yn debygol o ddod i lawr y ffordd honno ac yn aml byddwn yn diflannu at lan yr afon neu i gwrso cwningod ar y ddôl.

Yn yr ail flwyddyn roedd yn ofynnol i ni ddewis pa un a'i i astudio Cymraeg neu Ladin. Rwy'n cofio Miss Lloyd 'Latin' yn galw yn y tŷ ac yn esbonio i Mam mai doeth o beth fyddai i mi fynd i'r ffrwd oedd yn astudio Lladin yn hytrach na'r ffrwd Gymraeg. Ofer fu ei chyngor gan fy mod yn benderfynol o fynd gyda'm ffrindiau i'r ffrwd Gymraeg.

Roedd y dosbarth Cymraeg yn un hynod o hapus – a drygionus ar adegau. Er enghraifft, roedd fy nghyfaill John Dudley Davies o Fwlch-llan yn fwrlwm o ddireidi diniwed. Un diwrnod aeth e â fi i'r sied yng nghefn yr ysgol lle byddai'r bois mowr yn smygu. Wedi dau neu dri chynnig ar dynnu'r mwg i'r fegin, dyma fi'n dechrau bwldagu a pheswch. Fues i erioed mor dost ac ni wnes i smygu byth wedyn. Pan fydd meddyg yn gofyn i mi heddiw a wyf yn smygu, byddant yn gwenu o glywed i mi roi'r gorau iddi pan oeddwn yn un ar ddeg mlwydd oed!

Wnes i ddim cymryd y Cownti Sgŵl o ddifrif nes fy mod yn Fform 4 – y flwyddyn pan oedd yn rhaid penderfynu pa bynciau y byddwn am eu sefyll yn arholiad y 'Senior' ac felly i ba ffrwd i fynd iddi yn Fform 5. Y bwgan oedd sillafu Saesneg ac nid oeddwn yn or-hyderus yn y Gymraeg chwaith. Tybiwn nad oedd gen i obaith pasio iaith na llenyddiaeth Saesneg ond trwy ryw ryfedd wyrth fe lwyddais i grafu'r marc angenrheidiol. Gwn fod y diolch i gyd i Dai Lloyd Jenkins a benodwyd yn brifathro'r ysgol cyn i mi adael. Ef oedd yr athro Saesneg ysbrydoledig. Roedd ei ddawn wrth drosglwyddo gramadeg yn anhygoel; felly hefyd ei gariad at lenyddiaeth. Byddem yn dysgu, yn llefaru ac yn actio darnau o ddramâu Shakespeare yn y dosbarth ac wrth ein bodd yn gwneud hynny. Gwyddwn ddarnau helaeth o *Macbeth* ar fy nghof, wedi fy sbarduno, hwyrach gan y tair gwrach yn yr olygfa agoriadol. Mae eu geiriau yn dal ar gof a chadw hyd heddiw!

Pump ffrind a Cronji'r ci wedi cilio i ben Pica Bach i roi'r byd yn ei le.

Prifathro'r ysgol oedd S. M. Powell ac ef oedd yn dysgu hanes i'r dosbarthiadau hŷn. Credaf ei fod yn un o'r athrawon hanes gorau drwy Gymru benbaladr. Roedd ei ddull o addysgu plant flynyddoedd o flaen ei amser. Man cychwyn pob gwers hanes oedd sgwâr Tregaron a Sir Aberteifi. Dysgwyd popeth oedd wedi digwydd ym Mhrydain – neu'r byd – yn ei gyd-destun lleol a'r hyn oedd wedi digwydd yn ein milltir sgwâr ni. Roedd cofio dyddiadau'n rhwydd gan ein bod yn gwybod beth fyddai wedi digwydd yn Nhregaron yn y cyfnod hwnnw hefyd. Roedd e'n athro mor frwdfrydig fel na fyddai byth broblem disgyblaeth yn y dosbarth, nac yn yr ysgol chwaith.

E. O. Griffiths ('Eog' i ni!) oedd yr athro daearyddiaeth ac roedd e wedi sylwi'n gynnar fy mod yn gwybod mwy am afonydd Cymru a'r byd nag am drefi'r gwahanol wledydd. Unwaith eto roedd hwn yn athro oedd yn cyniwair diddordeb yn y pwnc. Roedd yr athrawon hyn yn amryddawn ac ymroddgar, yn gorfod dysgu sawl pwnc ac eto'n cyflwyno'r wybodaeth mewn ffordd ddifyr a chofiadwy.

Er nad oeddwn i wedi disgleirio rhyw lawer yn ystod blynyddoedd cynta'r Cownti Sgŵl, llwyddais i basio'r 'Matric' gyda marciau uchel mewn hanes, mathemateg, daearyddiaeth a bioleg yn y 'Senior'.

Gweithiais yn galed gydol Fform 5 er bod dod o hyd i le tawel i 'swoto' neu astudio yn anodd yn ein tŷ ni. Ar ben hynny roedd Doldre'n lle bywiog iawn a galwadau cyson arnaf i fod allan ar yr afon neu ar y dolydd yn hela. Roeddwn yn ffodus fy mod yn treulio penwythnosau gyda Mam-gu yn y Bont lle cawn dawelwch a llonydd perffaith i ddarllen ac i astudio. Roeddwn hefyd wedi cael cyngor ar sut i geisio rhagweld – neu 'spotio' – pa gwestiynau fyddai'n fwyaf tebygol o ymddangos ar y papurau arholiad. Bûm yn hynod o lwcus yn hyn ar sawl tro ond roedd perygl i'r dechneg fynd o chwith ac felly byddwn yn colli'r cyfan.

O'r flwyddyn gyntaf roeddwn i wedi mwynhau ymarfer corff a chwaraeon o bob math. Bob bore dydd Sadwrn byddwn i lawr ar gae'r ysgol yn cefnogi tîm pêl-droed yr ysgol ac yn y prynhawn yn cefnogi tîm y dre. Er 'mod i'n rhy ifanc i fod yn aelod o'r timau, os na fyddai'r tîm yn gyflawn weithiau byddent yn galw arnaf i chwarae.

Rwy'n cofio un dydd Sadwrn pan fu'n rhaid i mi orfod chwarae i dîm yr ysgol am fod un aelod heb ymddangos y diwrnod hwnnw. Aberaeron oedd y gwrthwynebwyr – tîm ag iddo enw da am ennill pob gêm. Wn i ddim a'i oherwydd fy mod i'n fyr o gorff ond roeddwn i wedi cael fy nhaclo'n galed gan un o'r olwyr pan ddaeth Ianto Penuwch ymlaen ataf a sibrwd yn fy nghlust, 'Gad ti'r blagard yna i fi.'

Y tro nesaf y daeth y 'blagard' i'm taclo, cafodd ei lorio'n gwbwl ddiseremoni gan Ianto a ddywedodd wrtho, 'Lwc owt, gwas, y tro nesa bydd pethe'n wath o lawer.' Ni ddaeth y 'blagard' yn agos ata i na Ianto am weddill y gêm! Roedd Ianto – neu Maelog fel y daethom i'w adnabod pan ddechreuodd adrodd yn y gwahanol eisteddfodau – wedi dangos pwy oedd y bòs. Mae'n siŵr y byddai Dafis y Crydd wedi cyfeirio at fois Penuwch fel 'bois y cawl a'r caws' a bois Aberaeron fel 'bois y blomonj a'r jeli'!

Fel pob bachgen yn ei arddegau, erbyn i mi gyrraedd Fform 4 roeddwn wedi dechrau llygadu a ffansïo ambell ferch ac yn achub ar bob cyfle i siarad â nhw. Byddwn yn cyrraedd yr ysgol yn gynnar bob bore ac roedd un ferch roeddwn yn ei hoffi yn cyrraedd yn gynnar hefyd. Rhyw garwriaeth ddigon diniwed fu hon – y ddau ohonom yn eistedd wrth ffenest y dosbarth yn edrych allan a sgwrsio – ond eto, roedd yr agosatrwydd yn rhoi rhyw wefr i ni'n dau. Aeth y berthynas foreol hon ymlaen am yn agos i ddwy flynedd!

Pan oeddwn i'n Fform 6 ymunodd athrawes ifanc â staff

Tîm pêl-droed Ysgol Uwchradd Tregaron yn 1944 – 45
(y fi yw'r trydydd o'r dde yn y rhes ôl)

yr ysgol ac fe drodd fy ffansi ati hi. Roedd hi wedi dod i
Dregaron yn syth o'r coleg ac felly nid oedd ond rhyw dair
blynedd yn hŷn na fi. Nid oeddwn wedi gweld neb tebyg
iddi o'r blaen a phob dydd byddwn yn cynnig ei helpu mewn
unrhyw fodd. Ar ddiwedd bob prynhawn byddwn yn mynd
i'w hystafell ac yn cynnig cario'i llyfrau i'w lodjins. Byddwn
yn cyd-gerdded a sgwrsio â hi – ac roedd hithau'n dechrau
agosáu ata i. Sylweddolais mor beryg oedd y sefyllfa pan
ddechreuodd fy ngwahodd i fynd â'r llyfrau i fyny i'w
hystafell wely! Yn ffodus roeddwn i ar fin gadael yr ysgol ond
petawn wedi sefyll ymlaen yn yr ysgol, tybed na fyddem ein
dau wedi cyrraedd tudalen flaen y *News of the World*!
Deinameit yn wir!

Roedd bywyd y tu fas i'r ysgol yn wych gan fod Doldre'n
nefoedd i fachgen a hoffai gefn gwlad. Wedi'r cyfan, dyma
ble'r roedd yr Academi Cefn Gwlad ac yn y fan honno, fi
oedd ar frig y dosbarth!

Dyma'r cyfnod pan ddysgais grefft pysgota ac erbyn fy
mod i'n Fform 5 roeddwn i'n bysgotwr tu hwnt o
lwyddiannus. Anaml iawn y byddwn yn methu dal

pysgodyn; gan amlaf byddwn yn dal llawer mwy na neb arall. Roedd afon Brennig gerllaw yn heigio o bysgod a finne erbyn hyn wedi dod yn giamster ar bysgota pluen sych.

Roeddwn i ar yr afon rhyw ben bob dydd. Byddai'r wialen yn barod yn y sied ac yn union wedi te byddwn ar afon Brennig, gan nad oedd ond rhyw hanner canllath o ddrws y bac. Roeddwn i wedi dilyn fy arwr-bysgotwr Dai Lewis am oriau ac roeddwn inne'n dipyn o ffefryn ganddo ynte. Cerddais yn ei gwmni ar hyd afonydd y mynydd a gwyddwn heb amheuaeth fy mod wedi bwrw fy mhrentisiaeth wrth draed y meistr. Ni chafodd yr un pysgotwr yn y byd well athro.

Rwy'n cofio un nos Sadwrn a minnau'n sefyll y tu allan i'r *Talbot*. Roedd hi tua naw o'r gloch, sef amser cau tafarnau yn y cyfnod hwnnw – er bod rhai'n credu mai pan fyddai'r cwsmer olaf yn gadael fyddai'r *Talbot* yn cau! Roedd nifer o bysgotwyr yr ardal newydd ddod allan o'r 'bar bach' ac yn sgwrsio ar y sgwâr. Yn eu mysg roedd Danny Price o Landdewibrefi, a oedd yn bysgotwr adnabyddus iawn. Ar y funud honno dychwelodd tri o westeion/bysgotwyr y *Talbot* ac yn ôl fy arfer dyma fi'n rhedeg atynt a chynnig eu helpu i dynnu eu botasau pysgota. Byddwn yn cael pisyn tair am wneud hyn – arian poced ychwanegol a derbyniol iawn i fachgen ysgol.

Erbyn i mi ddod 'nôl i gwmni'r pysgotwyr roedd Danny'n uchel ei gloch ac yn taeru mai fe oedd y pysgotwr gorau ar afon Teifi. 'Fe bysgota i y'ch blydi penne chi bant!' meddai, a sain cwrw melys y *Talbot* yn ei lais.

Ar hyn dyma lais cynnil Dai George yn ei amau, gan gynnig rhoi arian i brofi hynny. 'Iawn,' meddai Danny wrth i'r ddadl boethi, 'rho dy arian lawr.' Tynnodd Dai George bapur chweugain o bwrs bach ym mhoced ei wasgod – ond heb ddweud pwy fyddai'n cymryd yr her dros Dregaron. Cefais sioc wrth ei glywed yn dweud, 'Ma' fy arian i ar Moc.

Pwy sydd i ddal yr arian?'

Dwi ddim yn siŵr beth ddigwyddodd wedyn ond fe dawelodd y cyfan ac ni chlywyd sôn am y gystadleuaeth. Serch hynny, gwnaeth yr ymgom i mi sylweddoli fod fy statws fel pysgotwr wedi codi i lefel go uchel, er mai dim ond pymtheg oed oeddwn i ar y pryd.

Er fy mod yn gweithio'n galed ar grefft y pysgotwr, byddwn yn treulio llawer o'm hamser yn y gaeaf yn saethu. Ond rhaid bod yn onest, doedd fawr o siâp saethwr arnaf, er i mi gael hyfforddiant da.

Fel y dywedais, byddwn yn colli'r ysgol bob prynhawn Mercher drwy'r gaeaf ac yn mynd i saethu yng nghwmni Dewi Powell a oedd yn fwy na pharod i'm hyfforddi yn y grefft. Gwn a chlustiau iddo oedd gan Dewi ac ni fyddai byth yn methu'r nod. Doedd fawr o wahaniaeth ai cwningen, petrisen neu hwyaden wyllt fyddai'r nod, byddai Dewi'n codi'r dryll, yn tynnu'r glust yn ôl a thanio. Roedd e'n gymeriad hoffus tu hwnt ac yn bwysicach na hynny, yn frawd i'r prifathro!

Er na fedraf ddweud i mi gael gyrfa ddisglair fel sgolar, datblygais yn wych fel disgybl chwaraeon cefn gwlad. Do, yn

Ffarm Maesglas – yn unigedd y mynyddoedd.

Ni'r bechgyn gyda'r ponis mynydd wedi'u dofi.

Helpu gyda'r cynhaeaf gwair.

ystod fy nghyfnod yn y Cownti Sgŵl fe wnes i dyfu i fod yn saethwr a physgotwr reit dda.

Tra bum yn yr ysgol uwchradd roeddwn yn treulio pob gwyliau Pasg a Haf ar fferm Maesglas gyda Mr a Mrs William Jones. Ffarm ddefaid yn y mynyddoedd uchlaw Tregaron tua tair milltir o gapel bach Soar y Mynydd oedd Maesglas ac er nad oedd perthynas deuluol rhyngom roedd fy rhieni yn hapus iawn fy ngweld yn mynd yno.

Roedd e'n brofiad anhygoel, a gwn bod fy

Diwrnod cneifio – y bos mewn Bowler Hat!

rhieni wrth eu bodd nid yn unig i'm cael i mas o dan eu traed ond hefyd am y byddwn yn medru rhoi help llaw ar y ffarm. Byddwn yn cysgu yn llofft Moc, y gwas. Roedd y croeso cynnes a'r gofal a gawn ar yr aelwyd hon gan Mr a Mrs Jones a'u plant, John a Peggy yn anhygoel ac yn dileu pob hiraeth am gartref. Teimlwn fel un o'r teulu ac, roedd gofal Mrs Jones amdanaf yn wych. I blentyn deuddeg oed, wrth gwrs, John a Moc oedd yn ffermio ac felly, nhw oedd yr arwyr.

Nid oedd bywyd hapusach i'w gael na bywyd gwas bach, gyda'r ci wrth fy sawdl, yn bwydo'r anifeiliaid, yn godro weithiau, cywain gwair ac, ar adeg cneifio, cyrchu'r defaid ar gefn y ferlen fach. Byddwn hefyd yn pysgota afon Camddwr gerllaw, gan amlaf gyda breichiau noeth yn goglais a dal pysgod bach.

Ambell Sul byddem yn mynd i'r cwrdd yng nghapel Soar. Byddai rhai yn cerdded, ond y mwyafrif yn cyrraedd ar gefn poni. Roedd yno stablau ar gyfer y ceffylau tra byddem ni yn y capel yn gwrando ar y gwasanaeth. Rwy'n cyfaddef mai'r atyniad mwyaf i mi oedd y siwrnai ar gefn y ferlen fach froc, gyda Peggy ar gefn ei hoff geffyl, Simi, yn cadw llygad arna i.

Capel bach Soar y Mynydd – sy'n dal i groesawu addolwyr

Gan nad oedd yno organ, y codwr canu oedd Rhys Jones, Brynhelem. Ac yn ôl arferiad y cyfnod, byddai'n bloeddio gair cyntaf pob llinell cyn i weddill y gynulleidfa dynnu anadl ar ddiwedd y llinell flaenorol. O ran drygioni, dyma fi'n penderfynu dilyn Rhys a chanu'r un pryd ag e. Bu hynny'n gryn sioc i'r codwr canu – ac i bawb arall.

Roeddwn yn ddwl bared am geffylau. A chofiaf i mi un noson ar ôl swper fynd draw gyda John i weld teulu Dolgoch, taith o tua chwe milltir un ffordd. Roedd hi'n ddu fel y fagddu gan gychwynasom am adre, ac fe ddisgynnodd niwl trwchus yn sydyn gan ein hamgylchynu fel blanced drwchus. Ni allem weld ein llaw o flaen ein trwyn, ac roedd hi'n amhosib dilyn y llwybr dros y mynydd. Dywedodd John wrtha i am ollwng yr awenau a rhoi ei phen i'r ferlen fach. Bu'n daith araf a hir, ond drwy ryw ryfedd wyrth cawsom ein hunain yn ôl yn ddiogel ar glos Maesglas.

Beth oedd y gyfrinach? Heb os, mae gan anifeiliaid rhyw allu i ffeindio'u ffordd adre, gallu sydd y tu hwnt i ddeall dyn.

Roedd dau geffyl rasus gan Bili drws nesa, ac fe fûm yn reidio un fel joci yn rhai o rasus yr ardal, ac roedd hynny'n brofiad gwefreiddiol. Fe dyfais yn rhy drwm i'r math yma o rasio, gwaetha'r modd. Ond mae'r wefr yn aros yn y gwaed.

Mae fy nyled yn enfawr i deulu Maesglas am fy nhrwytho yn y pethau da. Dyma beth oedd addysg bellach heb ei hail!

Pennod 6
Blynyddoedd coleg

Dyddiau main oedd dyddiau diwedd yr Ail Ryfel Byd. Roeddwn i'n un ar bymtheg oed ac ar fin sefyll arholiadau'r 'Senior' – neu'r Lefel 'O' fel y cyfeiriwyd atynt yn ddiweddarach – a'r byd a'm dyfodol innau'n llawn ansicrwydd.

Roedd Nhad yn weithiwr caled a chanddo ddwy swydd er mwyn dod â'r ddau ben llinyn ynghyd. Bob nos Sadwrn arferai fynd i dafarn y *Sunny Hill* am egwyl fer ac un nos Sadwrn wedi iddo ddod adre dyma fi'n ei glywed yn dweud wrth Mam ei fod wedi fy nghyflogi i i Dafydd Edwards, Nant-yr-hwch, fferm ddefaid ar fynydd Tregaron ac y byddwn yn mynd ato ar ddechrau gwyliau'r haf.

'Gawn ni weld,' oedd ateb tawel Mam. Ond roeddwn i yn fy seithfed nef o glywed hyn. Ni fyddai fy rhieni fyth yn dadlau ac rwy'n credu i mi etifeddu'r rhinwedd honno gan na fyddaf byth yn codi llais. Os bydd anghydweld, fy nhuedd i yw tawelu ac weithiau gweld chwith a byddaf hyd yn oed yn pwdu os y credaf i mi gael cam!

Drannoeth y sgwrs rhwng fy rhieni roeddwn yng ngwasanaeth boreol yr eglwys ac yn breuddwydio am fy nyfodol. Dim mwy o waith ysgol na gwaith cartref – ceffylau a chŵn defaid amdani! Roeddwn wrth fy modd!

Pan gyrhaeddais adre o'r eglwys roedd y sefyllfa wedi newid yn llwyr yn ein tŷ ni. Roedd Mam wedi rhoi'i throed i lawr ac wedi dweud yn glir wrth Nhad fy mod i i aros ymlaen yn y Cownti Sgŵl i sefyll yr arholiad a mynd ymlaen i'r coleg – pe bawn yn pasio wrth gwrs. Roedd Mam am i mi ddyfalbarhau â'm haddysg ac fe wyddwn na allwn ei siomi.

Llwyddais yn yr arholiadau, er na wnes i'n dda iawn gyda'r Saesneg ac fe gefais fy nerbyn yn fyfyriwr yng

Ngholeg y Drindod, Caerfyrddin, rhywbeth a blesiodd Mam yn fawr iawn.

Ganol mis Medi 1946 cychwynnais ar y daith trên o orsaf Tregaron am Gaerfyrddin, taith o ryw deirawr. Roedd y trên rhwng Aberystwyth a Chaerfyrddin yn ddiarhebol o araf. Ym mêr fy esgyrn nid oeddwn am fynd i'r coleg o gwbl ac fe roddwn unrhyw beth am i'r trên dorri a'm gollwng yn rhydd. Trueni na fyddai Nhad wedi cael ei ffordd, meddyliwn. Fe wyddai ef yn dda am fy nghariad at geffylau a chŵn ac at fynydd-dir Nant-yr-hwch.

Oedd, roedd y daith yn hir ond i mi yn llawer rhy gyflym. Doeddwn i ddim yn edrych ymlaen o gwbwl at gyrraedd y coleg, yn un peth am na wyddwn beth fyddai'n fy nisgwyl yno. Ond dyma gyrraedd gorsaf Caerfyrddin a chyrraedd y coleg, a dechrau ar gyfnod a brofodd yn un digon diflas i mi ymhell o'm cartref a'm cynefin.

Nid oeddwn yn adnabod neb ac fe'i cawn yn anodd gwneud ffrindiau. Roeddwn yn fachgen cwbl Gymraeg o ganol cefn gwlad Cymru; tybed a oeddwn yn ddigon aeddfed i fynd i goleg? Yn bendant roeddwn braidd yn naïf.

Coleg Eglwys – a choleg i ddynion yn unig – oedd y 'Trinity Col' ac roedd disgyblaeth eglwysig lem yn gysylltiedig â phob dim. Ni fyddai amrywio ar yr amserlen ddyddiol a oedd yn cychwyn gyda brecwast cynnar; yna pawb i fynychu'r gwasanaeth boreol yn yr eglwys; darlithoedd tan amser cinio; cyfnod rhydd ddechrau'r prynhawn; te; dwyawr o astudio, neu 'prep'; swper; gwasanaeth noswyl yn yr eglwys; dwy awr bellach o 'prep' ac yna pawb i'w wely erbyn deg o'r gloch. Dyna drefn y diwrnod ac ni fûm mor anhapus erioed. Doedd dim gobaith mynd i bysgota na hela a doedd dim golwg o geffyl na chi yn unman. Roeddwn i'n teimlo fel pe bawn mewn carchar a byddwn yn ysgrifennu llythyron yn aml at John Jones Nantllwyd er mwyn cadw mewn cysylltiad â chefn gwlad ac er mwyn torri ar y diflastod. Byddai atebion John fel chwa o awyr iach i mi.

Fy mhrif bynciau yn y coleg oedd Cymraeg a daearyddiaeth ac roedd y ddau ddarlithydd yn frwdfrydig iawn ac yn llwyddo i ysbrydoli rhywun i droi at bethau uwch. Credaf fod hyn wedi bod o gymorth imi setlo. Saesneg, wrth gwrs, oedd prif iaith y coleg ac fel yng nghân Dafydd Iwan cawn 'ambell i lesson o Welsh, chwarae teg' nawr ac yn y man. Roedd y sefyllfa'n gwbwl annheg i ni fyfyrwyr oedd bron yn uniaith Gymraeg. Roedd rhai darlithwyr yn medru bod yn feirniadol iawn o fy Saesneg ysgrifenedig, gymaint felly nes bod yna bensel goch drwy bob camsillafiad ac roedd hynny'n achosi cyn bryder i mi.

Roedd bwyd y coleg yn ddiflas tu hwnt a hiraethwn yn ddyddiol am fwyd Mam. Roedd Mam yn gogyddes ardderchog, ei phrydau bwyd bob amser yn ddanteithion i edrych ymlaen atynt. Roeddwn wedi achwyn am y bwyd yn fy llythyron gartre a phob wythnos byddai Mam yn rhostio dwy gwningen, eu pacio'n dda a'u hanfon ataf drwy'r post. Byddai'r wledd benwythnosol hon yn rhywbeth i edrych ymlaen ati.

Oherwydd y pellter a'r gost ni fyddai teithio adre'n aml yn bosibl ond pan ddaeth gwyliau'r Nadolig, y Pasg a'r haf, yn ôl i Dregaron yr awn at yr hen arferion o hela, pysgota a merlota.

Ar ddechrau fy ail flwyddyn yn y coleg, sef 1947, bu chwyldro mawr. Heb amheuaeth, ysgydwyd y coleg i'w sail. Daeth mewnlifiad newydd o fyfyrwyr, sef y cyn-filwyr o'r fyddin, y gwŷr dewr oedd wedi bod yn ymladd yn yr Ail Ryfel Byd ac wedi dychwelyd i gymryd eu lle unwaith eto o fewn y gymdeithas. Roeddent â'u bri ar fod yn athrawon ac yno i ddilyn cwrs blwyddyn o hyfforddiant cyn dechrau ar eu gwaith.

Soniais eisoes am drefn lem ac amserlen ddigyfnewid

awdurdodau'r coleg, gyda phawb yn gorfod noswylio erbyn deg yr hwyr. Wedi i'r newydd-ddyfodiaid gyrraedd newidiwyd y drefn dros nos. Anghofiwyd am y 'prep' cyn ac wedi swper ac am y gwasanaeth eglwys cyn noswylio ac o ganlyniad byddai'r myfyrwyr newydd allan hyd hanner nos! Daeth diwedd hefyd ar y bwyd diflas a gâi ei weini yn y coleg. Yn wyneb safon isel yr arlwy dyma'r criw newydd yn ein galw mas ar streic. Trefnwyd bod pawb yn martsio i lawr i'r Home Cafe, nid nepell o Sinema'r Capitol i gael cinio. Ymhen byr o dro gwelwyd gwellhad mawr yn ansawdd cinio'r coleg.

Er mor dderbyniol oedd y cynnwrf newydd roeddwn i'n dal i deimlo'n ddiflas. Teimlwn mor gaeth ag aderyn mewn cawell. Roeddwn yn dal i ddyheu am ddianc. Ond tybed nad hiraeth syml am gartref oedd wrth wraidd fy niflastod mewn gwirionedd?

Diolch am ddylanwad y Dr Jac L. Williams, yr Athro Cymraeg. Bu ef o gymorth mawr i mi. Roedd y ffaith ei fod bob amser yn siarad Cymraeg â ni yn ddigon i godi calon ond byddai hefyd yn ein hargymell i arbrofi wrth ysgrifennu. Awgrymodd fy mod i'n ysgrifennu ambell erthygl Gymraeg

ar destunau'n ymwneud â chefn gwlad i'r papurau dyddiol. O wneud hynny dyma ddarganfod fod yn rhaid bathu geirfa Gymraeg o'r newydd. A dweud y gwir, Dr Jac a fathodd yr ymadrodd 'Sbort Cefn Gwlad' am *'Country Sports'*.

Sefydlodd Dr Jac gwmni drama yn y coleg ac ymunais â'r cwmni'n syth. Roedd e'n gwmni hwyliog, braf a phawb yn parablu drwy'r Gymraeg. Y ddrama gyntaf i ni ei llwyfannu oedd *Enoc Huws* ac er i ni gael llawer

Dr. Jac L. Williams – Cymro i'r carn – ac i fyfyrwyr Cymraeg y coleg athro ysbrydoledig.

o hwyl yn ei pherfformio yn y coleg ac yn rhai neuaddau pentref yn siroedd Aberteifi a Chaerfyrddin, doedden ni ddim yn rhyw actorion gwych iawn.

Er hynny penderfynodd Dr Jac gofnodi enw'r cwmni ar gyfer cystadlu yn yr Eisteddfod Genedlaethol. Beirniad y gystadleuaeth oedd Cynan a byddai'n dod i weld pob cwmni'n perfformio gartre cyn dewis y tri gorau i berfformio yn ystod wythnos yr eisteddfod. Er i ni ymarfer tipyn ar *Enoc Huws* cyn iddo gyrraedd, tybiaf fod ein safon lawer is na'r hyn yr oedd Cynan wedi gobeithio'i weld. Cawsom feirniadaeth lem iawn. Ond beth oedd e'n ei ddisgwyl o gofio mai coleg i fechgyn oedd y Drindod a bod pedwar o'r cymeriadau yn wragedd a phedwar o'r bois wedi gorfod actio merched?! A hwyrach na fu castio un o'r myfyrwyr byrraf, sef John Phillips – actor ac adroddwr o fri a ddaeth maes o law yn brifathro Ysgol y Dderwen, Caerfyrddin – fel y plismon ddim yn ddelfrydol! Cafodd ein llefaru a'n hynganu feirniadaeth dda ond roedd y llwyfannu'n wael. Er hynny bu'r cyfan yn hwyl ac yn brofiad addysgiadol iawn i ni a chredaf fod ail fwriad Dr Jac wedi llwyddo, sef rhoi cyfle i'w fyfyrwyr gwrdd ag un o feirdd mwyaf Cymru.

Flynyddoedd yn ddiweddarach fe gwrddais â Chynan yn Eisteddfod y Bala ac fe gefais gyfle i'w atgoffa o'r feirniadaeth lem honno a hefyd o'r fraint a gawsom ni fyfyrwyr o'i gyfarfod yn y fath sefyllfa. Roedd e wrth ei fodd yn hel atgofion am y cyfnod.

Roedd holl wasanaethau eglwysig y coleg drwy gyfrwng y Saesneg ac roedd yn arferiad gofyn i'r myfyrwyr, yn eu tro, ddarllen y llith. Ar brydiau teimlwn fod fy nhro i'n dod heibio'n rhy aml, er na wyddwn pam.

Un dydd Sul dyma Dr Jac yn anfon rhywun i'm nôl – roedd e am fy atgoffa mai fi oedd i fod i ddarllen y llith y bore dydd Mercher canlynol, sef Dydd Gŵyl Dewi. Gofynnais a fyddai'n bosib i mi ddarllen y llith yn Gymraeg. Ni welai ef unrhyw rwystr, er y byddai'n rhaid i mi ddarllen y llith yn Saesneg hefyd. Yn anffodus roedd dwy ar bymtheg ar hugain o adnodau yn y llith gogyfer â'r dydd Mercher hwnnw.

Cytunwyd y gallwn wneud hyn a phan ddaeth yr amser euthum ymlaen a dechrau darllen y llith yn Gymraeg. Daeth rhyw ddistawrwydd llethol dros yr eglwys ac roeddwn yn teimlo bod pob llygad yn yr adeilad wedi eu hoelio arnaf fi. Cymerodd gryn amser i mi ddarllen pedair ar ddeg ar hugain o adnodau ac wrth i mi gerdded 'nôl i'm sedd roedd y Cymry Cymraeg yn gwenu'n slei bach arna'i.

Ni chefais unrhyw ymateb gan arweinyddion yr eglwys ond roedd rhyw wên fach fodlon ar wyneb Dr Jac yn y dosbarth yn ddiweddarach y bore hwnnw. Gwnaeth Dr Jac gyfraniad pwysig i'r coleg ac yn ei ffordd dawel ei hun fe lwyddodd i gyflawni llawer.

Y flwyddyn ganlynol penderfynwyd cynnal Eisteddfod Gŵyl Dewi ond yn anffodus ni ddangoswyd llawer o ddiddordeb ynddi. Gweithiodd Dr Jac yn galed ar y rhaglen ac fe benderfynais gystadlu ym mhob un o'r cystadlaethau Cymraeg ysgrifenedig. Nid oedd fawr o siâp arnaf ond llwyddais i greu tair soned, tair telyneg, tri englyn a thri llythyr caru. Byddai'n gas gennyf eu dangos i unrhyw un heddiw, yn enwedig o gofio fy mod wedi cael tri phwynt am y cyntaf, dau am yr ail ac un am y trydydd ym mhob un o'r cystadlaethau llenyddol. Ond o ganlyniad dyma sicrhau bod y Tŷ roeddwn i'n aelod ohono yn ennill yr eisteddfod. Gwn nad oedd fy nghyfraniad i lenyddiaeth Cymru o bwys mawr, yn enwedig o ddarllen y beirniadaethau a sylwi mor aml yr oedd y gair 'addawol' yn ymddangos!

Yn ystod y cyfnod coleg roedd hi'n ofynnol i ni fynd ar ymarfer dysgu i ysgolion cynradd y cylch. Ar fy ymarfer olaf bûm yn ddigon ffodus i gael mynd i Ysgol Glasfryn yn San Clêr. Dosbarth o blant wyth i ddeg oed oedd gen i, Cymry glân gloyw a phob un yn mwynhau cael eu dysgu. Roeddwn bob amser wedi mwynhau'r ymarferion dysgu ac wedi cael gradd 'A' gan y coleg. Nawr ar yr ymarferiad dysgu olaf byddai arolygwr allanol yn dod i'm hasesu er mwyn sicrhau cydbwysedd yn null marcio colegau Cymru. Felly roedd yn rhaid i mi fod ar fy ngorau.

Y pwnc wnes i ei ddewis ar gyfer y gwersi oedd Hanes y Porthmyn, pwnc addas i fachan o Dregaron ac ar gyfer y wers ddewisedig penderfynais wisgo fel porthmon. Roedd y plant a minnau wedi bod yn gweithio ar fodel bach i ddangos sut roedd y porthmyn yn arfer gyrru'r gwartheg ac ar y diwrnod mawr bu eu hymateb yn wych. Rwy'n cofio'r wers hyd heddiw. Roeddwn i'n defnyddio'r model wrth adrodd y stori ac wrth i mi egluro sut y byddai'r porthmyn yn cael y gwartheg ar draws yr afon pe byddai'r afon mewn llif – sef eu cludo mewn cwch bas a'u tynnu â rhaff fesul un ar draws yr afon – dyma fi'n gofyn i un o'r plant arddangos hyn gyda'r model. Gafaelodd yn y cortyn oedd ynghlwm wrth olwyn fach a thynnu. Pan ddaeth y 'postyn' pin bawd yn rhydd, cafwyd ymateb annisgwyl ond gwreiddiol: 'Damo!' meddai'r plentyn, 'mae'r postyn wedi torri!' Fe blesiodd hyn yr arolygwr yn fawr iawn ac fe dderbyniais ganmoliaeth am y wers. Yn bwysicach fyth derbyniais ganmoliaeth Dr Jac.

Llwyddais i ennill marciau da ar ddiwedd fy ngyrfa yn y coleg, gydag anrhydedd yn y Gymraeg a daearyddiaeth. Nid felly'r Saesneg, er i mi grafu digon o farciau i basio. Wrth ffarwelio â'r coleg doedd gen i ddim hiraeth o gwbwl. Dwy flynedd i fy mharatoi i fod yn athro. A wnawn i yrfa ohoni neu a fyddai apêl cefn gwlad yn dal yn rhy gryf? Dim ond amser a wnâi ddangos hynny i mi. Ond sylwais fod gwên hyfryd ar wyneb Mam pan glywodd am fy llwyddiant.

Cyn gynted ag y cyrhaeddais adre, i ffwrdd â mi i fferm fynydd Nantstalwyn ac yna ymlaen i Faes-glas ar gyfer yr ŵyl gneifio. Hwn oedd y cyfnod o'r flwyddyn pan gâi'r holl ddefaid oedd yn pori'r mynyddoedd eu cneifio, miloedd ohonynt. Roeddwn i 'nôl yn fy nefoedd ac wrth fy modd yn gweithio'r cŵn defaid a chwarae cardiau – pontŵn fel arfer – amser cinio.

Treuliais dair wythnos yn symud o un fferm i'r llall i helpu gyda'r cneifio. Roeddwn i'n gyflogedig gyda Nantstalwyn ac yn cynrychioli'r fferm pan fyddwn yn gweithio ar y ffermydd eraill. Dyna'r arfer, y ffermydd yn cyfnewid gweithwyr i helpu pan fyddai angen.

Dyma beth oedd nefoedd, cneifio yn ystod y dydd a chwrso merched gyda'r nos! Er ei fod e'n waith caled (y cneifio, hynny yw!) a 'mod i'n blino, roeddwn i wir yn mwynhau fy hun. Pa eisiau dim amgenach? Fe fyddwn wedi bod yn gwbwl hapus o gael fy nghyflogi ar fferm fynydd am weddill fy oes. Ond roedd gan Mam syniadau gwahanol.

Pennod 7
Y milwr bychan

Yn 1948 daeth fy nghyfnod coleg i ben ac adre â fi i Dregaron am wyliau'r haf. Ar ôl noson yn unig ar yr aelwyd gartre i ffwrdd â fi ben bore trannoeth am ffarm Maes-glas, lle treuliais yr wythnosau nesa'n helpu ar y ffarm yn gymysg â chyfnodau o bysgota a merlota.

Roeddwn wrth fy modd. Doedd dim yn well na chrwydro'r mynyddoedd ar gefn y ferlen fach. Ond eto roedd hwn yn gyfnod anodd gan fod angen i mi benderfynu ar fy nyfodol; beth yn union yr oeddwn am ei wneud ym mis Medi. Roeddwn wedi ceisio ac wedi llwyddo i gael swydd athro yn Middlesex ac i fod i ddechrau yno ym mis Medi ond nid oedd awydd arna i o gwbwl i fynd i ddysgu, a llai fyth i fynd i Loegr i weithio. A bod yn onest doedd gen i ddim gronyn o ddiddordeb mewn unrhyw beth academaidd ac nid oeddwn yn gysurus yn unman ond yn yr awyr agored. Wrth i'r wythnosau fynd heibio a minnau'n dal i bendroni am y dyfodol, derbyniais lythyr yn fy ngorchymyn i ymuno â'r Fyddin am gyfnod o ddwy flynedd ar gyfer gwneud fy Ngwasanaeth Cenedlaethol. Oedd, roedd y *call-up papers* wedi cyrraedd ac nid oedd unrhyw ddewis ond ufuddhau i'r gorchymyn. Felly, ym mis Hydref 1948 a minnau'n bedair ar bymtheg oed, dyma gyrraedd Gwersyll Milwrol Aldershot.

Mae ambell dref yn medru edrych yn ddiflas ar yr olwg gyntaf ond yn gwella rhywfaint wrth i chi ddod i'w hadnabod. Fodd bynnag, doedd dim gwahaniaeth sawl golwg a gawn i ar Aldershot – edrychai'n union yr hyn oedd, sef twll o le! Byddwn yno am wyth wythnos o hyfforddiant cychwynnol er mwyn dysgu bod yn 'filwr bychan'. Bryd hynny roedd gofyn i bob bachgen deunaw oed ymuno â'r lluoedd arfog ac yn Aldershot y byddai'r mwyafrif yn treulio'r deufis cyntaf, yn derbyn hyfforddiant sylfaenol.

Doeddwn i ddim wedi paratoi fy hun ar gyfer y gyfundrefn lem oedd yn bodoli mewn gwersyll milwrol ac roedd codi am chwech o'r gloch bob bore ac ymolchi mewn dŵr oer yn dipyn o sioc i'r system. Yn ffodus, gan nad oedd gen i fawr o dyfiant ar fy wyneb doedd dim angen i mi eillio'n feunyddiol fel amryw o'm ffrindiau – a diolch am hynny.

Am y tro cyntaf yn fy hanes, dyma sylweddoli fy mod wedi cael bywyd hynod o hawdd a chyfforddus hyd hynny. Roeddwn yn wir yn gweld eisiau Mam a Mam-gu. Efallai bod hyn yn swnio braidd yn blentynnaidd ond dyna'r gwir. Fel rhywun a fagwyd yng nghefn gwlad Cymru roeddwn yn ddiniwed ofnadwy am y byd a'i bethau.

Roedd cannoedd o filwyr yn Aldershot a bu cyrraedd yno'n fedydd tân o'r radd flaenaf. Yn ystod y pythefnos cyntaf cefais fy hun mewn barics yng nghwmni criw reit liwgar. Roedd iaith ac arferion rhai o'r bechgyn oedd yn rhannu'r ystafell gysgu gyda mi yn arswydus. Roedd un wedi ei gyhuddo o ymosod yn dreisgar ar bâr priod a dau arall wedi eu cyhuddo o ladrata. Roedd nifer yn cario cyllyll ac nid er mwyn torri cnau na naddu chwît fel oedd yr arferiad yng nghefn gwlad Cymru.

Un diwrnod diflannodd nifer o bethau ynghyd ag arian o gist un o'r bechgyn ac ataliwyd dau ddwsin ohonom rhag gadael yr ystafell. Mewn byr o dro cerddodd y sarjant i mewn a dechrau holi pob un yn ei dro am yr hyn a ddigwyddodd. Aeth yr holi ymlaen am yn agos i deirawr heb i neb gyfaddef unrhyw beth. Yna'n sydyn dyma'r sarjant yn troi at un o'r bechgyn a dweud wrtho am bacio'i fag. Ac i ffwrdd â'r ddau drwy'r drws. Ni welsom y bachgen hwnnw fyth wedyn ond mae'n debyg mai ef oedd yr euog un, er, sut y gwyddai'r sarjant hynny wn i ddim. Roedd y sarjant yn ŵr caled ac yn ein trin felly bob dydd. Byddai'n bloeddio arnom yn ein tro ac yn hyrddio cwestiynau atom yn gwbwl ddirybudd gan ddisgwyl cael ateb yn syth.

Yn ffodus, ymhen rhyw ddeg diwrnod bu didoli ar y newydd-ddyfodiaid a chefais fy rhoi ymysg sgwad o ddau ddwsin o fechgyn – a'r mwyafrif ohonom wedi bod trwy goleg ac wedi cymhwyso i fod yn athrawon. Oni bai am hyn, byddai'r cyfnod cychwynnol wedi bod yn un diflas tu hwnt.

Deuthum yn ffrindiau â bachgen o'r enw Bill Smith o Newcastle a oedd yr un mor ddwl â fi am bêl-droed. Buom ein dau yn ddigon ffodus i gael ein cynnwys yn nhîm y gwersyll a hynny'n arwain at lawer o fanteision i ni. Nid oeddwn yn ddigon da i gael bod yn nhîm y bêl hirgron, er bod rhai yn credu bod pawb a ddeuai o Gymru yn medru chwarae rygbi!

Er mawr syndod, cefais fy newis yn aelod o'r tîm hoci – nid am fy mod yn chwaraewr hoci da ond am fy mod yn hynod chwim ar fy nhraed. Byddwn yn rhedeg i lawr yr asgell yn gyflym a chanoli'r bêl i'r capten a oedd yn chwarae fel ymosodwr canol. Dysgais yn glou fod plesio'r capten yn mynd yn bell a byddwn yn ceisio anelu'r bêl fel ei bod yn glanio wrth ei draed bob tro.

Yn ystod y cyfnod hwn roedd gŵr o Dregaron o'r enw Non Howells yn rheolwr banc yn Aldershot ac ni fûm yn hir cyn dod o hyd iddo. Roeddwn wrth fy modd gan ei fod yn cadw dau gorfilgi neu 'whipets'. Byddai'n mynd mas i hela cwningod bob hwyrnos ac oherwydd fy hoffter innau o gŵn daeth Non a finne'n gyfeillion mynwesol. Roedd cael fy ngwahodd i gartref Non a'i wraig yn brofiad hyfryd tu hwnt a diolch iddyn nhw hedfanodd yr wyth wythnos yn Aldershot heibio'n glou iawn.

Cofiaf fynd i'r pictiwrs yng nghwmni Non i weld *The Last Days of Dolwyn* a chael pwl o hiraeth ofnadwy am gartre. Roedd cyfnod Aldershot yn anodd a heb unrhyw amheuaeth yn ysgol brofiad anodd i mi. A do, fe ddysgais lawer a magu croen fel eliffant.

Er mai Bill Smith oedd fy nghyfaill pennaf byddwn yn cymysgu gyda nifer o fechgyn eraill hefyd ac yn eu plith roedd John Snout, mab i ryw arglwydd yn Lloegr. Roedd e'n fachgen digon hoffus, er y gwyddai pawb y byddai'n cael ei ddyrchafu'n swyddog cyn gynted ag y byddai'n gorffen ei ddeufis yn Aldershot oherwydd ei dras aristocrataidd.

Cefais gyfle i gynnig am ddyrchafiad yn swyddog hefyd a sefais yr arholiad yr un pryd â John Snout. Roedd nifer o dasgau ymarferol i'w cwblhau gan ddefnyddio rhaffau a darnau o bren, er enghraifft trosglwyddo casgen drom o'r naill ochr i nant i'r llall heb gyffwrdd â'r dŵr, a chodi bocs mawr dros glawdd uchel. Er bod gan John ddwy law chwith, aeth trwy'r arholiad yn ddidrafferth ac fe gefais innau farciau uchel am y rhan honno o'r arholiad, er na thybient fod fy acen Gymreig yn gweddu i radd swyddog!

Wedi deufis yn Aldershot roedd pawb i gael wythnos o wyliau, a dyma anelu am adre. Roeddwn wrth fy modd, yn enwedig a hithau'n gyfnod y Nadolig. Ar ddydd San Steffan gofynnwyd i mi chwarae gêm bêl-droed dros dîm Tregaron. Wedi rhyw chwarter awr o daclo brwd dyma fi'n troi fy mhigwrn. Clywais glec fach – tebyg i sŵn brigyn yn torri – wrth i mi gwympo. Cefais driniaeth y *magic sponge* yn syth, triniaeth oer iawn yn nhywydd rhewllyd mis Rhagfyr. Dyma hercian 'nôl i'r cae ond gyda'r gic gyntaf dyma'r droed yn troi tuag yn ôl. Roeddwn wedi torri 'nghoes! Lan a fi i'r ysbyty yn Aberystwyth – roeddwn wedi torri'r tibia. Euthum adre â'r goes mewn plastr.

Nid oedd modd dychwelyd i Aldershot a gartre yr arhosais am ddeufis yn magu'r goes. Roedd hi wedi'r Pasg arna i'n cyrraedd 'nôl i Aldershot ac unwaith eto roedd dewis i'w wneud: naill ai i barhau a graddio'n swyddog llawn-amser neu gwblhau'r ddwy flynedd fel milwr cyffredin. Pe dewiswn y cyntaf byddai gofyn i mi aros yn y Fyddin am bum mlynedd, a chan nad oeddwn yn bwriadu bod yn filwr am ddiwrnod yn hwy nag oedd raid, yna milwr cyffredin amdani.

Tybed a wnes y dewis cywir? Wynebais y groesffordd yn gwbwl ddifeddwl. Flynyddoedd yn ddiweddarach cwestiynwn fy hun a fyddwn i wedi gwneud yn well pe bawn wedi dewis dilyn y cwrs swyddog? Ar brydiau nid yw dyn yn gweld yn bellach na'i drwyn.

O wneud y penderfyniad, cefais fy anfon i wersyll Henffordd ac i'r uned adfer er mwyn i'r goes gael gwella'n iawn. Ffarweliais ag Aldershot am y tro olaf. Roedd hi'n brynhawn Sadwrn pan gyrhaeddais wersyll Henffordd a chan ei bod yn benwythnos, nid oedd fawr o neb o gwmpas. Cefais fy nhywys i'r ystafell gysgu a'm gorchymyn i ddod o hyd i'm gwely.

Dim ond pedwar gwely oedd yno ac ar fy ngwely i roedd set o ddillad isaf. Y *quartermaster* oedd yn gyfrifol am ddosbarthu dillad isaf ac offer i'r milwyr ac roedd e wedi gosod fy rhai i ar y gwely cyn i mi gyrraedd. Fore Llun gorchmynnwyd fi i'w ystafell er mwyn llofnodi am y dillad a oedd, yn ôl y Q.M., yn cynnwys dwy fest. Gan nad oedd dwy fest ymysg y dillad, gwrthodais lofnodi ac ar unwaith dyma'r Q.M. yn fy nghyhuddo o'u gwerthu. Dywedodd nad oedd yn disgwyl gwell gan Gymro – roedd e wedi cael problemau cyffelyb gyda'r rheiny o'r blaen. Os oeddwn yn grac cyn hynny dyma ffrwydrad ac mi wnes beth ffôl ofnadwy sef cydio yn ei war a dweud wrtho am ofalu beth oedd e'n ei ddweud. Nid oeddwn wedi sylweddoli pa mor ddifrifol oedd bygwth gŵr mewn awdurdod. Roedd arwyddocâd y sefyllfa'n gwbwl ddieithr i mi ond cefais wybod y byddwn yn gorfod ymddangos o flaen fy ngwell mewn rhyw fath o lys milwrol. Y cyhuddiadau oedd dwyn offer a bygwth y Q.M. – sefyllfa ddifrifol iawn.

Gwaharddwyd fi rhag gadael y gwersyll ac fe roeddwn yn gwbwl benisel am y gwyddwn fy mod yn cael fy nghyhuddo ar gam. Cynghorwyd fi gan filwr arall i ddweud fy mod wedi colli'r ddwy fest ond gan fy mod i'n benstiff wnawn i ddim derbyn y cyngor ac felly fe lusgodd y mater ymlaen am gryn amser. Gwyddai pawb fod offer yn diflannu'n gyson o'r gwersyll ac roedd hi'n amlwg nad fi oedd y cyntaf na'r olaf fyddai'n cael ei gyhuddo ar gam ac yn gorfod derbyn y fath driniaeth. Serch hynny, fi oedd y cyntaf i goleru'r *Q.M.*

Nid oedd gen i obaith profi bod y *Q.M.* yn dweud celwydd. Profiad eithriadol o ysgytwol fu hwn ond bu'n fodd i mi sylweddoli mai dim ond ffŵl sy'n cicio yn erbyn y tresi yn y Fyddin. Doeddwn i ddim wedi sylweddoli chwaith bod unrhyw drosedd yn cael ei nodi a'i chadw ar ffeil tra byddem yn y Fyddin.

Ymhen amser dechreuais wneud enw reit dda i mi fy hun ar y maes chwaraeon. Yn y cyfnod hwnnw roedd rôl bwysig i fabolgampau yn rhengoedd y Fyddin. Medrwn daflu pwysau'n arbennig o dda a rhedeg pedwar can llath yn ddigon diffwdan. Roedd Tad-cu'n daflwr pwysau heb ei ail ac wedi rhoi sawl gwers i mi. Roeddwn hefyd wedi astudio'r dechneg tra oeddwn yn y coleg ac fe gefais fod yn aelod o dîm y gwersyll fel taflwr pwysau. Er y gallwn fod wedi ennill y rhagras i gynrychioli'r gwersyll yn y pedwar can llath, roeddwn wedi callio tipyn ac felly gadewais i'r swyddog ennill. Doedd dim iws 'caca ar y gambren' yn yr armi! Yr uchel-swyddogion oedd yn geffylau blaen bob tro!

Fy mhrif swyddogaeth yn Henffordd oedd gofalu am y llyfrgell a hon oedd y swydd orau dan haul. Digon o lyfrau i'w darllen a dim ond un cwsmer yr wythnos, sef gwraig un o'r swyddogion – cwsmer pwysig iawn. Byddai hi'n dod i'r llyfrgell bob prynhawn dydd Mercher ac ymhen amser deallais mai dyna'r diwrnod pan fyddai'i gŵr i ffwrdd o'r gwersyll gan ei fod e'n mynd i chwarae golff gyda'i ffrindiau ar gwrs ugain milltir i ffwrdd. Wedi swpera mae'n debyg y byddai'n ymuno â nhw mewn gêm o *Bridge* ac yn chwarae tan oriau mân y bore.

Byddai'r wraig yn cyrraedd y llyfrgell am ddau o'r gloch y prynhawn ac yn dewis dau lyfr. Gan fy mod wedi darllen nifer o'r llyfrau y byddwn yn eu hargymell iddi, medrwn roi braslun o'r cynnwys iddi. Byddai'n oedi i sgwrsio a thrafod y llyfrau dan sylw. Roedd prynhawn dydd Mercher wedi dod yn uchafbwynt yr wythnos yn y llyfrgell – ond doedd dim byd yn digwydd yn y gwersyll heb fod rhywun yn sylwi a lledaenwyd si fod y wraig yn treulio amser hir iawn yn y llyfrgell bob wythnos. Cefais dipyn o sioc pan ddywedodd ffrind wrthyf fy mod yn destun siarad gan fod sawl un yn sôn am y wraig yn treulio amser yn y llyfrgell gyda'r *toyboy* newydd. Fi oedd hwnnw! Doedd gen i ddim syniad beth oedd *toyboy* ond ni fûm yn hir cyn deall. Roedd hi'n amlwg bod y ddwy gusan iâr fach yr haf ar fy moch wrth iddi adael y llyfrgell yn achosi problem.

Yn gwbwl ddirybudd cefais wybod fy mod i'n cael fy symud i'r Almaen. Nid oedd sôn wedi bod am hyn o gwbwl ac ni allwn lai nag amau mai'r prynhawniau Mercher a'r siarad di-sail oedd yn gyfrifol. Tybed a oedd rhywun yn rhywle am gael fy ngwared o'r gwersyll?

Wedi wythnos o wyliau gartre, i ffwrdd â fi am yr Almaen i wersyll y tu allan i Hanover, gwersyll a fu'n ganolfan arfau adeg y rhyfel. Roedd e'n lle anarferol iawn, yr adeiladau wedi eu lleoli rhwng dau a phedwar can llath oddi wrth ei gilydd, pob un â tho fflat gyda phorfa, mân lwyni a choediach bach yn gorchuddio'r toeau. Roedd y lle'n gwbwl guddiedig o'r awyr ac yn ystod y rhyfel ni fyddai modd i awyrennau Prydain a hedfanai uwchben weld yr adeiladau o gwbwl.

Yma roedd byddin yr Almaen yn cadw ei stôr o ffrwydron. Yma hefyd roedd rhai o'i gwyddonwyr amlycaf yn gweithio ar ddatblygu bomiau a ffrwydron newydd, cryfach a mwy dinistriol.

Ar y bore Llun cyntaf cefais fy ngyrru i ganolfan addysg y gwersyll. Nid oedd llawer yn digwydd yno er bod yno dri milwr nad oedd wedi gwneud dim efo addysg ers iddynt adael yr ysgol yn bedair ar ddeg oed. Ar y cychwyn nid oedd dim i mi ei wneud ond dal y slac yn dynn – hynny yw, ceisio edrych yn brysur wrth wneud dim. Gwaith anodd!

Roedd Capten yn bennaeth ar yr adran addysg ac un diwrnod cefais orchymyn i fynd i'w weld. Er bod ganddo ddiddordeb mewn addysg, deallais ar unwaith nad oedd dim gwaith addysgol yn digwydd yn y ganolfan o gwbwl ond ei fod e'n awyddus i weld rhywbeth yn cael ei gynnal. Gan mai dim ond yn achlysurol yr oedd e'n taro i mewn i'r ganolfan roedd y criw yn cael amser gwych. Roedd tri milwr yn gweithio yno ond hyd y dydd heddiw does gen i ddim syniad beth oedd yr un ohonynt yn ei wneud.

Un prynhawn galwodd y Capten heibio a dweud wrthyf ei fod wedi cael sioc enfawr o ddeall bod o leiaf dau ddwsin o filwyr yn y gwersyll yn methu darllen. Wedi sgwrsio tipyn, penderfynodd y byddai'n anfon y ddau ddwsin ataf i am ddwyawr bob prynhawn Mawrth. Druan ohono, roedd e'n credu y byddwn i'n llwyddo i'w cael nhw i ddarllen ar ôl rhyw wyth gwers o ddwyawr yr un!

Fe gymerodd hi beth amser i mi ei ddarbwyllo; os nad oedd athrawon wedi cael y rhain i ddarllen mewn deg mlynedd o addysg ysgol, yna nid oedd fawr o obaith gyda ni i gyflawni hynny mewn cyn lleied o amser. Fodd bynnag, cynigiais raglen iddo ac fe roddodd gefnogaeth i'r fenter – er, yn anffodus, doedd ganddo fawr o wybodaeth am ddulliau addysgu. Er mwyn creu brwdfrydedd a diddordeb yn y bechgyn, roeddwn wedi dod o hyd i hen gasgliad o gomics. Roedd y swyddog yn anghydweld yn llwyr â'r dulliau hyn o ddysgu ac am weld rhywbeth mwy uchel-ael a ffurfiol. '*They'll only look at the bloody pictures. What about reading the Army Manual?*' meddai.

Ond roedd y bechgyn wrth eu bodd yn siarad a darllen am helyntion Desperate Dan ac eraill. Er mwyn dal eu sylw, creu diddordeb a magu hyder ynddynt oedd yn bwysig ac fe wnaeth sawl un ymateb yn wych i'r dysgu. Mewn dosbarth o ddau ddwsin, nid rhyfedd bod rhai am wneud dim ond creu twrw. Roedd pedwar heb ronyn o ddiddordeb ac roedd hi'n anodd cadw diddordeb y lleill pan oedd y rhain yn chwarae o gwmpas. '*I'll get rid of them,*' dywedodd y swyddog. '*Put them on jankers.*' Ac o hynny ymlaen mae'n debyg mai pilio tato fu eu ffawd yn hytrach na dod i'r dosbarth i ddysgu darllen.

Ni fedraf ddweud fod pob un wedi dysgu darllen ond fe wnaeth rhyw hanner dwsin yn rhyfeddol o dda. Un peth arall y bûm yn ei wneud oedd eu helpu i ysgrifennu llythyron gartre, rhywbeth nad oedd wedi digwydd o'r blaen. Cefnogodd y swyddog fi yn hyn o beth a chaniatawyd i rai o'r bechgyn ddod ataf am fore neu brynhawn i ddarllen atebion eu rhieni ac i ysgrifennu pwt o lythyr 'nôl. Bu'r sesiynau hyn yn rhai ffrwythlon tu hwnt ond roedd rhai o'r llythyron yn rhai trist iawn hefyd.

Cefais gryn syndod fisoedd yn ddiweddarach o glywed bod y swyddog wedi bod yn awgrymu dulliau dysgu darllen cyffelyb mewn unedau eraill yn y Fyddin. Soniai am ei arbrofion yn Hanover gan gymell eraill i ddefnyddio'r un system. Roedd y swyddog yn amlwg yn uchelgeisiol ac wedi gweld bod addysg yn bwnc delfrydol iddo wthio'i hun ymlaen. Yn anffodus i mi, erbyn hyn, roedd ganddo ddigon o amser ar ei ddwylo a byddai'n galw yn y ganolfan addysg yn aml iawn.

Yn fuan wedi'r llwyddiant gyda'r darllen daeth yr *Army Certificate of Education* i fodolaeth ac un prynhawn daeth y swyddog ataf a dweud ei bod hi'n ofynnol i bob aelod o'r Fyddin oedd â streipen – hynny yw, Corporals a Sarjants – basio'r arholiad neu golli eu streips. Roedd gofyn iddynt basio mewn pump o bynciau – hanes y Gymanwlad, darllen map, ysgrifennu traethawd, hanes y Fyddin a hefyd hanes hen frwydrau. Cefais griw da o ryw bymtheg i'w paratoi ar gyfer yr arholiad. Er fy mod i'n gwbwl ddibrofiad yn y maes, fe weithiodd y bechgyn yn dda ac roeddwn yn gwir fwynhau'r gwaith. Ar ôl deufis daeth adeg yr arholiad a dyma fynd ati i geisio rhagdybio'r cwestiynau mwyaf tebygol, yn enwedig yn y papur ar y Gymanwlad, rhywbeth yr arferwn ei wneud yn yr ysgol a'r coleg wrth wynebu arholiadau fy hun. Roeddwn wedi ysgrifennu atebion i'r cwestiynau posibl hynny a wir i chi, ymddangosodd y mwyafrif o'r cwestiynau yn yr arholiadau ac fe wnaeth y bechgyn yn dda. Ni fethodd yr un ohonynt ond roeddent yn sicr mai fi oedd wedi gosod y cwestiynau ac nid oedd modd newid eu meddyliau!

Yna daeth ail garfan ataf. Nid oeddent cystal â'r grŵp cyntaf o ran gallu. Cofiaf un prynhawn geisio eu cael i ddarllen map. *Intervisibility* oedd yr her, sef y gallu i ddamcaniaethu drwy edrych ar fap a ellir gweld rhyw lecyn arbennig o lecyn arall rhyw bum milltir i ffwrdd. Gwneir hyn drwy nodi pob safle uchel rhwng y ddau lecyn gan wneud graff i gyfleu'r tirlun. Roeddwn yn lled hyderus yn cyflwyno'r wers gan fy mod wedi dysgu sut i wneud hyn yn y coleg. Roedd y papur graff wedi ei ddosbarthu a'r criw yn gweithio mewn parau, pawb yn fwrlwm o waith pan gerddodd swyddog pwysig iawn i mewn gyda'r swyddog arferol. Roedd label coch ar ei ysgwydd ac arni ddwy goron aur. Eisteddodd y ddau yng nghefn y dosbarth. Roedd pawb wrthi'n gweithio'n galed ac roeddwn eisoes wedi eu cael i ddatrys dwy broblem. Dyma fi'n eu canmol ac yn gosod her arall iddynt. Roeddem yn gweithio o fapiau'r Almaen er mai prin iawn oedd yr wybodaeth arnynt.

Cyn iddynt ddechrau ar y drydedd her dyma'r swyddog yn codi yng nghefn y dosbarth, yn pesychu a throi ataf, ac mewn llais uchel awdurdodol dywedodd, '*And where on*

God's earth are these men going to find squared paper on the battlefield?' Sylweddolais fy nghamgymeriad yn syth. Roedd fy niffyg profiad wedi dod yn amlwg i bawb ac nid oedd gen i ateb. Allan yn y maes rhaid gweithio'r graff ar y map ei hun.

Gwnaeth y Capten dipyn o hwyl ar fy mhen ac roeddwn yn teimlo'n llawn embaras. Doeddwn i ddim yn siŵr beth arall ddywedodd e ond roedd hi'n amlwg ei fod yn fy ngwatwar ac yn cael hwyl fawr wrth wneud hynny. Awgrymodd yn ddigon haerllug na ddylent ddibynnu llawer ar stiwdents o'r coleg, bechgyn oedd yn dda i ddim ar faes y gad. Collais bob gronyn o hyder ac er iddo ofyn rhyw dri chwestiwn arall i mi, ni thorrais yr un gair, dim ond edrych ar y llawr. Dyma fi'n troi at y swyddog a gofyn am gael fy esgusodi am fy mod am fynd i'r tŷ bach. Os y byddwch byth mewn trwbwl, y tŷ bach amdani. Cewch lonydd yno! Drannoeth euthum i weld y meddyg gan ffugio 'mod i'n sâl ac felly doedd neb yn y ganolfan i fynd ymlaen â'r cwrs addysg. Peth ffôl oedd hyn wrth gwrs a chyn diwedd y dydd daeth gorchymyn i mi fynd i'r ganolfan fore trannoeth. Gorchymyn yw gorchymyn yn y Fyddin a rhaid ufuddhau. Oeddwn, roeddwn wedi pwdu ac wedi colli hyder ar ôl y fath driniaeth.

Ni fu fawr o siâp ar y gwersi am y pythefnos nesaf. Daeth y Capten 'nôl eilwaith i'r adeilad. Wn i ddim pam ond doedd e ddim mor llym y tro hwn. Dysgu darllen oedd y criw ac roedd gen i ddau o fechgyn yn fy helpu erbyn hyn. Eto roedd y dosbarth yn fwrlwm o waith a chlywais y swyddog yn dweud wrtho am lwyddiant y dosbarthiadau darllen.

Yn y Fyddin, pan fyddai pethau'n gweithio'n dda byddai pawb yn mynnu eu cyfran o'r clod, hyd yn oed y Capten. Ond pan fyddai pethau'n mynd yn wael, doedd neb am wybod ac roedd y bai yn cael ei roi ar y rhengoedd isaf.

Cyn diwedd y wers dyma fi'n gosod her i'r dosbarth i ysgrifennu neu dynnu llun o bethau yn dechrau gyda'r llythyren 'O'. Roedd y gwaith yn creu hwyl a brwdfrydedd yn y dosbarth. Wedi i'r wers orffen euthum ar fy union 'nôl i'm hystafell heb siarad â neb.

Mae'n debyg mai'r drefn yn y Fyddin oedd bod y Capten yn cael cyhoeddi canlyniadau arholiadau a gwych oedd clywed fod pob un, hyd yn oed wrth ddarllen map, wedi profi i fod yn foddhaol. Credaf fod y profiad o weithio gyda hogiau yn eu hugeiniau a oedd yn methu darllen wedi fy ngwneud yn well athro ac i'r profiad danlinellu pwysigrwydd dysgu plant ac oedolion i ddarllen.

Cefais lawer o foddhad yn yr adran addysg yn Hanover ond y peth rhyfedd yw mai ymddygiad y Capten sy'n dal i'm corddi, hyd yn oed drigain mlynedd yn ddiweddarach. Bydd dyn sy'n cael ei anafu yn gwella gydag amser ond os bydd rhywun yn cael ei ddolurio'n emosiynol wrth i rywun arall greu hwyl am ei ben, mae'r graith yn aros am byth.

Edrychaf 'nôl ar fy nghyfnod yn yr Almaen gyda llawer o foddhad. Cawn amryw o fanteision oherwydd fy ngwaith yn y ganolfan addysg. Roedd y bywyd cymdeithasol yn dda ac roeddwn yn cael cyfle i farchogaeth am fod stablau gan yr uned; bûm yn trefnu tripiau i Minden i weld operâu; byddem yn chwarae pêl-droed a hoci ar y Sadyrnau ac ar y Sul cawn gyfle i yfed a gloddesta. Yn rhyfedd iawn, fe fyddwn i'n dioddef o gylla gwirioneddol dost bob bore dydd Llun ac yn gorfod mynd at y swyddog meddygol. Bu hyn yn digwydd yn gyson am ddeufis a mwy a deuthum yn dipyn o ffrindiau gyda'r meddyg. Roedd e'n feddyg gwych ac yn hoff iawn o chwaraeon. Un bore Llun a minnau wedi bod yn dost drwy'r nos, gofynnodd beth oeddwn yn ei fwyta a'i yfed yn wahanol ar y penwythnosau. Soniais am y ddiod fain a gofynnodd a fuaswn yn peidio ag yfed diferyn o alcohol dros y penwythnos canlynol. Gwneuthum hyn ac ni ddioddefais unrhyw boen cylla. Euthum yn ôl at y meddyg a dywedodd ei fod o'r farn fod gen i alergedd at alcohol. Diferyn o alcohol ac roedd gennyf boen. Dim alcohol, dim poen. Roeddwn yn un ar hugain oed yr adeg honno ac nid wyf wedi yfed diferyn o ddiod alcoholaidd hyd y dydd heddiw. Er fy mod i'n teimlo ar wahân wrth gwmnïa mewn tafarnau, gwell hynny na gwingo mewn poen.

Fel yr eglurais, canolfan arfau fu'r gwersyll adeg y rhyfel ac roedd llawer o fomiau a ffrwydron yn dal ar ôl a'n milwyr ni yno yn dysgu amdanynt. Almaenwr oedd yn darlithio am y ffrwydron ac roedd ganddo ei

Y drwydded ar gyfer teithio drwy adran Rwsia o Berlin i gyrraedd y Stadiwm ar gyfer ffeinal y twrnament hoci.

ystafell ei hun yn y ganolfan addysg. Deallais yn fuan ei fod e'n ddyn pwysig – pwysig iawn. Dyma un o'r dynion mwyaf atgas a gwrddais erioed. Roedd e'n ddyn brwnt. Roedd Hitler yn dal yn dduw iddo. Soniai fel yr oedd ef ac eraill wedi lladd milwyr Rwsia yn eu cannoedd gan gladdu eu cyrff mewn tyllau enfawr. Roedd e fel pe bai'n ymfalchïo yn hyn.

Un bore fe'i clywais yn dwrdio un o'r merched, Leila a oedd yn gweithio yn y ganolfan, mewn Almaeneg. Ni chlywais y fath weiddi yn fy myw ac roedd y ferch ifanc yn crio. Gofynnais iddi beth yn hollol oedd e wedi ei ddweud wrthi. Roedd e wedi ei chyhuddo o fod yn esgeulus ac o'r herwydd byddai'n rhaid iddi fynd i lanhau ei dŷ ef fel cosb.

Ni fedraf brofi hyn ond rwy'n weddol sicr iddo ei dyrnu. Roedd pawb yn ei ofni a heb amheuaeth medrai fod yn gas iawn. Er i ni drechu'r Almaenwyr, ni fedrai hwn dderbyn hynny.

Wedi ei glywed yn dwrdio'r ferch ifanc, fe wnes i gadw draw oddi wrtho wedyn. Sylweddolodd gweddill y staff sut ddyn oedd e ac yn raddol fe wnaeth pawb ei anwybyddu'n llwyr. Er hynny cefais fy rhybuddio i beidio cweryla ag ef am fod llawer eto i'w ddysgu am y ffrwydron.

Wythnos cyn i mi adael cefais y fraint o sefyll a'i wylio'n clirio'i ddesg a chefais foddhad mawr o ddweud wrtho: '*Hurry up, Leila will be here with tea and cakes for the boys in a minute.*' Bu'n rhyddhad cael gwared arno oherwydd roedd arnaf ei ofn, fel nifer o rai eraill, a hyfrydwch pur oedd gweld dau filwr yn ei hebrwng allan o'r gwersyll. Cwrddais â nifer o Almaenwyr hyfryd a hynaws ond yn ystod y blynyddoedd wedi'r rhyfel nid oes amheuaeth nad oedd sawl un peryglus o gwmpas. Fy anlwc i oedd cwrdd ag un dieflig.

Dysgais un peth iddo, sef bod Meistr ar Mr Mostyn. Er hynny fe fyddwn wedi hoffi rhoi eitha cic iddo yn ei ben-ôl – ac fel pêl-droediwr roedd gen i eitha cic.

Aeth dwy flynedd y Gwasanaeth Cenedlaethol heibio'n gyflym ac a

Llyn Berwyn

Llyn Teifi

*Chwech o bysgotwyr Llyn Teifi yn oes Dad-cu a'u dalfa –
cant namyn un o frithyll braf!*

bod yn onest fe ddysgais ac fe ddatblygais lawer yn y cyfnod hwnnw. Y bore y ffarweliais â'r Fyddin am byth daeth y Capten i'm gweld, rhywbeth pur anghyffredin. Diolchodd i mi am fy nghyfraniad i'w ganolfan addysg a oedd wedi ennill clod am fod mor greadigol. Dywedodd hefyd pe bawn am ddychwelyd y byddai croeso mawr i mi yn yr un swydd.

'You are an awkward bugger, and have never learnt to respect Army ranks nor learnt to do things the Army way,' meddai. Roedd hi'n amlwg ei fod wedi darllen am helynt y ddwy fest. Aeth yn ei flaen, 'But we've done our best to correct you and we have all learnt a lot from you. It is obvious wherever you go you will create problems but also create a buzz as you have with this education centre. We'll miss you and good luck.'

Adre â fi. Ac wedi cyrraedd adre fe'i cefais hi'n anodd iawn ymgyfarwyddo â bywyd bob dydd. Wn i ddim beth oedd o'i le ond fe deimlwn fod rhywbeth ar goll yn fy mywyd. Tybed ai colli'r ddisgyblaeth lem y bûm mor gyfarwydd â hi yn y Fyddin oeddwn i?

Dianc a wnes i unigedd y mynyddoedd a threulio amser yn pysgota llynnoedd Teifi, Berwyn ac ati. Diolch i'r drefn fy mod yn ddwl am bysgota oherwydd y mae'n hobi lle mae dyn yn medru dianc rhag y byd a'i boen. Nid oeddwn yn cymysgu â bechgyn y pentre gan fod ein llwybrau wedi gwahanu ers cyhyd ac felly roeddwn yn dipyn o *loner*.

Wn i ddim pam, ond ambell ddiwrnod gwelwn bethau'n dywyll iawn ac ni chawn lawer o flas ar fyw; llwybr peryglus iawn i'w droedio. Ni fedrwn ddygymod â bywyd segur ac erbyn hyn fedrwn i ddim meddwl am sefyll o flaen dosbarth o blant. Tybed faint o fechgyn eraill a oedd wedi gadael y Fyddin a gâi drafferth dod i delerau â bywyd gwahanol gan weithiau fynd ar gyfeiliorn? Yn sicr roedd rhywbeth yn corddi o'm mewn, ac er chwilio, doedd dim ateb yn dod. Mae llawer o filwyr sy'n gadael y Fyddin heddiw yn dioddef o *post forces stress*. Credaf fod y term yn un hollol gywir a does fawr neb sydd heb ddioddef y pwysau yn medru deall pa mor ddifrifol yw'r salwch.

Gwn fod fy rhieni yn pryderu amdanaf, yn enwedig wedi i mi ddweud fy mod am ddychwelyd i'r Fyddin. Derbyniais lythyr oddi wrth ffrind oedd yn dal yn Hanover. Dywedodd bod y swyddog yn fy hen adran wedi cael dyrchafiad ac wedi symud i Ferlin. Dyna gau'r drws ar ddychwelyd i'r Fyddin felly.

Pe bawn i'n frenin trwy ryw hap, byddwn yn gwneud i bawb – bechgyn a merched – dreulio'r cyfnod rhwng deunaw ac ugain oed mewn mudiad tebyg i'r lluoedd arfog ond yn lle dysgu am ddrylliau a saethu, byddent yn dysgu sgiliau byw ac yn helpu gyda'r amgylchfyd.

Roeddwn i'n llanc dibrofiad a diffaith yn gadael cartref yn ddeunaw oed ond yn ddyn wedi byw llawer ac wedi callio erbyn i mi ddychwelyd yno yn un ar hugain oed.

Athro

Wedi gorffen fy nghyfnod yn cyflawni fy Ngwasanaeth Cenedlaethol a chyrraedd adref, allwn i ddim setlo yn fy myw yn Nhregaron. Fel y dywedodd rhywun, roeddwn 'fel pe bai gen i gynrhon yn fy mhen-ôl'! Gymaint fy niflastod a'm hanniddigrwydd fel fy mod yn awchu am ddychwelyd i'r Fyddin.

Trwy ryw ryfedd wyrth roedd E. D. Jones, prifathro'r ysgol fach, yn cadw llygad barcud arna i ac wedi sylweddoli fy mod yn gwbwl annedwydd fy myd. Yn ei ffordd dawel ei hun dyma fe'n fy ngwahodd i'r ysgol 'am sgwrs fach'. Credaf mai E. D. oedd un o'r ychydig rai a oedd yn sylweddoli pa mor anodd oedd hi i rywun fel fi ailgydio ym mywyd tre fechan dawel wedi cyfnod ymhlith rhengoedd byrlymus y Fyddin.

Roedd E. D. yn awyddus i'm perswadio i ailafael yn fy ngyrfa ddewisedig fel athro mor fuan â phosib ac awgrymodd – a threfnodd – i mi fynd i Wersyll Llangrannog am wyth wythnos yn ystod tymor yr haf. Yn y cyfnod hwnnw roedd Awdurdod Addysg Ceredigion yn llogi Gwersyll yr Urdd at ddefnydd ysgolion cynradd y sir ac yno yr euthum a chael mwynhad pur yng nghwmni disgyblion iau ysgolion cynradd Ceredigion a'u hathrawon.

Pennaeth y gwersyll yn ystod y ddeufis hynny oedd Alwyn Jones, prifathro Ysgol Penllwyn a ddaeth yn ddiweddarach yn Gyfarwyddwr Addysg Ceredigion. Bu'r cyfnod yn llwyddiant mawr o'm rhan i gan iddo fod yn fodd i mi sylweddoli mai athro roeddwn i am fod.

Erbyn dechrau mis Medi roeddwn wedi cael fy mhenodi'n athro dosbarth yn Ysgol Gynradd Heol y Gogledd, Aberystwyth (neu Ysgol North Road, fel y câi ei hadnabod gan bawb). Gwn fod y diolch am y penodiad yn ddyledus i'r ddau Jones – sef E.D. ac Alwyn.

Er nad oes pellter mawr rhwng Tregaron ac Aberystwyth nid oedd teithio'n ddyddiol yn bosib ac felly rhaid oedd lletya yn Aber am bum noson o'r wythnos. Cefais le i aros gyda Bet Jones a'i mam yn Nantymaen, Portland Road. Roedd y ddwy wedi symud i'r dre o'u ffermdy o'r un enw ar fynydd Tregaron ac roedd yn lle delfrydol i letya – glân, digon o fwyd – a'r hawl a'r rhyddid i fynd a dod fel y mynnwn, er nad fi oedd yr unig lodjar yno ar y pryd. Roeddwn yn talu £1/17/6 yr wythnos ac roedd yn werth pob dimai goch.

Roedd tair sinema yn y dre a byddwn wrth fy modd yn mynd i'r pictiwrs i weld mawrion y sgrin yn mynd drwy'u pethau. Yn rhyfedd iawn roedd Nantymaen yn gyrchfan i chwaraewyr *Bridge* y cylch a byddai degau'n galw heibio yn eu tro am gêm o gardiau, gan gynnwys llawer o fyfyrwyr y coleg. Roedd *Bridge* yn gêm hynod o boblogaidd yn y cyfnod hwnnw, gymaint felly fel y gallai fynd yn flys ar rai. A dweud y gwir, nid oedd Ysgol *Bridge* Nantymaen fyth yn cau – yr oedd ar agor 24/7! – ac un arferiad rhyfedd pellach oedd mai trwy ffenest y ffrynt y byddai pob chwaraewr *Bridge* yn mynd i mewn ac allan, a'r rheiny'n llenwi'r stafell ffrynt â chyrff a mwg! Er 'mod i'n hoffi chwarae *Bridge*, allwn i ddim dioddef oglau'r mwg ac felly sinema neu wely cynnar oedd hi i mi bob nos.

O leiaf doedd chwarae *Bridge* ddim yn golygu gamblo. Pan oeddwn yn y Cownti Sgŵl byddwn yn dilyn rasys ceffylau yng nghwmni Bili Crown, a oedd flynyddoedd yn hŷn na mi. Roedd gen i dipyn o arian poced, sef arian cwningod. Ar y cae rasys sylweddolais fod modd gwneud tipyn o arian drwy osod bet ar y ceffylau. O fewn dim o dro roeddwn yn betio'n drwm ac yn barod i roi cymaint â phum punt i lawr ar geffyl. Roedd hyn yn arian sylweddol, yn enwedig o ystyried nad oedd Nhad yn ennill cymaint â hynny am wythnos o waith caled.

Bûm yn betio'n drwm a di-hid am flynyddoedd, hyd nes i mi dderbyn fy siec gyntaf am fis o waith fel athro. Roeddwn erbyn hyn yn ddwy ar hugain oed. Fy nghyflog am y mis oedd pum punt ar hugain ac wedi newid y siec dyma fynd i rasys milgwn ym Mhenparcau a dechrau betio. Roedd hi'n noson wael ac o fewn dim roeddwn wedi colli ugain punt. Mi es i'n dost drwof gan fy mod wedi edrych ymlaen at roi peth o'r arian i Mam.

Doedd dim amdani ond mentro'r pum punt olaf ar y milgi lleiaf yn y ras. Gan fod y bwci yn cynnig pris o bump i un, byddwn yn cael fy arian yn ôl – pe bawn yn ennill. Dechrau gwael gafodd yr ast fach ac roeddwn ar fin troi am adre yn gwbwl benisel ond ar y tro olaf ar y trac, dyma'r ddau gi oedd ar y blaen yn baglu ar draws ei gilydd a'r ast fach yn gwibio rhyngddynt ac yn ennill. Fe redais innau yn ôl at y bwci bron mor gyflym â'r ast. Wedi cael deg punt ar hugain yn fy llaw, mas â fi o'r cae ac nid wyf erioed wedi gosod bet ar unrhyw ras wedi'r noson honno. Cafodd Mam ei siâr ac fe ddysgais innau wers hollbwysig – y bwci sy'n ennill yn y pen draw bob amser.

Roedd Ysgol North Road yn arloesol iawn yn y cyfnod hwnnw gan fod iddi ddwy ffrwd ieithyddol – pedwar dosbarth yn derbyn eu haddysg drwy'r Gymraeg a chwech drwy'r Saesneg. Cefais fy hun yn y ffrwd Gymraeg yn dysgu plant naw a deg oed, sef Standard Three. Fel cyw athro ni allwn fod wedi cael gwell bedydd mewn unrhyw ysgol ac ni allwn chwaith fod wedi dymuno gwell dosbarth – deg ar hugain o blant byrlymus, brwdfrydig ac ynddynt awch rhyfeddol at ddysgu. Datblygodd perthynas hyfryd rhyngof i a'r plant, ond yn bwysicach fyth, rhwng y plant a fi. O fewn dim o dro roeddent yn gwybod lle'r oeddwn yn lletya a phob bore byddai rhyw ddwsin ohonynt yn disgwyl amdanaf wrth ddrws Nantymaen. Byddai fy ngweld yn cyrraedd yr ysgol fel rhyw Bibydd Brith gyda chriw o blant o'm hamgylch yn codi gwên ar amryw wynebau.

Prifathro'r ysgol oedd Gruffydd Davies, gŵr mawr ei barch y tu mewn a'r tu allan i'r ysgol. Bu'n faer Aberystwyth ac roedd yn gynghorydd cydwybodol. Roedd yn gefnogol iawn i'w staff ac yn cael y gorau ohonom bob un. Er nad oedd yn ymweld â'r dosbarthiadau'n aml, gwyddai'n hollol beth oedd yn digwydd yn y gwersi.

Cofiaf fod yn ei gwmni un diwrnod pan ddaeth merch fach ato i ofyn cwestiwn am wenyn. Trodd yntau ataf a dweud, 'Morgan, mae'ch dosbarth chi wedi bod yn astudio bywyd y gwenyn. Rwy'n siŵr y gallwch chi, neu un o blant eich dosbarth, roi gwell ateb iddi na fi.' Rywbryd, roedd y prifathro craff wedi cael amser i ddarllen gwaith plant y dosbarth a hynny heb yn wybod i mi. Oedd, roedd e'n arweinydd cydwybodol a gadwai lygad barcud ar ei ysgol.

Roedd cyfeillgarwch clòs rhwng y staff i gyd ac yn wir, roedd athro Safon 4, sef John Thomas o Langrannog yn caru gydag athrawes Safon 2, sef Llinos Thomas, y delynores fedrus, ac ymhen peth amser fe briododd y ddau.

Dai Williams a fi – dau o athrawon North Rd yn y pedwar degau.

Roeddwn i'n dipyn o ffrindiau gyda Dai Williams, Fforchegel, sef tad y naturiaethwr Iolo Williams. Roedd Dai yn athro yn y ffrwd Saesneg. Roedd e'n ŵr tal, cyhyrog ac wedi cael prawf rhyngwladol i chwarae rygbi i'r *Possibles* ac un diwrnod cefais gyfle i weld ei ddawn. Ar ganiad cloch yr ysgol byddai plant y ddwy ffrwd yn ymgynnull ar yr un iard ac yn ffurfio llinellau neu resi fesul dosbarth er mwyn cerdded i mewn i'r ysgol yn dawel a threfnus. Nid oedd llawer o le ar yr iard ac roedd y rhesi bob amser yn glòs at ei gilydd. Un amser cinio dyma fachgen yn rhoi pinsiad slei i ferch yn y rhes nesaf. Dai oedd ar ddyletswydd a dyma'r bat criced a oedd yn ei law yn disgyn ar ben-ôl yr euog un. Dyna waedd ac i ffwrdd â'r crwt am iet yr ysgol a'r cwbwl a welwn i oedd y troseddwr yn rhedeg i lawr y stryd am ei gartref gan sgrechian nerth ei ben.

Dyma beth oedd trwbwl! I mewn â fi i'r ysgol gan adrodd yr hanes wrth y prifathro a gofiodd yn sydyn for ganddo gyfarfod brys o'r Cyngor. Diflannodd gan ddweud y byddai'r tad yn siŵr o ddod i'r ysgol i gwyno ac i mi baratoi fy hun a cheisio'i dawelu! Gwir bob gair. Ymhen dim roedd y tad cynddeiriog wrth y drws a minnau yno'n egluro na fyddai'r prifathro ar gael tan drannoeth. Camgymeriad mawr! Mewn eiliad roedd y tad wedi gafael yn fy ngholer ac wedi dechrau fy ysgwyd, fy nwrdio a'm blagardio gan ddweud nad oeddwn yn ffit i fod yn athro. Roedd e'n gweiddi nerth ei ben ac yn fy mygwth gyda'i ddwrn pan agorodd y drws a dyna ble'r oedd Dai.

'Gad e i fi,' meddai Dai yn dawel bach. 'Mae e a'r crwt yn creu helynt byth a hefyd.' Ar hyn dyma Dai yn gafael yng ngwar y dieithryn gan ddweud, *'If you like, we can go round the back and settle this nonsense once and for all.'* Er ei fod yn dal i weiddi, cilio am iet yr ysgol wnaeth y gŵr a Dai'n ei ddilyn. Fe gododd y dyn lond bol o ofn arna i a diolch i'r drefn bod Dai yno i'm hamddiffyn. Am sbel wedi hynny roedd arna i ofn mynd a dod i'r ysgol. Nid oedd hyder Dai gen i ac fel pob cachgi, osgoi gwrthdaro oedd fy ffordd i o ddatrys problemau!

Chwerthin wnaeth y prifathro o glywed yr hanes ond yn rhyfedd iawn wedi hynny fe wellodd ymddygiad y bachgen ar yr iard ac yn y dosbarth ac ni welwyd y tad yn yr ysgol byth wedyn.

Roedd y dosbarth cyntaf hwnnw y bûm yn gyfrifol amdano yn ddosbarth eithriadol ac ni welais ei debyg fyth wedyn. Roedd pob disgybl yn weithgar a chystadleuol dros ben ac roeddwn i wedi datblygu system lle'r oedd pob un yn medru gweithio'n annibynnol. Roedd y dull yn gofyn am waith paratoi trwyadl o'm rhan i ond o ganlyniad byddai'r dosbarth bob amser yn dawel a phawb â'i feddwl ar ei waith – a minnau'n eu llywio orau ag y gallwn.

Yna cefais y dosbarth 'sgolarship' ac o'r ddau ddwsin yn y dosbarth hwnnw aeth tri ar hugain ohonynt i Ysgol Ramadeg Ardwyn. Roeddwn yn siomedig fod un bachgen clên tu hwnt wedi methu pasio i Ardwyn ond cyn diwedd gwyliau'r haf roedd yntau hefyd wedi cael lle yn Ardwyn am i ddisgybl arall symud o'r ardal.

Byddai myfyrwyr o'r coleg yn dod i wneud ymarfer dysgu yn yr ysgol ac roedd hwnnw'n brofiad diddorol. Byddent yno am fis ar y tro – ond yn anffodus nid oedd deunydd athro ym mhob un. Cofiaf un ferch hynod o hawddgar a oedd yn anobeithiol fel athrawes oherwydd ei swildod. Bûm bron â'i chynghori i ddewis gyrfa arall ond wedi cydweithio'n galed am fis daeth pethau'n well ac fe lwyddodd i basio'r ymarfer dysgu. Er mwyn dangos ei gwerthfawrogiad o'm cymorth cefais wahoddiad ganddi i ddawns ola'r tymor gyda merched yr 'Alex', sef Neuadd Alexandra. Roedd hi'n ddawns ffurfiol a rhaid oedd gwisgo tei-bo. Rhoddwyd carden i mi ac arni restr o enwau'r merched roedd disgwyl i mi ddawnsio gyda nhw yn ystod y nos. Bu'r noson yn hunllef a dyna pryd y dysgais fod gen i ddwy droed chwith – anobeithiol ar gyfer y Tango!

Un anfantais o weithio mewn ysgol fawr oedd ein bod yn gorfod cyflenwi mewn ysgolion bach os oedd athro'n dost. Roedd hynny'n golygu cyfuno dau ddosbarth ar brydiau. Un tro cofiaf gael fy anfon i Ysgol Penllwyn yng Nghapel Bangor, rhyw bum milltir o Aberystwyth. Gan nad oedd gen i gar na beic, rhaid oedd dibynnu ar y bysus. Cyrhaeddais iet yr ysgol a chlywed sŵn plant yn canu. Curais ar y drws a mynd i mewn a dyna lle'r oedd y gogyddes – neu'r 'Cwc' chwedl pawb – yn arwain y canu â lletwad yn ei llaw! Golygfa gwbwl annisgwyl a chwarae teg iddi am gymryd y cyfrifoldeb gan fod y prifathro ac athrawes y plant bach adre'n dost. Pan welodd hi fi yn y drws, dyma hi'n gofyn, 'Pwy y'ch chi 'te?' Gan ei bod yn dal y lletwad yn fygythiol yn ei llaw, roeddwn i braidd yn nerfus yn ei hateb ond eglurais fod y Swyddfa Addysg wedi fy anfon yno gan fod yr athrawon yn absennol. Roedd hi'n awyddus i helpu ac eisiau gwybod beth oeddwn am iddi hi ei wneud! Cymerodd beth amser i mi ei pherswadio i ddychwelyd i'r gegin ond mewn byr o dro roedd y disgyblion oll wrth eu desgiau'n barod am waith. Roedd plant y wlad yn rhwydd i'w trin ac nid oedd fyth broblem gyda disgyblaeth.

Wedi deuddydd yn yr ysgol roedd pethau'n weddol siapus ac ni fu unrhyw sôn am gyfarwyddyd pellach o'r Swyddfa Addysg. Doedd dim ffôn yn yr ysgol ac roedd hi'n amlwg nad oedd gan y swyddogion addysg unrhyw ddiddordeb ynof i na'r plant!

Clywais yn ddiweddar am brifathro a gafodd ddirwy am adael dros hanner cant o blant yng ngofal un athrawes. Tybed beth fyddai'r hanes o droi'r cloc yn ôl i'r 1950au? Nid oedd sôn am 'Iechyd a Diogelwch' yn y dyddiau hynny!

Cyfarfûm â'r 'Cwc-cym-athrawes' lawer tro wedi hynny gan ei bod hi a fi'n cefnogi'r un tîm pêl-droed a chawsom sawl sgwrs am y tridiau hynny. Dysgais yn glou fod mynd i helpu mewn ysgolion gwahanol yn cynnig profiadau cyfoethog iawn i mi fel athro. Diolch byth nad oeddent wedi clywed am *Risk Assessments* yn y dyddiau hynny!

Ymhen dwy flynedd daeth cyfle i mi symud 'nôl i fod yn athro dosbarth yn Nhregaron. Ai doeth y symudiad? Cawn weld!

'Nôl i Dregaron

Wedi cyfnod fel athro yn Aberystwyth, clywais fod swydd gyffelyb yn mynd yn Ysgol Gynradd Tregaron a daeth awydd arna i i wneud cais amdani. Erbyn hyn roedd y ddwy ysgol yn Nhregaron wedi eu uno. Cefais fy nghynghori gan amryw i beidio am y byddwn yn mynd 'nôl i bentre fy mhlentyndod ond wedi pendroni am ychydig, penderfynais fynd amdani – ac yn wir, fe gefais y swydd.

Ym mis Medi, ar ddechrau'r flwyddyn ysgol ganlynol, roeddwn yn sefyll o flaen dosbarth o ddau ddwsin o blant wyth a naw oed Tregaron. Yr unig sefyllfa nad oeddwn wedi ei rhagweld oedd y byddai Gwyneth fy chwaer ieuengaf yn ddisgybl yn fy nosbarth i. Nid oedd Gwyneth, ac nid yw chwaith (am wn i!) wedi ei breintio ag ufudd-dod perffaith, yn enwedig i'w brawd mawr, ond er tragwyddol glod iddi, bu ei hymateb i mi fel ei hathro dosbarth yn rhagorol a bu'n ddisgybl da ac ufudd gydol ei chyfnod yn yr ysgol fach.

Roeddwn wedi fy mhlesio'n fawr gyda'r dosbarth. Mae rhyw fwrlwm yn perthyn i blant wyth a naw oed. Maent yn holi byth a hefyd ac yn awyddus i wybod popeth am bopeth ac o'r herwydd yn barod i ddysgu. Yn fy marn i, hwn yw un o'r cyfnodau gorau yn natblygiad plentyn ac ar y cyfan roedd y mwyafrif o blant y dosbarth yn dda yn eu gwaith ac yn barod i weithio. O'u cymharu â

Yr ysgol heddiw.

*Disgyblion Ysgol Gynradd Tregaron yn 1956
(roedd y ddwy ysgol gynradd wedi eu huno erbyn hyn).*

dulliau dysgu heddiw, gwn fod fy nulliau dysgu i yn hen ffasiwn. Un o'r pethau pwysicaf i mi oedd sicrhau disgyblaeth dda o fewn y dosbarth – a deuai hwnnw nid trwy godi llais a gweiddi ond trwy baratoi a darparu digon o waith addas ar gyfer y plant: prosiectau diddorol, amrywiol a osodai her a oedd yn cyfateb i allu unigol pob disgybl. Dywedir bod segurdod yn creu diflastod; roedd hi felly'n bwysig cadw pawb yn brysur a meithrin cyfathrach iach a hwyliog rhwng aelodau'r dosbarth.

Er mai dosbarth cymharol fach oedd gen i, byddwn yn aml yn gorfod gofalu am ddosbarth y prifathro hefyd er mwyn iddo ef gael ysbaid i gwblhau'r gwaith gweinyddol. Erbyn hyn mae prifathrawon – ac yn wir athrawon dosbarth – yn cael amser rhydd o'r dosbarth er mwyn paratoi a delio â materion gweinyddol. Rhaid cyfaddef bod cymryd gofal o ddau ddosbarth yn anodd ond eto, rhaid canmol y plant. Roeddent yn ymateb yn dda dros ben i'r sefyllfa ac yn cwblhau'r tasgau'n gwbwl ddiffwdan. Fe fyddwn yn gwneud fy ngorau i ofalu bod digon o waith ar gyfer pob plentyn, a phob blwyddyn byddem yn cynhyrchu Cylchgrawn Dosbarth gyda'r plant yn cyfrannu tuag ato. Roeddent wrth eu bodd gyda'r canlyniadau.

Roedd galw ar y disgyblion i gymryd rhan mewn gweithgareddau o fewn y gymdeithas leol hefyd a byddai paratoi brwd ar gyfer gwasanaethau a chyngherddau, yn enwedig adeg y Nadolig. A dweud y gwir roedd hi'n ysgol fywiog iawn ac fe gâi gefnogaeth dda.

Yn ystod y cyfnod hwn – sef canol y 1950au – y clywsom ni, yr athrawon, gyntaf am y '*Posts of Special Responsibilities*' (*PSR*) yn yr ysgolion cynradd. Golygai'r cynllun hwn fod yr awdurdod yn mynd i roi tâl ychwanegol i ganran o athrawon a oedd yn gwneud mwy na dim ond dysgu yn y dosbarth – hynny yw, yn cyflawni cyfrifoldebau ychwanegol. Dyma beth oedd sefyllfa anodd – 'syndrom y daten boeth' – gan mai'r prifathro oedd i ddewis pwy oedd yn haeddu'r arian ychwanegol.

Er mwyn osgoi cweryl rhwng aelodau'r staff byddai ambell brifathro yn rhoi'r statws (a'r arian) i'r sawl oedd wedi bod hwyaf yn yr ysgol, er nad hwnnw neu honno a fyddai'n gwneud y gwaith ychwanegol.

Cofiaf glywed am un athrawes (gwbwl anhaeddiannol) yn cael y *PSR* ond pan oedd problem yn codi – yn enwedig gyda disgyblaeth – yn troi at athro arall i'w datrys. Gymaint oedd y drwgdeimlad rhyngddynt nes iddo ef wrthod ei helpu a bu raid i'r swyddogion addysg ddod i'r ysgol i geisio datrys y sefyllfa.

Yn ffodus nid oedd problemau felly'n bodoli yn Nhregaron. Roedd y staff yn ddigon hapus pan benderfynodd y prifathro y byddai'r tâl ychwanegol yn mynd i bob aelod o staff yn ei dro. Rhyfedd fel y bydd ambell syniad da ar bapur yn medru creu helynt yn gwbwl anfwriadol – ond hwyrach ein bod ni athrawon yn bobol sensitif iawn yn y bôn.

Yn y cyfnod hwn gwrywod oedd yn benaethiaid ar bron bob ysgol gynradd yn sir Aberteifi. Erbyn hyn mae'r rhod wedi troi a menywod yw mwyafrif penaethiaid y sir. Er fy mod i o blaid cydraddoldeb ym mhob dim – yn enwedig o gofio bod athrawesau a oedd yn priodi yn gorfod rhoi'r gorau i'w swydd yn y cyfnod hwnnw – credaf fod plant (a bechgyn yn enwedig) ar eu colled drwy beidio â chael dyn i'w dysgu yn ystod eu cyfnod yn yr ysgol gynradd.

Nid oedd gen i fawr o amynedd na chydymdeimlad gyda'r plant nad oedd yn ymdrechu i wneud eu gorau. Ychydig o'r rheiny a welais ac ni fyddwn chwaith yn siŵr sut i'w trin. Ni fyddwn byth yn defnyddio cosb gorfforol – er bod hynny'n gwbwl gyfreithiol ar y pryd – a'r tristwch weithiau oedd bod canmoliaeth yn methu â'u hysgogi. *Cane or carrot* chwedl y Sais. Ond yn ffodus yn fy ngyrfa ni chefais fawr o broblem gyda diffyg ymdrech, er, a bod yn onest, roedd ambell ddisgybl a allai fod wedi gwneud yn well gyda'r doniau a gafodd.

Roeddwn yn bysgotwr brwd yn y cyfnod hwn ac yn cawio fy mhlu fy hun. Er mwyn cawio – neu greu plu pysgota – roedd hi'n hanfodol cael amrywiaeth o blu adar, plu o war ceiliogod yn arbennig. Gan fod gen i blant tyddynnod a ffermydd yn y dosbarth a'r rheiny'n cadw ffowls, a finne'n cael ambell ffowlyn i ginio dydd Sul, dywedais y byddwn yn barod i dalu swllt i bob plentyn a ddeuai â gwar ceiliog i mi. Canlyniad y cynllun hwn oedd i'm stôr o blu pysgota gynyddu ond i'r stafell ddosbarth ddrewi o bennau ceiliogod bob bore Llun!

Casbeth gan athrawon fyddai cael ymweliad annisgwyl gan un o Arolygwyr Ei Mawrhydi (AEM) ac roedd un o'r Arolygwyr yn dod o Dregaron, sef Miss Cassie Davies. Roedd clywed ei bod yn ymweld ag ysgolion lleol yn creu nerfusrwydd ym mhob un ohonom oherwydd roedd hi'n medru bod yn llym ei beirniadaeth, yn enwedig os nad oedd hi'n hapus gyda'r hyn ddigwyddai yn y dosbarthiadau. Un bore dydd Llun dyma gnoc ar y drws a dyna lle'r oedd Miss Davies. Er gwaetha'r drewdod treuliodd y rhan fwyaf o'r bore yn fy nosbarth i. Wedi iddi edrych ar lyfrau'r plant dyma hi'n eu holi am Henry Richards sydd â'i gofgolofn ar sgwâr y dre – neu'r tu fas i westy'r Talbot os collwch y ffordd! Rhaid cyfaddef mai llugoer oedd y plant wrth ateb, hwyrach am fod ganddi bersonoliaeth mor ddieithr a chryf. Ni ddywedodd ddim wrthyf wrth adael; dim am y plant a'u cyraeddiadau – a dim am y drewdod chwaith!

Ar y pryd roedd gen i ddosbarth o blant brwdfrydig a galluog tu hwnt ond roedd ei chael hi'n eistedd yng nghefn y dosbarth yn brofiad brawychus. Roeddwn yn hynod nerfus ac yn cofio stori a adroddodd athrawes o dde Cymru wrthyf amdani.

Roedd yr athrawes o flaen y dosbarth ond yn anffodus roedd ei phais yn y golwg. Mewn llais awdurdodol gofynnodd Cassie iddi: 'Odych chi'n gwbod bod eich pais yn dangos?'

'Wnes i ddim sylwi,' atebodd yr athrawes ddiniwed.

'Wel, mae'r plant wedi sylwi,' oedd ymateb cwbwl siarp ac ymosodol Cassie.

Bu Cassie yn y dosbarth gen i am yn agos i ddwy awr yn gwrando, sgwrsio, edrych drwy fy llyfrau i a llyfrau'r plant a chymryd nodiadau maith. Aeth allan o'r stafell heb ddweud gair. Gofynnais i'r prifathro a oedd hi wedi dweud unrhyw beth wrtho fe. 'Dim gair,' meddai. Erbyn hynny roeddwn i'n gofidio nad oedd pethau wrth fodd yr arolygwraig. Rai dyddiau'n ddiweddarach cwrddais â mam un o'r disgyblion a oedd yn adnabod Cassie'n dda ac roedd honno wedi gofyn ei barn am y dosbarth. Doedd gan Cassie ddim ond canmoliaeth i'r gwaith. Pam na allai hi fod wedi rhoi adborth i'r ysgol ar y pryd? O leia byddai hynny wedi lleihau'r gofid a rhoi mwy o hyder i ni fwrw ymlaen â'r gwaith. Ond dyna sut yr oedd yr arolygwyr yn trin athrawon, gan ofni canmol mae'n debyg, er bod hynny'n medru talu ar ei ganfed.

Bu un digwyddiad digon blêr gyda busnes y gwarrau

ceiliogod. Roedd Ifan Gruffydd – ie, yr anfarwol Ifan – yn ddisgybl yn yr ysgol. Roedd yn fachgen annwyl ond yn swil iawn o ystyried ei lwyddiant ysgubol ar lwyfan a theledu erbyn hyn – mae ei ddawn a'i ffraethineb yn creu hwyl ym mhob man. Ond ni allem ni athrawon yr ysgol gynradd fod wedi rhagweld hyn. Rwy'n ei gofio'n dechrau'r ysgol a'i weld yn mynd mas drwy'r gât pan ganodd cloch amser cinio.

'Ble wyt ti'n mynd, Ifan?' meddwn i.

'Gartre,' medde fe, 'wy' wedi bod yn yr ysgol!'

Roeddwn yn gyfarwydd â rhieni Ifan, sef Sam a Cassie ac un tro cefais fy ngwahodd i'r fferm i glipio gwarrau rhyw bedwar ceiliog. Sam oedd yn dal y dofednod a finne'n clipio. Roedd un ceiliog arbennig o hardd yn eu mysg – un â phlu du prydferth tu hwnt – a hwn yn ôl Sam oedd ffefryn yr Ifan wyth mlwydd oed.

Fe fuom yn dra gofalus yn clipio ein dau ond ow! – fe ddigwyddodd rhywbeth. Gormod o wasgu hwyrach neu ormod o glipio. Wrth fynd at y tŷ cofiaf glywed Sam yn dweud, ac Ifan yn cadarnhau hynny fore trannoeth, fod yr hen geiliog du wedi dianc o'r ffarm yn ystod y nos! Tybed a yw'r amser wedi dod i mi ofyn i'r diddanwr clên am faddeuant?

Fel sy'n digwydd heddiw, roedd athrawon y cyfnod hwnnw hefyd yn gorfod mynychu cyrsiau a dosbarthiadau nos er mwyn ymgyfarwyddo â syniadau a symudiadau newydd ym myd addysg. Cofiaf gael fy anfon ar gwrs wythnos ar *Modern Trends in Education* a gâi ei gynnal yng Ngholeg y Normal, Bangor. Roedd hwn yn gwrs trwm ac erbyn prynhawn dydd Mercher roeddwn yn ysu am chwa o awyr iach. Ar ôl cinio ymesgusodais fy hun 'am nad oeddwn yn teimlo'n dda' a heb ddweud wrth neb dyma fynd draw i Lyn Trawsfynydd i bysgota. Yn anffodus mae'r byd yn fach ac erbyn i fi gyrraedd 'nôl i Fangor roedd un o fechgyn Traws wedi ffônio'r coleg i ddweud bod fy mag pysgota'n saff. Roeddwn wedi cael fy nal. Y waedd wrth ffarwelio â phawb ar ddiwedd y cwrs oedd 'Cofia alw yn Nhrawsfynydd am dy fag pysgota!'.

Unwaith y bo'r chwiw pysgota wedi gafael, bydd yn gafael yn dynn! Digwyddodd rhywbeth cyffelyb pan fynychais gwrs yng Ngholeg y Drindod, Caerfyrddin. Penderfynais beidio â mynd i mewn i ginio ac yn hytrach na hynny fynd am orig fach i bysgota ger Nantgaredig. Mewn dim o dro roeddwn wedi bachu anferth o sewin ond yn anffodus wedi ei fachu wrth ei gynffon ac nid yn y geg. Pan ddigwydd hyn bydd hi'n anodd dod â'r pysgodyn i'r rhwyd a gorfu i fi gamu i'r dŵr a'i ddilyn wrth iddo fynd y tu ôl i goeden. O'r mawredd mawr! Dim ond welingtons oedd am fy nhraed a nawr roeddwn i lan hyd at fy nghanol mewn dŵr ac yn wlyb stecs! Llwyddais i lanio'r sewin ond beth wnawn i wedyn? 'Nôl a fi i'r dre ac yn syth i siop yn Heol y Dŵr i brynu trowser newydd. Roedd 'na giw yn y siop a phob un yn syllu ar y pwll bach o ddŵr oedd ar y llawr lle roeddwn i'n sefyll! Ni ddatgelais beth oedd yn gyfrifol am y pwll. Ta waeth, roedd gen i sewin naw pwys yng nghefn y car ac mi roeddwn i nôl yn y coleg ar gyfer darlith y prynhawn.

Oes, mae llawer tro trwsgl wedi digwydd pan fo pysgotwyr wedi ceisio ffugio'u habsenoldeb o ddigwyddiadau ac yn anffodus, nid yw'r esgusodion bob amser yn dal dŵr!

Er mai dim ond am ryw chwe blynedd y bues i'n athro yn Nhregaron, mi gefais i amser da iawn yno. Roedd y dre'n fywiog a'r bywyd cymdeithasol yn wych. Roedd nifer o fudiadau yn cynnal amrywiaeth o weithgareddau a chroeso i bawb ymuno.

Ymunais â Chôr yr Adar Duon – enw digon addas ar y criw oedd yn honni bod yn gantorion da ac ar gael i ddiddanu cynulleidfaoedd mewn unrhyw fangre yn y sir.

Nos Sul oedd noson practis y côr, a rhaid cyfaddef iddynt fod yn griw ardderchog o fechgyn. Methodd y côr gyrraedd y safon angenrheidiol ar gyfer cystadlu mewn eisteddfodau am fod ansicrwydd am y donyddiaeth ac ni fyddem bob amser yn canu mewn tiwn! Ond byddai ein nosweithiau llawen yn llawn hwyl a sbri.

Roedd pedwar ohonom yn cymryd rhan mewn sgetsys doniol ac roedd y rhain yn ychwanegu at y rhaglen. Arweinydd y côr oedd yr unigryw Dai Williams, Tregaron, cerddor penigamp a feddai ar beth wmbredd o jôcs. Er ein bod yn gwybod y jôcs ar ein cof, caem hwyl o glywed Dai yn eu hadrodd drosodd a throsodd. Weithiau byddai ambell aelod yn mynd am beint neu ddau i'r dafarn cyn y cyngerdd ond roeddem yn barti hapus a fedrai godi hwyl – er hwyrach heb lawer o sylwedd ambell waith!

Cofiaf yn dda Dai Siop Dop yn dweud 'stori'r gannwyll', sef stori am bedwar aelod o deulu yn methu diffodd cannwyll am fod rhyw nam ar eu cegau. Byddai'n eistedd ar ganol y llwyfan â channwyll ynghynn o'i flaen gan ystumio â'i wyneb. Byddai pawb yn chwerthin yn iach. Un noson diffoddodd y gannwyll cyn iddo gyrraedd y *punch-line* ac fe achosodd hynny fwy o sbort nag yr un o'i berfformiadau cywir! Byddai amryw o eitemau yn mynd o chwith ond câi pawb hwyl eithriadol.

Roeddwn yn aelod o dîm pêl-droed Tregaron a oedd yn chwarae bob dydd Sadwrn drwy'r tymor. Byddai'r clwb yn cynnal Dawns Calan Gaeaf a Chinio Nos Calan hefyd a'r tocynnau'n gwerthu i gyd yn glou iawn.

Roedd galw arnom fel pobol ifanc y dre i gynorthwyo gyda'r gwahanol weithgareddau, boed y rheiny'n eisteddfodau, gyrfaoedd chwist, dawnsfeydd neu gyngherddau a oedd yn golygu ein bod allan yn hwyr ar aml i benwythnos. Byddai ambell eisteddfod yn para hyd oriau mân y bore a bu cymryd rhan yn gyhoeddus yn brofiad da, yn enwedig ar gyfer y gwaith a ddaeth i'm rhan yn ddiweddarach ar radio a theledu.

Roeddwn hefyd yn aelod o Glwb Pysgota Tregaron a dyma pryd y dechreuais bysgota o ddifrif. Roeddwn i hefyd yn treulio cryn dipyn o amser yn ymwneud â sbort cefn gwlad. Sylweddolais hefyd – gan fy mod yn cael cymaint o fwynhad yn pysgota – ei bod yn bryd i mi roi rhywbeth yn ôl a chymryd mwy o ddiddordeb yn y gwaith gweinyddol a oedd ynghlwm â'r clwb. Yn sgil hyn cefais fy ethol ar sawl pwyllgor pysgota yn yr ardal ac ymuno hefyd â'r pwyllgor cenedlaethol, er, doedd hi ddim yn hawdd cael amser i wneud popeth.

Roeddwn i'n gweithio'n galed ar y pryd yn hybu gwaith yr Urdd yn yr ysgol a hefyd yn helpu gyda'r Aelwyd y tu allan i oriau swyddogol yr ysgol. Roedd yr Aelwyd yn ei bri yn Nhregaron ar y pryd ac roedd gennym adeilad pwrpasol ar gyfer yr holl weithgareddau. Cafodd Nan Davies, neu Nan Pont-ar-gamddwr, ei phenodi'n Warden yr Aelwyd, a dyna beth oedd penodiad gwych. Roedd hi'n frwdfrydig ym mhob dim ac roedd ganddi syniadau lu. Roedd criw ohonom wrth ein boddau yn ei chwmni ac yn dysgu oddi wrthi. Roedd yr Aelwyd yn brysur bron bob nos a'r ieuenctid yn tyrru yno.

Ar ôl i Nan gael ei denu i weithio gyda'r BBC yng Nghaerdydd, fe geisiodd Iwana Jones a finne gymryd at y gwaith ac fe ddaeth eraill i'n dilyn a gwneud gwaith canmoladwy iawn – ond dim ond un Nan oedd yn bod.

Fe gâi'r ddrama le blaenllaw yn yr Aelwyd ac rwy'n cofio actio yn rownd derfynol cystadleuaeth ddrama'r Urdd yn Neuadd y Brenin yn Aberystwyth ond colli fu ein hanes yn anffodus. Fe gawsom ein llorio wrth weld llwyfan enfawr y neuadd honno wedi i ni fod yn ymarfer ar lwyfan bach yr Aelwyd. Ymhlith y cast roedd Valmai Jones, actores wych, ac roedd Evan Evans (Ianto Bach) a finne'n actio dau forwr ac

fe gawsom wisg morwyr pwrpasol. Fodd bynnag, fe brofodd
y copis tincart yn dipyn o broblem! Aeth pethau'n reiat pan
ddatododd y copis o flaen cynulleidfa mewn ysgoldy un
noson ond roedd hynny rhan o'r hwyl!

Un arall a wnaeth argraff aruthrol ar ieuenctid Tregaron
oedd y Parchedig George Noakes pan ddaeth yno'n giwrad.
Sefydlodd gangen o Gymru'r Groes yn yr eglwys a gyda
George yn arweinydd daeth yn gangen gref dros ben a chriw
da o ieuenctid yn ei chefnogi. Roedd George Noakes yn fawr
ei barch. Flynyddoedd yn ddiweddarach pan oedd e'n
Archesgob Cymru, cefais y fraint o wneud rhaglen deledu yn
ei gwmni o'r Eglwys Gadeiriol yn Nhŷddewi. Pan oedd yn
gweithio yn Nhregaron roedd George yn aelod cryf o dîm
pêl-droed y dre a gyda John Ronska wrth ei ymyl nhw oedd
y ddau gefnwr gorau a welodd y sir erioed.

Byddai George Noakes y ciwrad yn canu cloch yr eglwys
yn blygeiniol am chwech o'r gloch bob bore ond nid oedd
hynny'n dderbyniol gan bawb. Un diwrnod daeth yr
Archesgob ar ymweliad â'r dre a galwodd yn y garej wrth
ymyl yr eglwys. Daeth un o'r gwrthwynebwyr ato i achwyn.
Roedd e wedi sylwi ar y crys porffor a'r goler gron.

''Sdim sens!' meddai. 'Mae'r gloch yn ein dihuno bob
bore. Ac i beth? Does neb yn mynd i'r eglwys mor fore â
hynna.'

'O oes,' oedd yr ateb tawel. 'Mae Duw 'na gydag e.'
Doedd dim mwy i'w ddweud.

Pe bawn yn gorfod dewis pum mlynedd gorau fy
mywyd, byddai'n anodd iawn meddwl am gyfnod gwell na'r
un a dreuliais yn Nhregaron yn athro dosbarth. Roedd e'n
gyfnod hapus tu hwnt. Ond symud wnes i eto, y tro hwn
ddim ond pum milltir fyny'r ffordd i'r Bont.

Bywyd yn y Bont

Roedd gweithio fel athro dosbarth yn Nhregaron yn rhoi boddhad mawr i fi. Ond pan glywais fod Awdurdod Addysg Sir Aberteifi wedi hysbysebu am brifathro ar gyfer Ysgol Gynradd Pontrhydfendigaid cefais fy nghymell i gynnig amdani. Y drefn yr adeg honno oedd bod y cyfweliadau terfynol yn cael eu cynnal o flaen holl gynghorwyr y sir yn Siambr y Cyngor yn Aberaeron. Felly wedi tipyn bach o ganfasio, fe'm gosodwyd ar y rhestr fer. Cefais gyfweliad yn Aberaeron – profiad brawychus ar y naw – ond ar ddiwedd y dydd, daeth rhyddhad wedi i mi gael fy mhenodi'n brifathro i Ysgol Gynradd y Bont.

Ar y pryd roedd bron i bedwar ugain o blant ar y gofrestr gyda thri o athrawon – fi a dwy athrawes oedd wedi bod yn yr ysgol am sawl blwyddyn ac felly'n adnabod y plant a'u

Ysgol Gynradd Bont – lle bûm yn hapus iawn fel prifathro.

Mr Williams y cyn brifathro'n dymuno'n dda i'r sgwlyn ifanc newydd.

teuluoedd yn dda. Roedd y ddwy'n helpu'r plant i ymgartrefu'n gyflym yn yr ysgol. A'r peth hollbwysig i fi oedd bod y plant yn hapus wrth fynychu'r ysgol.

Mae ysgolion dau neu dri athro yn cynnig tipyn o her i'r athrawon, yn bennaf oherwydd yr ystod oedran a gwahanol allu'r disgyblion ym mhob dosbarth. Erbyn i'r plant adael yr ail ddosbarth yn naw oed roedd disgwyl iddynt fod wedi cael sail gadarn yn y sgiliau sylfaenol o ddarllen, ysgrifennu a 'gwneud swms'. Tipyn o gamp, yn enwedig o gofio bod aml i blentyn ag angen sylw unigol er mwyn datblygu hyd eithaf ei allu. Weithiau mae dyn yn holi a yw swyddogion a gwybodusion byd addysg yn llawn sylweddoli anghenion plant. Nid ffatri yw ysgol ond cymdeithas o unigolion, a phob un mor bwysig â'r llall. Daw dysgu'n hawdd i rai. Ond i eraill mai angen mwy o amser i feistroli'r sgiliau. Mae ambell un yn rhagori ar waith ymarferol tra bod un arall â'i drwyn mewn llyfr o fore gwyn tan nos. Dyma'r gymysgedd sy'n gwneud dysgu yn alwedigaeth mor ddiddorol.

Yr adeg honno roedd plant unarddeg oed yn gorfod sefyll y sgolarship ar gyfer mynediad i Adran Ramadeg yr

Ysgol Uwchradd yn Nhregaron ac er mwyn sicrhau bod y plant yn cyrraedd y safon angenrheidiol roedd rhaid cael cydweithio drwy'r ysgol. Roedd cyrraedd safon dda mewn darllen cyn dod i'r dosbarth top yn hanfodol – heb hynny fe fyddai pethau'n anodd i'r disgybl wrth ddilyn ei yrfa addysgiadol. Mae'r gallu i ddarllen yn agor drysau i bopeth ac roedd pwyslais mawr yn cael ei roi ar ddarllen yn yr ysgol.

Fel y crybwyllais o'r blaen, pan yn yr ysgol ac o flaen dosbarth rown yn mynnu disgyblaeth dda a gwrandawiad llwyr. Pan gyrhaeddais Ysgol y Bont fel prifathro'r bore cynta hwnnw nid oedd y disgyblion yn ymwybodol o hyn. Ac roedd dau neu dri o'r bechgyn hŷn yn ymddangos yn dipyn o gobs! Canwyd cloch yr ysgol am naw ac aeth pawb i'w dosbarth, fi gyda'r dosbarth uchaf, sef plant deg ac unarddeg oed. Tua chwarter wedi naw dyma'r drws yn agor a bachgen yn cerdded i mewn ling-di-long a heb ddweud gair wrth neb, yn mynd i'r cefn ac eistedd wrth ddesg. Un o fechgyn y seddi cefn mae'n amlwg, meddwn i a heb wên ar fy wyneb anfonais ef allan o'r dosbarth a dweud wrtho am aros wrth y drws hyd nes y byddwn yn barod i'w adael nôl mewn. Cafodd ei synnu gan hyn ond mas ag e. Wedi rhyw ugain munud agorais y drws a'i wahodd yn ôl mewn. Aeth yn reit dawel, a nôl yn ei sedd fe'i clywais yn sibrwd wrth ei ffrind, 'Ma hwn yn rhyw fachan od, glei!' Ond roedd y sylfaen wedi'i gosod. Fi ac nid ef oedd y meistr. Deallodd ef a gweddill y dosbarth bod yna reolau i'w cadw ac mai'r tu allan i'r drws oedd lle unrhyw un nad oedd yn barod i gofio hynny.

Ni chefais eiliad o drwbwl ganddo fyth wedyn. A bod yn onest daeth yn un o'm hoff ddisgyblion gan ei fod yn gymeriad hoffus a gweithgar dros ben. Ni fûm yn hir cyn ei benodi'n glochydd yr ysgol. Ac er y byddem fel athrawon yn hoffi rhyw funud ychwanegol amser chware doedd dim ffiars o berig. Byddai'n canu'r gloch ar y dot bob tro!!

Rwy'n sylweddoli, pe byddai athro'n anfon plentyn i sefyll tu fas y drws heddiw y bydde 'na le. Ond i mi roedd cael disgyblaeth yn hanfodol. Heb hynny mae plant yn medru rhedeg yn rhydd a neb yn dysgu. O'r cychwyn rhaid oedd sefydlu pwy yw oedd y bos!

Fel y crybwyllais, roeddwn yn dysgu plant y flwyddyn sgolarship ac yn awyddus i weld pob un yn llwyddo. Felly rown i'n gweithio'n galed iawn gyda nhw ac yn gosod profion bob bore dydd Gwener. Y dasg i bob plentyn oedd ceisio cael gwell marciau na'r Gwener blaenorol. Anaml iawn y byddai disgybl yn methu'r sgolarship ac roeddwn i'n eithriadol o falch o hyn – meddwl fy mod wedi rhoi iddynt yr hwb gychwynnol i faes addysg.

Fe fyddwn i'n ceisio dilyn eu llwyddiannau yn yr Ysgol Uwchradd ond rhaid cyfaddef i mi gael ambell siom wrth glywed fod un neu ddau heb fod yn perfformio hyd eithaf ei allu. Weithiau byddwn yn meddwl mai fi oedd ar fai am i mi eu cynnal mewn rhyw fath o dŷ gwydr cul y sgolarship ar draul ehangu eu gorwelion ymhellach.

Un peth a roddodd bleser mawr i mi oedd clywed John Roderick Rees, y Prifardd o Benuwch a oedd yn athro Cymraeg yn Nhregaron ar y pryd yn dweud ei fod yn rhyfeddu at wybodaeth plant y Bont o farddoniaeth. Roedd hyn yn hanu o'r ffaith y byddwn cyn diwedd ambell brynhawn yn adrodd telyneg neu englyn wrth y dosbarth. A thrwy ail-adrodd, cael y plant i'w dysgu ar eu cof. Y wobr am lwyddo oedd cael mynd adre rhyw ddwy funud yn gynnar.

Cyfnod hapus tu hwnt oedd fy nghyfnod fel prifathro yn y Bont. Dim problemau. Roedd y cyfan yn bleser pur.

Rwy'n cofio clywed un o'r pentrefwyr sef Dic Jones, Talwrnbont a dreuliai lawer o'i amser y tu allan i'r ysgol fel un o Fois yr Hewl yn gofyn i un o'r plant un bore, 'Sdim o Mistir yn dod mas i whare da chi heddi, te?' Bob amser chware fe fyddwn allan ar yr iard yng nghanol y plant, cyfle gwych i ddod i'w hadnabod yn well. Heb gyfyngiadau'r stafell ddosbarth byddai cyfle i ymlacio, gweiddi a chwerthin yn iach, sefyllfa fwy naturiol o lawer i blant ifanc.

Bûm yn lwcus. Drwy'r cyfnod ni chefais ddim ond cefnogaeth gan y rhieni a'r ardalwyr oll. Byddaf weithiau'n cwrdd â chyn-ddisgyblion, a da o beth yw medru dweud eu bod yn fy nghyfarch â gwên ar eu hwynebau. O edrych yn ôl credaf mai dyma'r cyfnod pan gyfrannais fwyaf at fywyd y Gymru wledig.

Wedi i mi fod yn yr ysgol am ryw ddeunaw mis penderfynodd yr Adran Addysg ehangu'r adeilad. Roedd yr ysgol mewn cyflwr gwael ac roedd angen ychwanegu ati. Er mwyn gwneud y gwaith roedd gofyn i ni symud mas. Ond i ble? Wedi hir drafod penderfynwyd y byddai'r plant lleiaf yn mynd i'r Ganolfan newydd, yr ail ddosbarth yn mynd i festri capel y Methodistiaid a'r dosbarth uchaf yn mynd i festri capel y Bedyddwyr. Aeth y gwaith ymlaen am flwyddyn gron. Ac er bod rhedeg ysgol o dan y fath delerau'n anodd roedd pawb yn tynnu gyda'i gilydd yn rhyfeddol. Roedd diwrnod dychwelyd i'r ysgol yn ddiwrnod i'w gofio, a phawb wrth eu bodd.

Un o uchafbwyntiau fy nghyfnod fel Prifathro'r Bont fu cyrraedd rownd derfynol cystadleuaeth ddrama'r Urdd yn Yr Wyddgrug. Hwn oedd y cast ieuengaf erioed i hawlio'r llwyfan. Er na wnaethom ennill, cafodd Jên (Ebenezer nawr) a Menna (Evans nawr), merch gweinidog y Methodistiaid glod uchel. Nhw oedd sêr y gystadleuaeth. Yn wir, roedd y cast i gyd yn wych.

Fel y sgwlyn ifanc newydd roedd galw am fy ngwasanaeth mewn amryw o sefyllfaoedd, ac roedd bywyd cymdeithasol y pentre'n wych. Heb yn wybod bron rown i'n datblygu i fod yn ddyn cyhoeddus a galw arnaf i arwain pob math o ddigwyddiadau – cyngherddau, eisteddfodau, dawnsfeydd, sioe'r pentre, galwr mewn gyrfaon Chwist a sylwebu mewn sioeau amaethyddol, rasus ceffylau ac ymrysonau cŵn defaid. Wrth i'r blynyddoedd fynd yn eu blaen daeth galw arnaf i arwain digwyddiadau tebyg mewn pentrefi cyfagos hefyd. Cofiaf un flwyddyn i mi arwain dros ddwsin o eisteddfodau pentref neu gapel, ac roeddwn wrth fy modd.

Roeddwn i'n ddwl am chwaraeon ac mewn dim o dro rown yn aelod o dîm pêl-droed y pentre. Tîm o fechgyn lleol oedden ni gyda Jim Ffair Rhos a Moc Brynrhosog yn ddau o'r cewri. Roedd Wil, brawd Moc yn chwaraewr arbennig o glyfar er fod tuedd weithiau i'w anwybyddu am ei fod bob amser yng nghysgod ei frawd mawr.

Fy safle i yn y tîm oedd mewnwr de, ac yn arwain y llinell flaen roedd Toss Rockhouse, boi cyflym ei droed (a'i ddwylo) yn enwedig os oedd pêl anodd ei dal! Ar yr adain dde roedd fy nghyfaill mawr Jac Heulfryn, gŵr rhadlon ac amyneddgar tu hwnt. Ac roedd angen rhai o'r rheiny yn y tîm.

Yn y rhes gefn roedd yr anhygoel Huw Garej. A dyna beth oedd taclwr! Roedd wedi perffeithio'r dull o'r 'sliding tackle' ac roedd bron yn amhosibl i neb fynd heibio iddo gan ei fod yn llithro mewn i'r dacl o bell.

Yn y rhes ganol roedd Idris Tom, cawr o chwaraewr. Roedd bron yn amhosib i unrhyw wrthwynebydd fynd rownd i Idris. Ac nid oedd iws i neb gellwair ag e am y bydde fe'n ennill bob tro. Roedd ei chwaer Molly a'i gŵr Bill Bates yn ddau o gefnogwyr mwyaf selog y tîm, ac roedd angen y rheiny arnom hefyd. Chwaraewr brwd arall oedd Wil Meredith. Roedd ychydig yn hŷn na fi. Ond roedd e'n beldroediwr gwych fel ag yr oedd Ronnie John a Rol Arch a'i droed chwith yn taro'r nôd bob amser.

Rheolwr y tîm oedd Tom Evans, Wellington House, ac i'r rhai ohonoch a welodd reolwr tîm Bryncoch wrth ei waith ar y teledu, wel dyna adlewyrchiad perffaith o'n rheolwr ni.

(Tybed a seiliwyd tîm Bryncoch ar dîm y Bont? Wn i ddim ond roedd yna debygrwydd mawr ar adegau!)

Roedd nifer o bysgotwyr da yn y Bont ac yn y cyfnod hwn roedd y Teifi'n llawn pysgod. Un pysgotwr diddorol oedd Dafydd Meredith, sef tad Wil. Roedd e'n bysgotwr pluen sych penigamp a bob amser yn perfformio ar lefel uchel iawn. Roedd e'n hoffi pysgota yn agos i bont y pentre. Ac os byddai rhywun yn pysgota yn y fan honno ni fyddai'n hir cyn cael cynulleidfa i'w wylio. Un noson roeddwn yn y galeri yn gwylio Dafydd Meredith pan ddywedwyd wrthyf mai dim ond un bluen y byddai'n ei chario ar y tro. Os digwyddai iddo golli honno byddai'n mynd nôl i'r tŷ a nôl un arall. Roedd hyn yn dipyn o syndod yn enwedig o ystyried y bocsys gyda channoedd o blu mae pysgotwyr heddiw'n eu cario.

Yn rhyfedd iawn mae 'na gystadlaethau tridiau yn America a Seland Newydd lle na chaiff y pysgotwyr ddefnyddio ond un bluen o'r dechrau i'r diwedd. Mae hyn yn galw am offer cryf a phluen o safon uchel. Rwy'n siŵr y byddai Dafydd Meredith wedi gwneud yn dda yn y 'One Fly Competitions'.

Syndod o'r mwyaf i mi oedd deall fod Dewi Emrys yn hoffi ymweld â'r Bont i bysgota'r Teifi. Yn ei gyfnod roedd Dewi yn un o bysgotwyr gorau Cymru ac yn cawio'i blu ei hun. Ffrind agos iddo oedd Cynan, ac yn ôl y sôn byddai'r ddau yn dod i'r Bont cyn y dyddiad cau ar gyfer cyflwyno gwaith i'r Eisteddfod Genedlaethol. Yn fachgen ysgol fe fyddwn i'n dod i aros at Mam-gu yn y Bont. A nôl tua 1940 rwy'n cofio i mi weld dau bysgotwr dieithr ger Pwll Siwdents ac i mi redeg adre gan feddwl mai ciperiaid oeddynt. Tybed ai nhw'u dau oedd y rhain?

Mae'r ddau Brifardd hyn wedi cyfansoddi cerddi gwych am bysgota. Sonnir yn aml am lenyddiaeth glodwiw yn Saesneg am y gamp. Ond i mi nid yw damaid gwell na'r hyn

Yr amryddawn Dai Cobler – roedd drws ei weithdy wastad ar agor.

sydd gennym yn y Gymraeg.

Fy hoff bysgotwr yn y Bont oedd Dai Cobler. Roedd ei weithdy'n gyrchfan ddiddorol, yn enwedig pan fyddai dau neu dri o gymeriadau'r ardal yn cwrdd yno. Roedd Dai ei hun yn ŵr amryddawn – yn bysgotwr gwych, yn saethwr da ac yn adnabyddus am ei ddull o drin cŵn. Roedd e hefyd yn adroddwr abl ac yn farbwr! Roedd ganddo gi hela da bob amser. Ni welais gi anystywallt ganddo erioed, sy'n fy argyhoeddi mai'r dyn sy'n trafod y ci sy'n bwysig. Byddwn yn hoffi treulio amser gyda Dai gan fod ei storïau yn arbennig o ddiddorol.

Un fyddai'n galw'n rheolaidd yn y gweithdy oedd Rod Williams, ciper afon, ac roedd ei glywed e'n adrodd ambell stori yn donic. Fel llawer o fechgyn y Bont bu'n gweithio lawr yn y Sowth am gyfnod. Bryd hynny roedd e'n berchen ar chwiped fach o'r enw Lou ac yn ei rasio yn y pentrefi cyfagos – gan ennill sawl tro. Byddai gofyn i'r chwiped redeg tua chan llath tuag at gadach coch oedd ffrind i Rod, sef Wil yn ei chwifio ar ben arall y trac rasio. Un tro roedd Lou wedi dod i'r ffeinal – ras bwysig ac arian mawr yn y fantol. Ar y chwiban gollyngodd Rod yr ast fach a saethodd honno i ffwrdd fel mellten gan fynd ymhell ar y blaen. Yn anffodus yn ei gynnwrf anghofiodd Wil fod yn rhaid dal y cadach coch wrth ei ochr a dyna lle'r oedd e'n ei chwifio o'i flaen. Aeth Lou yn syth am y cadach a'i fwrw yn ei ben-glin nes i badell y ben-glin lando y tu ôl i'r goes. A byth ers hynny byddai Wil yn cicio'i drwyn wrth gerdded! Oedd, roedd dawn dweud huawdl gan Rod. Ac roedd stori Lou yn dal i ennyn chwerthin bob tro yr adroddai hi.

Ymwelydd cyson arall â'r gweithdy oedd Sam, a oedd hefyd wedi treulio cyfnod yn y Sowth. Roedd yntau'n medru adrodd ambell stori dda gydag idiomau cofiadwy yn dod o'i enau. Roedd un yn sôn am ferch o'r pentre yn mynd mas gyda phob milwr Americanaidd a wnâi ofyn iddi. (Adeg y Rhyfel bu gwersyll Americanaidd yn yr ardal.) 'Ma'n nhw'n dweud ei bod hi'n codi pum punt am nosweth' medde Sam. 'Ond weda'i hyn wrthoch chi, bois, roien i ddim padelled o bil tato iddi am nosweth, heb sôn am bum punt!

Un arall o'i storïau oedd amdano'n dechrau gyrru motor-beic o Lyncorrwg i'r Bont. Roedd glaw yn disgyn ar ei fêt ar y sgîl wrth iddo ddechre mas o Lyncorrwg ond roedd ef ei hun wedi cyrraedd y Bont o flaen y gawod ac yn gwbl sych! Ffraethineb y storïwr gwlad ar ei orau. Oedd, mi roedd yna berfformiadau gwych yn y gweithdy bach ambell noson.

Ar ddechrau'r chwe degau roedd bywyd cymdeithasol y Bont yn fwrlwm cynhyrfus. Roedd yno dri enwad sef yr Eglwys a oedd yn cydredeg ag Eglwys Ystrad Fflur, Capel y Methodistiaid a Chapel y Bedyddwyr. Ac roedd y tri enwad yn cynnal noson o ddramâu neu gyngerdd o dalent leol yn flynyddol. Roedd John Jenkins yn eglwyswr selog ac yn cynhyrchu drama dair act bob blwyddyn a'r neuadd yn llawn i'w sang ar gyfer y perfformiadau.

Roedd Clwb y Ffermwyr Ifanc hefyd yn ymddiddori yn y ddrama a'r cynhyrchwyr llwyddiannus oedd Charles Arch a Mari Osborne Jones (Arch erbyn hyn). Yn y cast roedd actorion gwych megis Islwyn Benjamin a wnaeth ei farc yn y ddrama afaelgar Y Chweched Awr. Mae Charles Arch ei hun wedi cyfeirio at hon yn ei lyfr godidog ef.

Roeddwn i a Ken Jones wrthi hefyd yn cynhyrchu dramâu megis Dwy Frân Ddu, Brwydrau Cudd a Cŵyr Crydd ac yn y cast roedd Lyn Ebenezer a Jane Jones (gwraig Lyn erbyn hyn) a hefyd Jim Ffair Rhos, Rowland Arch, Islwyn Benjamin a Menna Davies, actorion anhygoel o grefftus bob un. Roedd yn rhyfeddol gweld gymaint o weithgarwch cymdeithasol yn mynd ymlaen mewn un pentref bach gwledig. Anodd gen i gredu bod yr un pentre arall yn y wlad mor brysur bryd hynny.

Enghraifft o fy amserlen ar un noson o'r wythnos (a hynny wedi diwrnod yn yr ysgol) oedd –

O bedwar i chwech o'r gloch – practis drama plant yr ysgol.

O chwech i naw – Sefydliad y Merched yn ymarfer ei drama nhw.

O naw ymlaen tan rywbryd – Ken a fi'n ymarfer gyda chast drama dair act.

Y peth gwyrthiol oedd bod yna hwyl a mwynhad ynghlwm wrth bob dim. Pawb yn gwneud ei orau, pawb yn cyfrannu a phawb yn cefnogi.

I mewn i'r cefndir anhygoel hwn y glaniodd Eisteddfod Teulu James Pantyfedwen.

Eisoes roedd yna dair eisteddfod yn y pentre sef Eisteddfod Capel y Methodistiaid adeg y Pasg Eisteddfod yr Eglwys ym mis Awst – lle rown yn arwain y gweithgareddau ac Eisteddfod y Bedyddwyr yn hwyrach yn yr hydref. Bûm yn arwain eisteddfodau lu gan gynnwys yr Ŵyl Gerdd Dant pan gynhaliwyd hi yn Nhregaron ac Eisteddfod Genedlaethol yr Urdd pan oedd hi yn Aberystwyth.

Ystyriwn hi'n dipyn o anrhydedd i gael fy ngofyn i

arwain y rhain – er i mi gael rheswm i fecso rhywfaint yn Aberystwyth pan ddeallais mai fi fyddai wrth y llyw pan fyddai'r Tywysog Charles yn cyrraedd y llwyfan. Er gofyn i'r swyddogion beth ddylwn ei wneud neu ei ddweud i'w gyfarch, ni chefais unrhyw arweiniad. Meddyliais unwaith ganu:

Fe aeth Jên fach drws nesa a chwpl o'i ffrins
I'r sioe yn Llanelli i weled y prins,
Pan ddaeth ef i'r golwg ymgrymu wnaeth Jên
A phlygodd y t'wysog yn ôl gyda gwên.

Ond tybiais na fydde'r gân yn cael derbyniad rhy wresog!

Fel y digwyddodd pethe roeddwn i'n gorffen fy slot am unarddeg. A chan fod y Tywysog yn hwyr yn cyrraedd, rhywun arall oedd yno i'w gyfarch. Tybiaf fod gweddill yr achlysur hwnnw ar glawr a chadw yn rhywle.

Y noson honno rown i yn y gynulleidfa pan ddaeth Dafydd Iwan ymlaen i ddiddanu'r dorf. Oherwydd digwyddiadau'r dydd ni chafodd y croeso brwd arferol. A chredaf i hynny ei siomi braidd. Ar y pryd wrth gwrs roedd ei gân 'Carlo' yn boblogaidd tu hwnt. A phan gamodd i'r llwyfan cyfeiriodd at y gân syml oedd am ganu. Roedd pawb yn disgwyl 'Carlo' – ond cordiau 'Ji geffyl bach' ddaeth allan. Dyma nifer ohonom yn neidio, gweiddi a chlapio. Da iawn Dafydd! Un i ti, mêt!

Roeddwn i'n mwynhau arwain yr eisteddfodau llai yn Ysbyty Ystwyth, Tregaron a Llanilar – er eu bod yn mynd ymlaen tan oriau man y bore. Câi Eisteddfod Llanilar ei chynnal ar ddydd Gwener y Groglith bob amser ac un tro fe syrthiodd ar ddiwrnod olaf mis Mawrth. Wrth i'r cloc daro hanner nos dyma fi'n penderfynu chware tric ar y gynulleidfa am ei bod erbyn hynny yn Ebrill y cyntaf. Ie, ffŵl Ebrill.

Dyma fi'n adrodd stori am ferch oedd wedi ennill medal yn yr eisteddfod y prynhawn hwnnw ond yn anffodus wedi ei cholli yn rhywle yn y capel. Gallai fod ar lawr neu yn y galeri. Tybed a fyddai'r gynulleidfa mor garedig ag edrych ar y llawr o'u cwmpas. Dyma'r gynulleidfa fel un yn troi ac yn syllu o gwmpas ar hyd y llawr. Ni welais y fath beth yn fy mywyd erioed. Pan mae un pen yn mynd lawr mae'r pen arall yn codi – a dyna'r olygfa ges i o'r pulpud. Ni allwn ond chwerthin yn ddwl. Wedi rhyw bum munud dyma fi'n dweud yn isel 'Ffŵl Ebrill!' A dyna ymateb – y mwyafrif yn chwerthin yn iach.

Ond mae yna bob amser un, medde nhw. A rhyw ddeufis yn ddiweddarach dywedodd yr un honno wrthyf mewn llais crac iawn am i fi beidio meddwl fy mod wedi gwneud ffŵl ohoni hi!

Pan oedd y Tywysog Charles yn fyfyriwr yn y Coleg yn Aberystwyth byddai ar aml i brynhawn Mercher yn ymweld â phentref neu berson yn yr ardal o gwmpas ac un diwrnod daeth ar ymweliad â'r Bont. Aeth i gyfeiriad y Swyddfa Bost ac at Mrs Jones, Gorwel oedd yn sefyll y tu fas. Dyma fe'n dechrau sgwrsio â hi a'i holi am y bathodyn W.I. oedd hi'n ei wisgo. Atebodd drwy sôn am waith y W.I. ac amdanynt yn paratoi te a chacennau bach ar gyfer digwyddiadau'r pentre. Yna gofynnodd Charles a fydde pawb yn cael te a chacen? 'Wrth gwrs', medde Mrs Jones, 'unrhyw amser y byddwch a chwant paned o de – galwch mewn'. Yn hwyrach yn y dydd clywais e'n sôn am groeso brwd Mrs Jones wrth yr Uchel Siryf. Rhyfedd beth sy'n rhoi pleser – hyd yn oed i Dywysog.

Er i mi'n ddiweddarach symud i swydd Prifathro yn Llanbed, byr fu fy alltudiaeth o'r Bont. Yn ôl y daethom i fyw, i'r Swyddfa Bost, lle cafodd Meirion, fy ngwraig swydd Postfeistres. Cwrddais â Meirion mewn dawns yn Llanbed pan own i'n athro yn Nhregaron. Roedd hi'n hanu o Gaerfyrddin ond yn gweithio fel teleffonydd. Wedi

Meirion tu ôl i gownter y Swyddfa Bost.

carwriaeth fer penderfynom briodi ac ymgartrefu yn Nhregaron i ddechrau. Fel yn hanes pob cwpwl ifanc y cyfnod hwnnw, roedd arian yn brin. Saith bunt ar hugain oedd fy nghyflog misol, ac felly roedd gofyn i ni'n dau barhau i weithio er mwyn cael dau pen llinyn ynghyd.

Yn y Bont roedd yna Dŷ'r Ysgol ar ein cyfer ac erbyn hynny roeddem wedi prynu car. Gan fod fy ngwaith i ar garreg y drws, byddai Meirion yn mynd â'r car i'w gwaith bob dydd. Wedyn, pan dderbyniais Brifathrawiaeth Ffynnon Bedr fe brynasom dŷ yno. Ond dim ond prin wythnosau y buom yno cyn i ni glywed fod Swyddfa'r Post yn y Bont yn dod yn rhydd. Roedd rhieni Meirion â phrofiad o redeg siop yng Nghaerfyrddin. Ac roedd y syniad o redeg siop a busnes yn apelio'n fawr ati. A nôl â ni.

Ond oherwydd polisi Awdurdod Addysg Sir Aberteifi ar y pryd – polisi a orfodai bob prifathro i fyw yn nalgylch ei ysgol – gorfu i mi fyw mewn lodjins yn Llanbed o nos Lun hyd nos Wener. Treuliwn y penwythnosau yn y Bont. Cefais lodjins hyfryd yn Bryn Road reit gyferbyn â'r ysgol. Yna dyma'r Awdurdod Addysg yn newid ei bolisi a medrais symud nôl i fyw yn llawn amser yn y Bont.

Roedd Meirion yn gwneud llwyddiant mawr o'r fenter. Nid yn unig oedd hi'n Bostfeistres ond roedd hi hefyd yn rhedeg y siop a werthai bob math o nwyddau, o fwydydd a phapurau newydd i ddillad – ac wrth gwrs fachau pysgota. Byddwn yn rhoi help llaw ar benwythnosau a gwyliau ysgol. Doeddwn i'n fawr o siopwr ac fel pysgodyn allan o ddŵr y tu ôl i'r cownter.

Chwap wedi i ni symud cymerwyd tad Meirion yn wael a threfnwyd iddo symud atom i fyw. Bu gyda ni am dros dair blynedd. Ond wrth i'w iechyd raddol ddirwyo roedd y sefyllfa'n pwyso fwyfwy ar Meirion, a hithe'n ei chael hi'n anodd dygymod. Yn ffodus roedd merch arbennig o dda yn ein helpu yn y tŷ a'r siop, a hynny'n llawn amser. Heb wasanaeth arbennig Mair, wn i ddim sut y byddem wedi dygymod.

Doedd dim diddordeb gan Meirion mewn pysgota ond hoffai chwarae golff ac roedd hi'n aelod o Glwb Golff Llangybi. Byddai'n mynd yno'n gyson i chwarae a chymdeithasu. Fe'i plesiwyd hi'n fawr pan ddewiswyd hi'n gapten ar dîm y merched.

Roedd hi'n awyddus bob amser i ehangu'r busnes ac yn ymddiddori hefyd yn y farchnad stoc. Wrth i waith y siop a'r llythyrdy gynyddu, deuai gwahanol ferched lleol draw i roi help llaw. Gofalodd Meirion yn dda am ei thad a bu'n gryn ergyd iddi hi a'r teulu pan fu farw'n gwbl ddirybudd yn y diwedd.

Yr hyn a ddaeth â'r hapusrwydd pennaf iddi fu genedigaeth ein

Hywel yn grwt bach – wrth ei fodd a'i ddalfa ryfeddol.

mab. Mae'n debyg fod yna rhyw gyswllt arbennig yn datblygu rhwng mam a mab. Ac roedd hyn yn amlwg yn hanes Meirion a Hywel. Ef oedd cannwyll ei llygad a bu pob un o'i lwyddiannau – boed yn academaidd neu ar y maes chwarae – yn achos dathliad.

Hywel a fi'n mynd i bysgota eog.

Penderfynodd Hywel beidio â pharhau yn y maes academaidd gan ganolbwyntio'n hytrach ar ei lwyddiant mewn pysgota a chastio'n arbennig. Cafodd gefnogaeth lwyr ei fam a byddai hi'n mynd ag e i gystadlaethau castio ym mhob cwr o'r wlad. Aent i wledydd Ewrop hefyd lle'r oedd castio'n gamp boblogaidd iawn. Gymaint ei diddordeb yn y cyfan fel iddi

Hywel yn arddangos dulliau castio yn y Sioe Frenhinol.

Dwy ferch Hywel -Tanya a Yasmin – gyda'u mam, Debbie yn helpu rhoi gwersi castio.

ymgymryd â swydd Ysgrifennydd Cymdeithas Castio Cymru. Pinacl y cyfan fu gweld Hywel yn torri record byd am gastio, a chael ei enw yn y *Guinness Book of Records*.

Pan briododd Hywel a Debbie roedd Meirion wrth ei bodd yn trefnu a dathlu. A phan aned eu merch, Yasmin a'i gwneud hi'n Fam-gu, roedd ar ben ei digon. Yn anffodus bu farw cyn gweld geni ei hail wyres, Tanya yn 2004.

Ymddeolodd fel Postfeistres a siopwraig yn 1993 wedi wyth mlynedd ar hugain o wasanaeth di-dor. Fe wnaethom symud allan o'r Swyddfa Bost i Wern Villa gerllaw ac yna i Swyn Teifi ac yna i Danfannau, a'r tri thŷ heb fod ymhell iawn wrth ei gilydd.

Yn 1999 cynhaliwyd Gornest Bysgota'r Byd yn Awstralia. Fi oedd Rheolwr tîm Cymru ac roedd Hywel yn aelod o'r tîm. Penderfynodd Meirion fynd gyda ni ond o fewn deuddydd o gyrraedd fe'i cymerwyd hi'n dost iawn. Ymysg trefnwyr y digwyddiad roedd un o feddygon yr ysbyty lleol ac ni fu fawr o dro cyn ei chael i mewn i'r ysbyty lle cafodd nifer o brofion.

Ymhen tridiau fe gyrhaeddodd canlyniadau'r profion:

roedd Meirion yn dioddef o gancr. Bu clywed hyn yn ergyd ac yn sioc enfawr ac fe'n cynghorwyd i ddychwelyd adre ar unwaith. Dychwelsom a mynd yn syth i weld y meddyg a'r arbenigwyr. Er iddi dderbyn amrywiaeth o driniaethau gan gynnwys cemotherapi a radiotherapi, a hynny mewn sawl ysbyty, nid oedd gwella i fod. Dioddefodd gystudd blin wrth i'r cancr ledaenu i nifer o'r organau.

Mae cancr yn ddolur creulon, didrugaredd ac roedd gweld Meirion yn dihoeni yn fy atgoffa o salwch Mam flynyddoedd ynghynt. Ac unwaith eto teimlwn yn gwbl ddiymadferth. Ymladdodd Meirion yn ddewr ond collodd y frwydr yn Ysbyty Bronglais, Aberystwyth ar y nawfed ar hugain o Hydref 2011. Rown i yno gyda hi, ac ni fu'n hawdd torri'r newydd i Hywel a'r teulu.

Mae Hywel a'i deulu'n dal i fyw yn y Bont ac mae e'n dal i fod â diddordeb mawr mewn pysgota, a chastio'n arbennig. Pan fo plant yn ifanc mae'n anodd gwybod beth fydd eu diddordebau pan dyfant. Pysgota aeth â'm bryd i o'r cychwyn cyntaf. A gydol fy oes byddwn yn mynd mas i bysgota rhyw ben bob dydd. A phle bynnag y byddwn yn byw, byddai pysgotwyr lu'n galw heibio'r tŷ i sgwrsio am bysgota neu i drafod tacl ac ati. Ac felly y byddai hi yn y Bont pan oedd Hywel yn fach.

Nid nepell o Swyddfa'r Post trigai Frank Owen, cyn-gipar a physgotwr brwd. A rhwng y ddau ohonom yn trafod pysgota byth a beunydd does ryfedd fod Hywel wedi dechrau ymddiddori yn y gamp, a hynny o'i blentyndod. Prynwyd gwialen bysgota iddo pan oedd e'n ddim o beth ac unwaith y bachodd ei bysgodyn cyntaf, fe'i bachwyd yntau am byth.

Roedd e'n datblygu i fod yn bysgotwr da a chyson a phan oddeutu deunaw oed enillodd ei le yn nhîm pysgota Cymru. A thros y blynyddoedd cynrychiolodd Gymru mewn gornestau rhyngwladol o fewn Prydain, y Gymanwlad a'r byd gan gyrraedd yr ail safle yn y gystadleuaeth unigol yng Ngornest y Byd yn Norwy. Fel y gŵyr pawb, mae'n gryn gamp cael troed ar y podiwm.

Yr agwedd o bysgota roedd e'n awyddus i'w meistroli o'r dechrau oll oedd y gamp o gastio. Hynny yw, castio o ran pellter ac o ran cywirdeb. Gellir cyffelybu prif anghenion y gamp i gyfuniad o daflu'r waywffon a ran pellter a chael pêl golff i'r twll o ran cywirdeb. Y gwahaniaeth, wrth gwrs, yw mai gwialen, lein bysgota a phluen yw'r adnoddau. Ond mae cael llwyddiant yn y gamp hon fel ym mhob camp yn gofyn am ymarfer dwys, a hynny dros amser hir. Byddai Hywel yn ymarfer castio'n ddyddiol ar y darn tir gyferbyn â Swyddfa Bost gan geisio gwella ar ei berfformiad o ddydd i ddydd.

Pan gynhaliwyd y Gemau Olympaidd yn Llundain yn ddiweddar roedd pawb yn rhyfeddu a dotio wrth weld perffeithrwydd y perfformwyr yn cwblhau eu campau. Ond fel y dywedai pawb, roedd cyrraedd y fath safon yn gofyn am benderfyniad a dyfalbarhad ac oriau meithion o ymarfer dwys. Ac felly gyda chastio os am gyrraedd y safon uchaf.

Fel pysgotwr byddwn i'n ddigon hapus i gastio'r lein yn gywir o fewn cyfyngiadau'r bysgodfa. Na, wnes i ddim erioed gymryd at y gamp o gastio fel y gwnaeth Hywel. Gwyddwn am gastwyr adnabyddus fel Lionel Sweet, a oedd yn brofiadol iawn ac yn arddangos ei gamp yn rheolaidd mewn sioeau. Un arall oedd Jack Martin, a fu'n barod i hyfforddi ac estyn cyngor i Hywel a'i osod ar ben y ffordd. Roedd y gweddill yn ei ddwylo ef, gan nad ar chwarae bach mae cyrraedd y brig mewn unrhyw gamp.

Cystadlu yn erbyn y goreuon yw'r hyn sy'n dod â'r gorau mas ym mhob unigolyn. A dyna ddarganfu Hywel. Os byddai safon ei wrthwynebwyr yn dda, byddai'n llwyddo i wneud hyd yn oed yn well na'r disgwyl. Byddai'n ennill yn rheolaidd er nad oedd ond yn ei arddegau ar y pryd. Dyfal donc a dyr y garreg, medde nhw. Ac yn yr Eidal gwireddwyd

ei freuddwyd pan enillodd Bencampwriaeth Castio'r Byd.
Roedd pawb yn ymfalchïo yn ei lwyddiant a neb yn fwy na'i
fam a oedd wedi bod wrth ei ochr yn ei gynnal a'i gefnogi ar
hyd yr amser.

Pan mae rhywun wedi llwyddo i feistroli camp gall
wneud iddi ymddangos mor hawdd i'w chyflawni – ac felly
gyda chastio. Erbyn hyn mae Hywel yn arddangos y gamp
mewn sioeau ledled Gwledydd Prydain ac Ewrop. Ac mae ei
wylio'n trin yr enwair mor rhwydd ac mor ystwyth – fel
estyniad o'i fraich – yn ennyn cymeradwyaeth a syndod bob
amser.

Erbyn hyn mae gwaith a hamdden Hywel yn ymwneud
â physgota. Mae'n aml yn cyflwyno rhaglenni teledu ar
wahanol agweddau o'r gamp. Mae ei briod, Debbie yn aelod
o dîm pysgota merched Cymru ac wedi bod yn gapten ar y
tîm. Mae eu merched, Yasmin a Tanya yn ymddiddori yn y
gamp ac yn medru castio'n dda. Pan ond yn dair ar ddeg oed
fe enillodd Yasmin Bencampwriaeth Menywod Prydain am
gastio gyda genwair bymtheg troedfedd, camp anhygoel i un
mor ifanc. Hynny'n profi nad cryfder ond sgil ac amseru
cywir yw'r gyfrinach.

Dywed rhai fod gallu rhywun mewn unrhyw faes yn
rhywbeth cynhenid. Ond ni allaf gytuno. Dylanwad, esiampl
a chefnogaeth eraill – boed riant neu athro – yw'r hyn wna
sbarduno'r unigolyn. Os oes rhywun yn dangos diddordeb
ynoch ac yn barod i'ch cefnogi a'ch cynnal, yna daw
llwyddiant ond i chi roi'r ymdrech i mewn. Gwelwyd hyn
fwy nag unwaith yn y Gemau Olympaidd diweddar.

Yn anffodus does dim lle i 'Distance Casting' yn y
Gemau Olympaidd. Ond heb amheuaeth fe ddylai gael ei
ystyried. Mae llawer mwy o sgil a chrefft yn perthyn iddo na,
dyweder, 'Beach Volleyball'!

Adeg yr ymweliad hwnnw gan y Tywysog Charles â'r
Bont nôl yn 1969, cyflwynodd Hywel flwch yn llawn o blu

pysgota Cymreig iddo. Fi wnaeth baratoi'r casgliad. Gan nad oedd gen i flwch teidi defnyddiais hen focs baco Franklin Mild. Rai blynyddoedd yn ddiweddarach roeddwn wedi fy enwebu gan Iarll Moran o Aberedw i gwrdd â'r Tywysog yn Fishmongers Hall yn Llundain. Cawsom sgwrs fer a soniodd am y mwynhad gafodd wrth ymweld â phentrefi Sir Aberteifi pan yn y Coleg a chyfeiriodd yn benodol at ei ymweliad a'r unigryw Dafydd Edwardes ym Mhenuwch. Gofynnais a oedd y plu pysgota gafodd yn y Bont wedi ei blesio. Ac o'r fath siom! Doedd e'n cofio dim am y plu ond roedd e'n cofio'r bocs yn iawn!

Ie, y trimins yn hytrach na'r sylwedd sy'n aml yn mynd â bri rhywun!

Ffynnon Bedr

Hen adeilad Ysgol Ffynnon Bedr yn Bryn Road – dyma lle bûm yn brifathro.

Mae 'na ddywediad Saesneg onid oes: *Big is better*. Wedi i mi dreulio chwe blynedd digon prysur fel prifathro ysgol gynradd 'fach' y Bont, clywais si fod prifathro ysgol gynradd 'fawr' Ffynnon Bedr yn Llanbedr Pont Steffan yn ymddeol ac y byddai'r Cyngor Sir yn chwilio am brifathro newydd i'r ysgol honno yn fuan.

Daeth arnaf awydd cynnig am y swydd a'r ddwy fantais fel y gwelwn ar y pryd oedd, yn gyntaf mwy o gyflog ac yn ail na fyddai gofyn i'r prifathro gymryd dosbarth am fod yr ysgol ar raddfa 4. Hynny yw, roedd ynddi dros ddau gant o blant a deg o athrawon dosbarth.

Fel y crybwyllais eisoes, er mwyn cael swydd fel pennaeth unrhyw ysgol yn sir Aberteifi yr adeg honno, roedd gofyn canfasio'r cynghorwyr sir gan mai nhw fyddai'n tafoli'r ymgeiswyr a phenodi. Er bod datganiad eglur ar bob ffurflen gais yn dweud 'Dim Canfasio', gwyddai pawb nad oedd gobaith cael troed ar waelod yr ysgol heb ymweld â chartref pob un cynghorydd yn y sir. A dweud y gwir, câi'r cynghorwyr eu siomi os na fyddai pob ymgeisydd yn galw i'w gweld.

Esgeulustod o'r radd flaenaf felly fyddai i unrhyw ymgeisydd anwybyddu unrhyw gynghorydd – boed hynny'n fwriadol neu beidio. Nid oedd dewis ond curo ar ddrws pob un wan jac, gymaint oedd eu grym. Gwaith digon annifyr fyddai hyn a chasbeth gan bob athro ac athrawes oedd yn chwilio am swydd yn y sir ar y pryd. Gan nad oeddwn y math o ddyn i gowtowio i unrhyw un nad oedd gen i barch tuag ato, roedd y gorchwyl hwn yn achosi cryn broblem a diflastod i mi.

Nid oeddwn yn adnabod de'r sir ac roedd hi'n anodd dod o hyd i gartref ambell gynghorydd. Cofiaf alw heibio un ond yn anffodus roedd e'n gwylio ffilm gowbois ar y teledu ar y pryd a dim amser ganddo i siarad! Serch hynny, roedd ei wraig yn hynod fonheddig a chroesawgar ac yn barod i wrando ar fy rheswm dros alw. Wrth adael roeddwn i'n gobeithio y byddai hi'n medru dylanwadu ar ei gŵr – hynny yw, os oeddwn i gredu ei chefnogaeth a'i geiriau caredig!

Roedd ambell gynghorydd am ddangos mai gydag e oedd y llaw uchaf ac yn trin yr ymgeiswyr mwyaf gwylaidd fel baw. Hefyd roedd 'na ymwybyddiaeth gyffredinol fod gan ryw ddau neu dri o'r cynghorwyr ddylanwad enfawr o fewn y Cyngor ei hun ac yn gallu rhoi pwysau ar eu cyd-gynghorwyr pan fyddai pleidlais o bwys yn y fantol.

Cofiaf stori am un o'r cynghorwyr dylanwadol hyn yn herio pennaeth adran gyllid y Cyngor Sir adeg cyfweliad ymgeiswyr ar gyfer swydd o fewn yr adran. Wrth geisio rhoi cyngor i'r panel penodi meddai'r pennaeth: 'Byddwn yn argymell eich bod chi'n edrych ar gymwysterau'r ymgeisydd.' Ateb miniog y cynghorydd oedd: 'Petaen ni'n ystyried cymwysterau, fyddet ti ddim yn y swydd sydd gen ti heddiw!' Clatsien, a dweud y lleiaf. 'Cwalifficeshons' oedd y gair mawr ac wrth reswm, yr ymgeisydd yr oedd y cynghorydd hwn yn ei gefnogi a gafodd y swydd, beth bynnag am ei 'gwalifficeshons'! Nid beth y'ch chi'n ei wybod ond pwy y'ch chi'n ei nabod oedd yn aml yn cario'r dydd.

Mi es i fel pawb arall drwy'r broses ganfasio ac fe gefais fy ngosod ar restr fer o dri. Wedi cyfweliad yn Aberaeron gerbron llond stafell o gynghorwyr cefais fy mhenodi'n brifathro Ysgol Ffynnon Bedr, i ddechrau fy swydd newydd ar ôl gwyliau'r Pasg 1963.

Ni fûm yno'n hir cyn sylweddoli fy mod wedi gwneud y camgymeriad mwya erioed – ond ni allwn gyfaddef hyn wrth neb. O'r herwydd gorfu i mi fyw gyda'm camgymeriad am y ddwy flynedd ar bymtheg nesaf! Bachan cefn gwlad oeddwn i yn y bôn a bu newid ysgol fach wledig y Bont am ysgol fawr a threfol Llanbed yn sioc enfawr i'r system – ac yn dipyn o siom hefyd.

Yn y cyfnod hwn roedd rheol a fynnai fod y prifathro yn byw yn nalgylch yr ysgol. Roedd Tŷ'r Ysgol, neu'r Sgŵl Hows fel y câi ei alw, yn rhan o ysgol y Bont ond nid felly yn Llanbed. Aethpwyd ati i chwilio a buddsoddi mewn tŷ ar gyrion tre Llanbed, er na symudais yno i fyw. Yn hytrach bûm yn lodjo am gyfnod mewn tŷ nid nepell o'r ysgol. Ar y pryd roedd prifathrawon y sir, drwy'r Undeb, yn ymgyrchu yn erbyn y rheol o orfod byw yn y dalgylch ac ymhen tua blwyddyn cafwyd llwyddiant. O'r cyfnod hwnnw ymlaen cafodd prifathrawon ryddid i ddewis ble'r oeddent yn dymuno byw. Dychwelais i'r Bont a theithio'n ddyddiol i lawr i Lanbed.

Roedd gofalu am ysgol fawr yn gwbwl wahanol i ofalu am ysgol gyda thri athro ac roedd gofyn amrywio ac addasu'r polisïau oedd wedi llwyddo mewn ysgol lai. Roedd pob her a wynebwn yn gwbwl wahanol, yn enwedig gan fod Ffynnon Bedr yn ysgol gyda dwy ffrwd ieithyddol iddi. Hynny yw, roedd yno ffrwd Gymraeg a ffrwd Saesneg ochr yn ochr. Cyffelyb oedd nifer y disgyblion yn y ddwy ffrwd ac roedd hi'n bwysig sicrhau fod datblygiad a chyraeddiadau'r disgyblion o fewn y ddwy ffrwd yn cydredeg, er, yn y cyfnod hwnnw roedd llawer mwy o adnoddau dysgu ac addysgu Saesneg i'w cael a phrinder pethau cyffelyb yn y Gymraeg.

Gan nad oedd ysgolion dwy ffrwd fel hyn yn gyffredin, teimlwn fy hunan yn llawn amheuon ar adegau, gan ysu am lwyddiant i'r ysgol. Roeddwn yn meddwl fy mod wedi gwneud jobyn burion fel athro dosbarth dros y blynyddoedd. Ond a oedd hynny'n ddigonol i'm gwneud yn brifathro/rheolwr ysgol fawr ble'r oedd angen ennyn meddylfryd ac amcanion tebyg at addysg ym mhob aelod o'r staff er mwyn sicrhau dilyniant yn yr addysg a datblygiad personol pob disgybl unigol?

Yn aml heddiw gwneir cymariaethau rhwng ysgolion bach ac ysgolion mawr a chaiff dadleuon cryf eu cyflwyno o blaid cau ysgolion bach – hynny yw, bach o ran nifer y disgyblion sy'n eu mynychu. Wrth gwrs, mae'r nifer yn dibynnu ar gefnogaeth rhieni'r ardal gan nad oes 'dalgylch ysgol' fel y cyfryw yn bodoli mwyach a bod gan rieni'r hawl i ddewis ysgol i'w plant.

Mae'n debyg bod ysgolion bach yn ddrutach i'w cynnal ac felly bydd y penderfyniad i gau ysgol yn ddibynnol ar yr hinsawdd economaidd yn hytrach nag ar ansawdd yr addysg a gyflwynir ynddi.

Ceir manteision ac anfanteision mewn ysgol fawr ac nid yw diwreiddio plentyn o gefn gwlad a'i osod mewn ysgol fawr ymhell o'i gartref yn beth da bob tro. Un gymhariaeth sy'n aml yn mynd ar goll yw nifer y disgyblion mewn dosbarth. Gellir cael dau ddwsin a mwy o blant mewn dosbarth mewn ysgol fawr tra bydd cyfanswm disgyblion rhai ysgolion bach yn ddau ddwsin. Golyga hyn fod y sylw un-i-un y gall athro ei roi i ddisgybl yn llawer iawn llai mewn ysgol fawr nag ysgol fach. Gwelir effaith hyn gan amlaf ym meistrolaeth y disgyblion o'r hen 'Dair R' (*Reading, Riting and Rithmetic*). Bydd ar ambell blentyn ifanc angen mwy o sylw unigol na phlentyn arall hyd nes y bydd wedi meistroli'r uchod, yn enwedig darllen. Daw dysgu yn llawer haws iddo wedyn. Erbyn heddiw wrth gwrs mae'r cwricwlwm eang bondigrybwyll wedi cael effaith ddybryd ar ein hysgolion cynradd bach a mawr, a'r budd a gafwyd o'i gyflwyno yn y lle cyntaf wedi cael ei drafod hyd syrffed. Er hynny tybiaf fod clystyru ysgolion bach gwledig wedi bod o fantais, gan fod hynny'n rhoi cyfleoedd i ddisgyblion ac athrawon rannu profiadau.

Yn y 1960au roedd y cynghorau sir yn codi tai cyngor ledled y wlad a daeth nifer helaeth o deuluoedd o Loegr i fyw yn stad newydd Bryn Eglwys yn Llanbed. O ganlyniad i'r mewnlifiad annisgwyl hwn gwelwyd tipyn o newid o fewn yr ysgol. Cafodd y ffrwd Saesneg ei Seisnigeiddio'n fawr iawn ac er bod mwyafrif y plant yn ddigon hynaws, roedd ambell un ychydig yn rhy stryd-wybyddus ac yn medru amharu ar ddisgyblaeth gyffredinol yr ysgol. Canlyniad hyn fu gorfod cyflwyno côd disgyblaeth llawer mwy cadarn, rhywbeth nad oedd neb ohonom am ei wneud. Byddwn yn gweld llawer mwy o blant y tu fas i ddrws fy stafell, plant a anfonwyd i lawr at 'Syr' i gael ffrae!

Roedd staff y gegin yn arbennig o hynaws, y prydau bwyd yn flasus a'r disgyblion bron i gyd yn bwyta cinio ysgol. Roedd gofalwr llawn-amser gan yr ysgol ac yntau hefyd yn ŵr hyfryd a fu ar un adeg yn cerdded march – ac fel y gŵyr pawb roedd y rheiny'n adar mawr! Roedd e'n hoffi plant ac yn gymorth mawr i mi gan ei fod yn cadw llygad barcud arnynt, yn enwedig yn ystod amser chwarae. Rhaid cyfaddef fod cael tîm cryf o'm cwmpas yn fendith a dweud y lleiaf ac mewn ysgol mae pob aelod o'r staff yn rhan o'r tîm hwnnw.

Roedd digon o waith da yn cael ei wneud yn Ffynnon Bedr ac ni fu'r ddwy ffrwd yn broblem fel ag yr oeddwn wedi ei ofni ar y dechrau. Bûm yn ffodus o gael athrawon cydwybodol ym mhob dosbarth ac er bod y sylw priodol yn cael ei roi i bob agwedd addysgol, roeddem fel tîm yn gwasgu ar y 'Tair R'.

Roeddwn yn awyddus i'r plant gael profiadau amrywiol a gyda chymaint o ddisgyblion buom yn llwyfannu cyngherddau ac eisteddfodau lu ac fe gawsom dipyn o lwyddiant. Câi pob un eisteddfod ysgol ei chynnal yn gwbwl Gymraeg ac un tro gofynnais i Miss Cassie Davies ddod i feirniadu'r adrodd a'r llên. Cafodd syndod a phleser o weld safon y cystadleuwyr yn y Gymraeg. Fel llawer un arall, ofnai y byddai'r Gymraeg yn diflannu o rai o'n trefi mwyaf. Erbyn hyn rwy'n siŵr y byddai wrth ei bodd o weld bod ein hysgolion Cymraeg yn ffynnu ledled Cymru.

Byddem yn cyhoeddi cylchgrawn ysgol blynyddol hefyd, sef *Y Ffynnon*, gyda'r disgyblion hŷn yn cymryd at yr awenau o ran y cynnwys, y golygu a'r cynhyrchu. Er nad oedd cyhoeddi cylchgrawn ysgol yn orchwyl hawdd iawn bryd hynny – cyn oes y dechnoleg fodern a'i chyfrifiaduron – roedd y plant wrth eu bodd ac roedd y cylchgrawn yn boblogaidd iawn gyda'r rhieni hefyd gan ei fod yn rhoi darlun o'r ysgol iddynt drwy lygaid eu plant. Dyma rai pytiau difyr o'r cylchgrawn:

> *Cynhaliwyd yr Eisteddfod eleni adeg Gŵyl Ddewi yn Neuadd Victoria a chafwyd y brwdfrydedd arferol rhwng y tri Thŷ sef Dewi, Pedr a Steffan. Nid oedd neb yn cystadlu'n unigol, dim ond mewn partïon. Panel o feirniaid oedd gennym eleni sef y ddwy chwaer Miss Cassie Davies a Miss Neli Davies o Dregaron a Mrs*

Megan Jones o Landdewi Brefi a thystiai'r tair ar ddiwedd y prynhawn eu bod wedi cael amser da a bod llawer o dalent yn yr ysgol ... Yr oedd yn eisteddfod i'w chofio, oherwydd, er i ni barchu ein hen draddodiadau, eto cafwyd hwyl fawr yn torri cwys newydd ym myd canu pop ... Cawsom hefyd eitemau adrodd, canu, cerdd dant, violins, recorders, band taro a dawnsio gwerin ac i mi mae'r amrywiaeth yma a gawn yn eisteddfod yr ysgol yn ei gwneud yn llawer mwy diddorol nag unrhyw eisteddfod arall yn y byd. (Beryl, 4C)

Ers i'r ysgol gael ei chodi roedd bob amser hen seler o dan ein hystafell ddosbarth ni. Llynedd penderfynodd y Prifathro y byddai'n reit neis i gael Ystafell Gerdd yno. Felly bu'n rhaid i'r gofalwr glirio'r sbwriel oddi yno ac wedi rhai newidiadau, peintiwyd y welydd ... ac yn ddiweddar cawsom biano modern iawn. (John, 4S)

Mae'r gerddorfa'n cwrdd bob dydd Mercher. Mae'n cwrdd yn Nhregaron. Yr arweinydd yw Mr Alan Wyn Jones, y trefnydd. Mae'r feiolíns cyntaf yn chwarae'r felodi ac mae yno ail fiolíns, violas a cellos. (Bethan)

Pan ddychwelon i'r ysgol wedi gwyliau'r haf roeddem wrth ein bodd i ddarganfod fod gennym deledu yn yr ysgol. Mae yn yr ystafell gerdd ar stand dal fel bod y plant i gyd yn medru ei gweld yn blaen. Rydym yn gorfod talu tipyn i'w rentio ond rydym yn meddwl ei fod e werth e am ein bod yn dysgu cymaint oddi wrtho. (David, 4S)

Rydym wedi gwneud dau ddarllediad ysgol ers mis Medi diwethaf. Ar gyfer 'Radio Ffynnonbedr' dewiswyd y traethodau gorau i'w darllen gan y plant â'u hysgrifennodd. Hefyd fe gawsom eitemau canu, eitemau offerynnol, adroddiadau jôcs, cwis a dramâu. (Lynnette, 4E)

Eleni gwnaethom lyfr emynau newydd i'r ysgol. Y mae tua hanner cant o emynau prydferth iawn ynddo. Bob tro y mae gwasanaeth yn y neuadd, y mae'r offerynnau – chime-bars, recorders, neu fand taro yn cyfeilio i'r emynau. Dyfeisiodd Mr Bundock glawr ardderchog i'r llyfr. Y mae'n ein hatgoffa o lun enwog Albrecht Durer o ddwy law yn gweddïo. Yr wyf yn hoff iawn o'r darlun yma ac o'r geiriau a gyfansoddwyd gan T. Rowland Hughes. (Mary Jones, 4C)

Eleni cafwyd perfformiad haeddiannol iawn o opera Benjamin Britten 'The Little Sweep'. Mae'r opera fodern hon wedi ei chyfansoddi'n arbennig ar gyfer plant. Sylweddolwn na fedrem fod wedi llwyfannu'r opera heb y cymorth a gawsom gan bum artist.

Roeddwn yn awyddus i gynnig pob math o brofiadau i'r plant a gyda chefnogaeth y staff a'r rhieni cafwyd cryn lwyddiant. Cynhaliwyd tripiau megis yr un i ddociau Abertawe cyn dychwelyd i'r sinema i weld *The Sound of Music*. Bu'r ysgol yn cyfathrebu ag ysgol ym Mro Morgannwg, gyda'r disgyblion yn ymweld ag ysgolion ei gilydd. Rhoddwyd lle blaenllaw i chwaraeon hefyd, er lleied maint y neuadd ar gyfer cynifer o blant. Yn 1979 daeth tîm o'r ysgol i'r brig yng nghystadleuaeth darllen llyfrau Cymraeg a noddwyd gan Gymdeithas Lyfrau Ceredigion a'r wobr oedd trip i'r Almaen! Bu'n ymweliad i'w gofio i'r plant a'r staff.

Roedd hanes lleol yn holl-bwysig i ni ac roedd un o feibion mwyaf adnabyddus tre Llanbed, sef Idwal Jones, yn cael sylw o fewn ein gweithgareddau bob blwyddyn.

Pan euthum i Lanbed roeddwn yn gweithio i Gyngor Sir

Disgyblion a Staff yn mwynhau'r ymweliad â'r Almaen.

Aberteifi ond ar y diwrnod olaf o Fawrth 1974, wedi'r ad-drefnu bondigrybwyll, roeddwn yn gweithio i Gyngor Sir Dyfed – a dyna beth oedd llanast! Ai da yr ad-drefnu? Wn i ddim gan fod Dyfed erbyn hyn wedi diflannu a Cheredigion wedi esgyn o'i llwch. Ar adegau felly fe ddaw i'r cof y geiriau hyn (sef geiriau'r Rhufeiniwr Caius Petronius yn 65 OC, mae'n debyg):

> 'Fe wnaethom ymarfer yn galed ond ymddangosai, bob tro y cychwynnem ffurfio'n hunain yn dimau, y caem ein had-drefnu. Fe wnawn ddysgu'n nes ymlaen mewn bywyd ein bod ni'n dueddol o wynebu unrhyw sefyllfa newydd drwy ad-drefnu; a gall fod yn ddull rhyfeddol ar gyfer creu'r rhith o gynnydd, tra'n creu hefyd anhrefn, aneffeithlonrwydd a digalondid.'

Yn 1981 ffarweliais ag Ysgol Ffynnon Bedr ac ymddeol yn gynnar – os ymddeol hefyd! Dim ond hanner cant a thair

oed oeddwn! 'Ble nawr?' meddwn i, gan nad oeddwn yn un
am segura, a gofyn, 'Tybed oes 'na fwy i ddod?'

Staff gwersyll ysgolion Sir Aberteifi yn Llangrannog yn y chwe degau.

Syr David James

Un o'r emyn-donau mwyaf adnabyddus yng Nghymru heddiw yw 'Pantyfedwen' sef y dôn a gyfansoddwyd gan Eddie Evans i eiriau hyfryd yr emyn o waith y Parchedig W. Rhys Nicholas.

Pantyfedwen oedd enw cartref Syr David James. A pha goffâd gwell i'r cymwynaswr hwn o Gymro na'r cyfuniad hyfryd yma o air ag alaw sy'n cael ei hadnabod fel 'Pantyfedwen'. Ac addas yw mai yn un o Eisteddfodau Pantyfedwen, yr enillodd yr emyn cyn dod yn un o emynau mwyaf poblogaidd y ganrif ddiwethaf.

Ydi, mae'r diolch am y campwaith hwn i weledigaeth Pwyllgor Eisteddfod Pantyfedwen, Llanbedr Pont Steffan

Syr David James a'i briod, y Fonesig Grace yn agor adnodd Parc Pantyfedwen. Gyda nhw mae'r Parchg John Walters.

*Pantyfedwen, cartref Syr David James uwchlaw Ystrad Fflur fel yr
ymddangosai yn ôl yn y pedwar degau.*

am osod tasgau mor gymwys i'r cystadleuwyr brwd. Roedd
yr eisteddfod hon ac eisteddfod Aberteifi yn ddwy chwaer
eisteddfod i eisteddfod y Bont, a phob un o'r tair â
chysylltiad agos â Syr David James. Y ddau fu'n bennaf
gyfrifol am gymryd yr awenau yn y ddwy chwaer eisteddfod
oedd y Parch. Goronwy Evans yn Llanbed a'r Cynghorydd
Owen Owen yn Aberteifi, ac fe wnaethant waith rhagorol.
Bûm yn arwain yn yr eisteddfodau hyn ac roedd cyd-dynnu
gwych rhwng y tair. Rhywbeth oedd wrth fodd Syr David.

Ar fferm Pantyfedwen y magwyd Syr David ac er iddo ar
un adeg ystyried mynd i'r weinidogaeth, i Lundain yr aeth,
gan yno wneud ei ffortiwn. Heb amheuaeth roedd e'n
weithiwr caled ac yn ŵr busnes heb ei ail.

Roeddwn o gwmpas fy nhri degau ac yn brifathro ifanc
iawn yn y Bont pan ddes i'w adnabod gyntaf. Ac o'r cychwyn
roedd gen i'r parch mwyaf tuag ato ac at yr hyn roedd yn
wneud dros ei ardal enedigol a dros amrywiol fudiadau yng
Nghymru.

Roedd ei briod, Lady Grace, yn ddynes hawddgar a

bonheddig dros ben ac roedd Syr David yn meddwl y byd ohoni a'r ddau'n cyd-dynnu'n hyfryd. Pan fyddent yn dod lawr i'r ardal am gyfnod o ddyddiau byddent gan amlaf yn aros yng ngwesty'r *Belle Vue* yn Aberystwyth.

Cyfaill agos i Syr David oedd Tom Jones, Ysgrifennydd Ymddiriedolaeth Pantyfedwen, sef yr ymddiriedolaeth a sefydlwyd gan Syr David i hybu a hyrwyddo crefydd, addysg, y celfyddydau ac amaethyddiaeth ynghyd ag elusennau eraill yng Nghymru. Penododd Syr David fi yn un o'r ymddiriedolwyr. Roedd y gweddill wedi eu henwebu gan wahanol fudiadau. Ond rhoddodd y dasg i mi o warchod buddiannau'r eisteddfodau. Bûm yn mynychu'r cyfarfodydd am flynyddoedd ac yn ystod y cyfnod gwelais y gwŷr wrth y llyw yn newid a chael fy nhristau'n aml am na welwn weledigaethau Syr David yn cael eu gwireddu o hyd.

Er mai dyn busnes oedd Syr David, roedd e'n hoffi ymlacio yng nghwmni Tom a fi. Ac fe gawsom aml i noson o adrodd storïau am hela a physgota gan ei fod ef ei hun wedi ymddiddori mewn sbort cefn gwlad ers yn ifanc. Byddai'n hel atgofion am yr amser pan fyddai'n pysgota'r Teifi'n gyson. A dweud y gwir roedd e wedi bod yn pysgota yng nghwmni Dad-cu Bont, ac mae'n debyg na fyddent bob amser yn pysgota yn ôl rheolau'r Awdurdod Afonydd! Buont hefyd yn cerdded y mynyddoedd er mwyn pysgota'r llynnoedd, ac roedd Syr David yn gerddwr arbennig o dda pan yn ifanc. Roedd ganddo ddiddordeb mewn saethu ac yn dwli clywed fy helyntion hela ar diroedd y Bont am ei fod yn gwybod am bob fferm yn y cyffiniau.

Roedd clywed helyntion Llynnoedd Teifi yn ei ddiddori ac yn dod a gwên i'r wyneb. Ar y pryd roedd Iarll Lisburn yn hawlio'r llynnoedd a'r tir o gwmpas ond nid oedd yr ardalwyr yn cydweld am eu bod hwy o'r farn bod y tir yn Dir Comin. Gwyddent fod eu cyndeidiau wedi hel mawn oddi yno am flynyddoedd ac roedd gorfod talu am bysgota'r llynnoedd yn gwbl groes i'r graen ac yn sgil hyn caed tipyn o bysgota nos. Y dull arferol oedd dull y dwrgi, sef ystyllen o bren wedi ei phlwmio fel ei bod hi'n arnofio ar ei hochr yn y dŵr a dwsinau o blu yn hongian oddi wrthi. Âi yn ei phwysau mas i ganol y llyn cyn cael ei thynnu'n araf nôl i'r lan. Mae'n debyg bod yr helfa'n cael ei chyfrif mewn dwsinau – pedwar i chwe dwsin o bysgod gan amlaf.

Roedd e'n syndod i mi gymaint oedd Syr David yn mwynhau ei hun wrth wrando arna i'n adrodd y storïau hyn. Ond wrth gwrs, er yn byw yn Lloegr roedd ganddo ddiddordeb mawr yn ei bentref genedigol a'r wlad o amgylch.

Roedd e'n gorfod bod yn ofalus iawn o'i iechyd – yn bennaf am fod ganddo alergedd tebyg i glefyd y gwair. Rwy'n cofio un diwrnod i Lady Grace a Mair, gwraig Tom, fynd i siopa yn Aberystwyth a phrynu blodau ar gyfer ffrind. Fe'u gosodwyd yng nghist y car gyda'r bwriad o'u rhoi i'r ffrind y noson honno. Ond cyn diwedd y prynhawn gorfu i Tom fynd â Syr David lan i'r Bont ond cyn pen fawr o dro roedd na waedd: 'Stopiwch y car! Mae na flodau yma yn rhywle!' Roedd sawr y blodau – er yn y gist – yn effeithio ar ei ysgyfaint. Agorwyd y gist a thaflwyd y blodau dros y clawdd. Oherwydd ei alergedd dim ond coed a llwyni oedd yn tyfu ar dir ei gartref yn Barcomb Hall, Sussex. Doedd dim blodyn ar gyfyl y lle, er mor hoff oedd Lady Grace o flodau.

Fel y soniais o'r blaen roedd Syr David yn fore-godwr ac yn aml yn fy ffonio tua chwech y bore gan fy nihuno o'm trwmgwsg. Ond dyna'i arfer â phawb. Roedd am gael gafael arnynt cyn iddynt fynd i'w gwaith. Wrth gwrs roedd e'n mynd i'r cae nos yn gynnar iawn lle byddai'n gwylio 'Tonight'. Hon oedd rhaglen boblogaidd Cliff Michlemore – neu Micklemore chwedl Syr David – am mai honno oedd yr unig raglen o *substance* ar y teledu yn ei dyb e! Roedd y teledu ar ben y wadrôb yn ei stafell wely!

Roedd ganddo feddwl clir a miniog. Ar ôl pob

Aelodau pwyllgor yr eisteddfod gyntaf.

eisteddfod byddai am weld y cyfrifon a bydde'r trysorydd a finne'n gorfod mynd i'r Amwythig i'w gyfarfod mewn gwesty. Dros goffi byddai'n darllen y fantolen ariannol mewn tawelwch, rhoi'r papurau lawr a gyda'r cyfan wedi ei selio ar ei gof yn trafod yn ddeallus pa weithgareddau fu'n llwyddiannus a beth fyddai angen i ni weithio arnynt. Roedd ganddo allu anhygoel yn hynna o beth.

Cymraeg fydde fe'n siarad â mi gan amlaf ond weithiau byddai'n troi i'r Saesneg. Roedd e'n fwrlwm o syniadau ac roedd gofyn rhoi'r brêc arno ar adegau. Un syniad a gafodd oedd cynnal cystadleuaeth 'Miss Wales' neu 'Pwy yw'r Berta' yn y steddfod – yn y Bont!

Roedd e hefyd yn awyddus i gael un diwrnod cwbl Saesneg yn yr Eisteddfod Genedlaethol er mwyn i'r di-Gymraeg ddod i ddeall syniadaeth eisteddfod. Pe bae hynny wedi digwydd, synnwn i ddim na fyddai digon o arian wedi dod i goffrau'r Eisteddfod i'w chadw i fynd am flynyddoedd. *'I'm a bit of a show-man, you know'* fydde fe'n dweud wrthyf bob hyn a hyn – ac mi roedd tipyn o wirionedd yn hynny.

Roedd e'n gallu bod yn benderfynol iawn a byddai'n siomi – neu bwdu ––os nad châi ei syniadau eu derbyn gan bawb. Cofiaf un noson cael fy ngalw i'r *Belle Vue* i gwrdd ag e a Tom. Pan gyrhaeddais yno roedd e'n gandryll oherwydd bod rhyw bwyllgor a fu ynddo yn ystod y prynhawn wedi gwrthod ei syniadau. Ni wn beth oedd wedi ei siomi ond ni welais ef mewn gwaeth hwyliau cynt na wedyn. Ceisiodd Tom dawelu'r dyfroedd rhyngddo â'r pwyllgor ond mae'n debyg i'r prosiect arfaethedig golli tipyn o gyllid oherwydd yr anghydweld.

Yn rhyfedd iawn nid oedd Syr David yn un am ysgwyd llaw â neb, ac ni wyddwn pam. Ond wedi dathlu agor y neuadd newydd yn y Bont daeth y rheswm yn amlwg. Roedd y neuadd dan ei sang a nifer yno'n cofio Syr David cyn iddo ymadael â'r ardal ac yn dod ato gan ysgwyd ei law'n frwdfrydig – yn ôl yr arfer yng nghefn gwlad. Y noson honno dangosodd ei law i Tom a fi. Roedd hi'n gleisiau duon ac yn ddolurus. Am ryw reswm roedd e'n cleisio'n hawdd. Trannoeth roedd i gwrdd â nifer o bobl bwysig yn Aberystwyth, ond gwyddem wedi gweld cyflwr ei law na fedrai ysgwyd llaw â neb.

Byddai Syr David yn hoffi mynd i'r Alban i bysgota'r enwog Loch Leven. Un syniad arall a roddodd gerbron rhai o'r ardalwyr cyn fy amser i oedd boddi Cors Caron a chreu llyn yno – tebyg i Loch Leven. Wn i ddim pa mor bell oedd y cynllunio wedi mynd ond fe fyddwn wedi hoffi ei adnabod bryd hynny. Allwch chi ddychmygu'r gors yn llyn? Anodd credu y byddai wedi bod cystal â Leven, ond pwy â ŵyr? O leiaf roedd siarad am y fenter yn dangos ei fod e'n awyddus i weld Cymru'n datblygu fel y gwledydd Celtaidd eraill. Heb os, roedd e'n ddyn â gweledigaeth am bethau digon cyffrous.

Byddai Lady Grace yn mwynhau ymweld ag Ystrad Fflur ac wedi dotio at yr eglwys fach. Byddai'n aml yn cyfeirio ati fel '*my little church.*' Hi oedd yn bennaf gyfrifol am wneud y to yn ddiddos a byddai'n cyfrannu at ei chynnal hefyd. Bu farw Lady Grace yn sydyn iawn a bu hynny'n ergyd ac yn golled drom i Syr David. Tybiaf i rai achosion oedd yn agos at galon Lady Grace golli mas yn ariannol hefyd.

Wedi hynny sefydlodd gronfa i ofalu am fynwent Ystrad Fflur ac mae'r fynwent bob amser yn cael ei chadw'n lân a destlus. Wedi marw Syr David, gosodwyd carreg ddu hardd wedi ei mewnforio o Sweden ar fedd ei deulu i goffau'r aelodau i gyd. Mae'n garreg anarferol am fod iddi bum wyneb a Syr David – wedi iddo ymgynghori ag un o bregethwyr Llundain – a benderfynodd ar yr hyn a gofnodir ar y garreg. Dangosodd y cyfan i fi, nid er mwyn cael fy marn ond am ei fod am gadarnhad ei fod yn gwneud y peth iawn. Bob Sul y Blodau a bob Nadolig byddaf yn gosod blodau ar y garreg hon – er cof.

Mae rhyw lonyddwch hyfryd yn perthyn i fynwent Ystrad Fflur. Pa ryfedd i T. Gwynn Jones ddweud: 'Pan rodiwyf ddaear Ystrad Fflur, O'm dolur ymdawelaf'.

Mae adfeilion yr hen fynachdy ynghyd â bedd Dafydd ap Gwilym yn gyrchfan i gannoedd o bobl. A phan oeddwn i'n brifathro yn y Bont byddwn yn mynd â'r disgyblion yno'n rheolaidd er mwyn i ni gyd-werthfawrogi'r dreftadaeth hyfryd sydd gennym yn yr ardal.

Syr David oedd y cyntaf o ddim ond dau filiwnydd i mi erioed eu cyfarfod. Y llall oedd yr Arlywydd Jimmy Carter. Mwy am hynny eto. Roedd e'n ŵr cymhleth. Ond roedd Cymru bob amser yn agos at ei galon. Hyd yn oed pan oedd e'n rhedeg y busnes grawn yn Llundain, Cymry oedd gyrwyr ei lorïau i gyd. Nid anghofiodd ei wreiddiau ac i'm tyb i, bu'n un o gymwynaswyr mawr Cymru. Mae'r neuadd a'r ganolfan, y cae chwarae a'r pafiliwn mawr a saif yn y Bont heddiw, a'r eisteddfodau sy'n dal i fynd yn gofgolofn i ddycnwch a gweledigaeth Syr David.

Mae fy nghysylltiad â Syr David yn mynd yn ôl i'r chwe degau cynnar. Fe dderbyniais alwad ffôn oddi wrtho – roedd e'n awyddus i'r Bont gynnal eisteddfod a fyddai'n cymharu'n ffafriol â'r Eisteddfod Genedlaethol. Syniad aruchel iawn. Ond nid oedd dewis ond cytuno i wneud y gorau fedrem.

Carreg fedd teulu Pantyfedwen ym mynwent Ystrad Fflur; mae iddi bump wyneb, pob un yn coffai aelod o'r teulu hynaws hwn.

Huriwyd pabell enfawr o Abertawe ac roedd gwobrau ariannol hael i'w cynnig ym mhob cystadleuaeth, cyfanswm o dros £7,000. Digon i ddenu'r cystadleuwyr mwyaf brwd o bob rhan o Gymru – a thu hwnt. Sefydlwyd pwyllgor ar gyfer yr Eisteddfod – ac er mai pentref bach gwledig oedd y Bont, daeth pawb ynghyd yn rhyfeddol gyda nifer o'r ardalwyr yn barod i ysgwyddo'r baich er mwyn sicrhau llwyddiant y fenter. Penodwyd Cadeirydd, Trysorydd ac Ysgrifennydd. A fi fel yr ysgolfeistr lleol gafodd swydd yr Ysgrifennydd!

Roeddem fel pwyllgor yn cael rhwydd hynt i osod testunau a nodi'r gwobrau ond roedd Syr David yn awyddus mai dim ond y goreuon fyddai'n dod yno i feirniadu.

Llwyddasom i gael gwasanaeth beirniaid o fri bob tro – arbenigwyr yn eu meysydd – a'r cystadleuwyr yn gwerthfawrogi'u beirniadaethau. Dau a fu'n dod yn rheolaidd oedd Maurice Jacobson o Brighton a Peter Gelhorn o Lundain, Jacobson yn gyfansoddwr, arweinydd a darlithydd. Fe'i disgrifiwyd fel '*the doyen of British music festival adjudicators*' a Gelhorn yn bianydd, cyfansoddwr ac arweinydd opera yn Covent Garden.

Wedi'r tro cynta byddai Maurice Jacobson yn fy ffonio adeg y Nadolig i sicrhau bod yna wahoddiad iddo i'r eisteddfod nesaf. Ac felly Peter Gelhorn – y ddau feirniad gorau ym Mhrydain ar y pryd yn ysu am ddod nôl i'r Bont i feirniadu. Byddai Jacobson yn lletya gyda Mrs Foster yn y pentre. Ni fynnai aros yn unman arall. Lletyai Peter Gelhorn a'i deulu'n ym Mrynawel, Tregaron a thra oedd Peter yn y Bont yn beirniadu, byddai'r wraig a'r plant yn merlota ar fryniau Tregaron. Pleser o'r mwyaf oedd bod yng nghwmni'r ddau. Roeddent mor hawdd eu trin.

Gymaint oedd poblogrwydd ambell gystadleuaeth fel y byddai'r rhagbrofion yn mynd ymlaen am oriau. Eto, roedd pob cystadleuydd yn bwysig. Cofiaf Peter Gelhorn yn crybwyll yr hoffai gael sgwrs fer â phob un o'r cystadleuwyr. Ac felly bu. Ni feddyliais erioed y byddai hynny'n boblogaidd ond rwy'n cofio Harry Thomas, Cyfarwyddwr Addysg Dyfed yn dweud gymaint oedd ei ferch a oedd yn delynores hyfryd wedi ei ddysgu yn ystod y sgwrs anffurfiol gyda'r beirniad. Roedd y cystadlaethau corawl yn boblogaidd dros ben gyda dros ddeg ar hugain o gorau'n cymryd rhan yn y gwahanol gategorïau.

Cofiaf un eisteddfod gyda chwech o gorau mawr dros drigain o leisiau yn cystadlu yn erbyn ei gilydd – noson wefreiddiol a'r gystadleuaeth yn glòs. Wedi hir bwyso a mesur aeth y wobr gyntaf i Gôr Pontarddulais gyda Chôr Pendyrys o dan arweiniad y lliwgar Glyn Jones yn ail. Nid oedd Glyn yn hapus â'r dyfarniad, ac anfonodd aelod o'r côr i'r llwyfan i dderbyn yr ail wobr. Ni ddaeth â'i gôr i'r eisteddfod y flwyddyn ganlynol. Penderfynodd y Pwyllgor ofyn iddo fod yn un o feirniaid yr adran gerdd yn yr eisteddfod y flwyddyn wedyn.

Daeth i'r eisteddfod ac estynnais iddo ei restr dyletswyddau. Gwelodd yn syth ei fod ef ynghyd â Maurice Jacobson i feirniadu'r corau. Ni wnaf groniclo'i ymateb ond doedd e ddim am weithio gyda 'mab Jacob'. Ond dyna fu raid. Ni chefais amser i ofyn sut oedd pethe'n mynd ond ar ddiwedd yr eisteddfod daeth ataf a dweud yn wylaidd fy mod i wedi gwneud y gymwynas fwyaf bosibl ag e gan iddo ddysgu cymaint yng nghwmni'r Meistr.

Byddem yn cynnal cyngherddau mawreddog ar nos Suliau'r eisteddfod ac yn gwahodd artistiaid a chorau o fri yno i ddiddori. Roedd arian yn brin yn y cyfnod hwnnw a chofiaf i un o'r artistiaid – a oedd yn adnabyddus drwy Gymru ac a ddaeth yn seren opera yn ddiweddarach – ofyn a gâi gystadlu yn yr eisteddfod trannoeth. Roedd yna wobrau mor hael yn y prif gystadlaethau.

Wedi cynnal dwy eisteddfod dau ddiwrnod yn y babell dywedodd Syr David ei fod am ei hymestyn i bedwar diwrnod. Er fy mod gan amlaf yn medru dylanwadu rhywfaint arno nid oedd am wrando'r tro hwn a rhoddwyd baich ychwanegol ar y pwyllgor bach i drefnu eisteddfod bedwar diwrnod. Ond yn anffodus methiant fu'r antur honno.

Mi ges lond pen gan sawl mam am fod y beirniad wedi gwneud cam â'u plant. Ond yn yr oes honno roedd gwobr o bum punt ar hugain am adrodd dan wyth oed yn wobr anhygoel, ac roedd ennill yn bluen yng nghap y perfformiwr.

Ymhen amser cafodd Syr David y syniad o adeiladu neuadd fawr ar gyfer yr eisteddfod gan fod y babell wedi mynd yn o simsan ac un noson mewn storm o wynt bu bron iawn a disgyn. Dros y ffôn yn blygeiniol un bore dywedodd wrthyf am alw pwyllgor ynghyd er mwyn bwrw mlaen â'r syniad o adeiladu neuadd fwy o faint. Nid oedd sôn am gynllun na lleoliad ond gwyddai fod yna gae yn agos i neuadd y pentref a allai wneud y tro.

147

Perchennog y cae oedd Mrs Esther Jones ac fe'm gorchmynnwyd i fynd i'w gweld a chynnig £600 am y cae. Nid oedd diddordeb gan Esther – roedd y fuwch newydd ddod a llo, a dyna fe. Ni phlesiodd hyn Syr David a chan ei fod yn dod i'r pentre'r dydd Gwener canlynol dywedodd y byddai'n hoffi cwrdd â Mrs Jones. Gwnes y trefniadau ond ni ches fynd i'r tŷ i glywed y drafodaeth. Ni thrawyd bargen, ac roedd Syr David yn fflamio. Ac fe bwdodd.

Ni ddaeth ffôn am ryw dair wythnos wedyn ond gan fod Tom Jones, Ysgrifennydd Ymddiriedolaeth Pantyfedwen yn siarad â mi bron yn feunyddiol roeddwn i'n ymwybodol o'r hyn oedd yn digwydd. Yna, un bore, daeth yr alwad blygeiniol. Roedd am i mi gynnig £800 i Mrs Jones, a dim dime'n fwy. Methiant fu'r ymdrech y tro hwn eto. Ond ymhen rhyw fis dyma Marged Glasfryn yn galw'n yr ysgol i ddweud fod buwch Esther wedi marw. Lawr â fi ar ras a chael y newydd fod Esther nawr yn barod i werthu'r cae.

Dyma alw pwyllgor ar unwaith er mwyn rhoi pethau ar waith. Cysylltu'n union â Mansel Davies, pensaer yn Aberystwyth a ffonio Syr David i ddweud bod pethau'n mynd ymlaen yn wych. Aeth hwnnw'n wyllt gacwn a gorfu i mi ysgrifennu at Mansel Davies i ddweud nad oeddem am ei wasanaeth. Roedd Syr David ei hun yn mynd i ddelio â gwaith y pensaer.

Ymhen wythnos, dyma alwad blygeiniol arall. Roedd

Pafiliwn Bont heddiw.

wedi derbyn chwe chynllun o fframwaith pafiliwn posibl a thros y penwythnos byddai'n dewis pa un fyddai fwyaf addas ar gyfer y Bont. Yr hyn yr oedd wedi ei wneud oedd ysgrifennu at chwech o gwmnïau adeiladu a gofyn iddynt lunio cynllun o bafiliwn i eistedd 2,500 o bobol – y ffrâm haearn yn unig – a heb un golofn o'i fewn. Roedd am i'r cynlluniau fod ar ei ddesg ymhen yr wythnos.

Dros y penwythnos canlynol gorfu i fi a thrysorydd yr eisteddfod fynd i'r Amwythig i gwrdd â Syr David a'i ffrind, sef Mr King, y pensaer oedd yn gyfrifol am holl adeiladau Syr David yn Llundain. Rhoddwyd y chwe chynllun ar y bwrdd o'n blaen ac wedi hir bendroni penderfynwyd dilyn cyngor y pensaer a dewis cynllun o waith cwmni *No Loss* o Gaerdydd. Dim ond y ffrâm haearn oedd y cwmni hwn i'w adeiladu. Byddai Syr David yn rhoi'r gwaith o adeiladu'r welydd i gwmni lleol. A dyna Syr David wedi cael cynllun delfrydol i'w bafiliwn heb unrhyw gost o gwbwl.

Ie, Cardi oedd e yn y gwraidd!

Ronnie John, adeiladwr lleol a ddewiswyd i adeiladu'r welydd. Ac fe wnaeth waith arbennig o dda, ac ymhen fawr o dro roedd y pafiliwn mawr yn barod. Er hyn, cafwyd problemau aruthrol gyda'r sain. Nid oedd y llais yn cario'n glir i bob rhan o'r neuadd; byddai'n taro un wal a chreu atsain wrth daro'r llall. Ac os am gynnal eisteddfod, byddai hwn yn rhywbeth y byddai'n rhaid ei ddatrys. Trwy ryw ryfedd wyrth daeth gŵr o Birmingham i Bontrhydygroes ar wyliau ac roedd e'n arbenigo ar drefnu sain mewn neuaddau cyhoeddus.

Daeth draw i'r Bont i'r eisteddfod gyntaf i'w chynnal yn yr adeilad lle bu'n mesur lefel y llais ym mhob cornel o'r adeilad. Syndod oedd deall bod llais yn cario'n well ac yn gliriach os yw dillad aelodau'r gynulleidfa yn wlyb. Ar y bore Sul cytunodd un o'r beirniaid, sef Gerald Davies, tenor dawnus o Gaerdydd i helpu'r arbenigwr drwy dreulio'r prynhawn yn canu o'r llwyfan tra bod hwnnw'n addasu pethau gyda pheiriannau arbennig. Yn ara bach daeth pethau'n well a chlywais Gerald yn dweud wrth y gŵr bod y pafiliwn yn adeilad camarweiniol i ganu ynddo. Roedd y sain cystal fel bod perygl i'r unawdydd gredu ei fod gymaint ddwywaith yn well canwr nag ydoedd mewn gwirionedd. Wn i ddim ai gwir oedd hyn am na chenais i nodyn yn y pafiliwn erioed. Fe wnes i siarad trwy'r meic ddegau o weithiau, ac roedd hynny'n brofiad anhygoel yn enwedig pan fyddai'r pafiliwn yn llawn dop.

Aeth yr eisteddfodau o nerth i nerth, ond daeth tro ar fyd ac erbyn hyn mae'r hen bafiliwn wedi mynd ac un newydd yno yn ei le. Ac mae hwn yn gwneud gwaith godidog. Gwn fy mod i'n hen ffasiwn ond ni allaf lai nag edrych ar y pafiliwn fel rhyw gofgolofn i weledigaeth Syr David.

Cefais siom fawr un diwrnod wrth glywed aelod o'r cyfryngau yn cyfeirio at y pafiliwn fel sied wair. I mi roedd hwn yn adeilad pwysig a roddodd hwb aruthrol i'r eisteddfodau. Bu hefyd yn rhannol gyfrifol am ddatblygiad y grwpiau pop Cymreig.

Bob Nadolig byddai nifer ohonom yn Bont yn cael anrheg Nadolig oddi wrth Syr David sef hamper mawr Cross and Blackwell. Roedd Syr David yn gadeirydd ar y cwmni hwnnw. Byddwn hefyd yn un o'r ychydig rai oedd yn cael wythnos o wyliau yn pysgota Loch Leven yn yr Alban yn ei gwmni. Byddai Syr David yn gweithio'n galed hyd yn oed ar ei wyliau, ac os na fyddai'r farchnad stoc ar i fyny nid âi allan i bysgota. Ni châi neb arall fynd allan chwaith!

Yn ystod fy nghyfnod fel prifathro yn y Bont cefais gynnig gan Nan Davies (Tregaron a'r BBC) i fynd i Gaerdydd i weithio ar raglen Heddiw. Gwrthod wnes i. Toc wedyn cefais wahoddiad gan Syr David i fynd i weithio iddo yn Llundain. Gwrthod wnes i eto. Coeliwch neu beidio, ond rwy'n dal i ddifaru.

Tybed beth fyddai wedi digwydd pe bawn wedi derbyn un o'r ddau gynnig?

Y cyfryngau

Pan oeddwn i'n grwt roedd radio ym mhob cartref. Pan ddaeth y teledu i fodolaeth, wel, fe greodd y bocs yn y gornel rhyw ymwybyddiaeth ddyfnach ac ehangach o fyd darlledu gyda phawb yn ymddiddori yn y datblygiadau newydd.

Rhyw bump ar hugain oed oeddwn i pan gefais i'r profiad cynta o ddarllledu'n fyw ar y radio. Ar y pryd roeddwn yn ysgrifennu erthyglau am bysgota ar gyfer ambell gylchgrawn Saesneg. Mae'n bosib mai hyn a ysgogodd y BBC i'm gwahodd i gymryd rhan mewn trafodaeth ar y sewin o'r stiwdio ym Mangor. Roeddwn wedi fy mhlesio'n arw gan y gwahoddiad ac yn fy seithfed nef wrth deithio i fyny i gyfeiriad Bangor.

Dyma gyrraedd y stiwdio ac yno'n aros amdanaf roedd Cynan a Wilbert Lloyd Roberts – dau bysgotwr o fri – a rhyw ddynes nad wy'n gwybod hyd heddiw pwy oedd hi. Gan fy mod wedi cyrraedd ychydig yn gynnar roeddwn wedi gobeithio cael gair o gyfarwyddyd cyn dechrau trafod. Ond nid felly y bu. Cyn i mi gael amser i ysgwyd llaw â'r lleill roedd Cynan wedi dechrau siarad, a hynny'n ffraeth iawn, am rywbeth a alwai'n 'gleisiad'. Cymerodd gryn amser i mi sylweddoli mai enw'r gogleddwyr am y sewin yw'r gleisiad – rhywbeth cwbl ddieithr i mi – bachgen o'r de nad oedd wedi cael fawr o gyfleoedd i siarad â gogleddwyr.

Roedd Wilbert a Chynan yn bwrw iddi ac yn sôn yn huawdl iawn am bysgota afonydd Dwyfor, Ogwen a Glaslyn. A dyna lle'r oeddwn i'n dechrau dyfalu pryd y cawn i dorri gair gan fod yr awr yn mynd rhagddi'n gyflym iawn. Gydag ond ychydig funudau ar ôl dyma Cynan, yn ei lais hudolus, yn dweud bod y cwestiwn olaf un i Moc Morgan! (O'r diwedd, meddwn wrthyf fy hunan!) Yna aeth yn ei flaen i gyfeirio at y profiad a gafodd Wilbert a finne wrth bysgota sewin yn afon Teifi un noson. Er pysgota'n ddyfal o naw o'r gloch y nos tan ddau y bore ni welsom yr un sewin (neu leisiad) yn symud. Wedi penderfynu rhoi'r gorau iddi, pacio'r gêr a chefnu ar yr afon dyma weld sewin yn codi ym mhobman!

'Rŵan ta Moc,' meddai Cynan, 'beth oedd y rheswm am hynna?'

'Does 'da fi ddim syniad!' meddwn i. Ac ar y gair dyma Cynan yn diolch i bawb am ddod a chloi'r rhaglen!

Tipyn o siom oedd peidio cael cyfle i gyfrannu at y trafodaethau wedi teithio mor bell ac am gyfnod wedi hynny bûm yn gyndyn iawn o gymryd rhan mewn unrhyw raglenni radio na theledu. Ond daeth tro ar fyd.

Y fyrlymus Gymraes Cassie Davies fu'n gyfrifol am y newid. Roedd Cassie'n hanu o gyffiniau Tregaron ac yn y cyfnod hwnnw, yn ogystal â gweithio fel un o Arolygwyr Ei Mawrhydi yn ysgolion y fro, roedd hi hefyd yn gyfrifol am raglen deledu ar TWW a drafodai faterion cefn gwlad ac

Gyda John Bevan – hwn oedd fy ymddangosiad cyntaf ar y teledu.

roedd hi'n awyddus i mi gyfrannu at y rhaglen honno. Nid oeddwn yn gyfarwydd â Miss Davies gan mai fy unig gysylltiad â hi fu hwnnw pan ddaeth i'm harolygu yn Ysgol Tregaron.

Roedd Cassie'n daer am hybu'r Gymraeg ar y cyfryngau ac fe'm gwahoddwyd i ymddangos ar ei rhaglen ar TWW. Aeth fy nghyfraniadau'n rhyfeddol o dda, er i mi ymddangos y tro cynta mewn crys gwyn – anathema i deledu du a gwyn y cyfnod!

Roedd Aelwyd yr Urdd yn Nhregaron yn gyrchfan boblogaidd i ieuenctid y fro ac roedd gennym ddau arweinydd brwdfrydig a chydwybodol. Y naill oedd Dewi Bowen a'r llall oedd Nan Davies, Pont-ar-gamddwr. Roedd gan y ddau ddychymyg a gweledigaeth, gymaint felly fel i'r BBC yng Nghaerdydd ddod i chwilio – a chael – Nan. Bu'n golled aruthrol i ni'r criw ifanc gan fod Nan yn arweinydd ysbrydoledig a brwdfrydig heb ei hail.

Anghofia i byth mo'i chwerthin iach y noson y buom yn peintio Caban yr Urdd. Y dewis liw oedd *yellow ochre* – neu felyn budr yn ieithwedd pysgotwr! Ar y noson roedd rhyw fân gecru rhwng dau o'r bechgyn ac yn gwbwl ddirybudd moelodd y tun paent dros ben yr un oedd wrth wraidd y cecru. Roedd yna chwerthin mawr a phawb yn tybio bod dymuniad yn medru troi'n ddigwyddiad – os pawb â'i myn!

Wedi i Nan symud i Gaerdydd cefais gyfle i gyfrannu'n aml i *Heddiw*, rhaglen yr oedd Nan yn ei gyfarwyddo. Ar ambell benwythnos byddai'n dod adref ac yn trafod amryw o syniadau am eitemau addas ar gyfer y rhaglen. Weithiau byddai dyn camera a dyn sain (Tomi Owen a Barry Thomas) yn dod i fyny o Hwlffordd i ffilmio o gwmpas yr ardal. Byddwn yn ffilmio eitemau bron bob penwythnos ac ar y pryd, gan fod y cyfan yn newydd, roedd digon o storïau â blas y pridd arnynt yn rhoi arlliw gwahanol i eitemau dyddiol *Heddiw*. Wedi'r cyfnod cychwynnol, cefais ryddid a

Dei Tomos a fi mewn tipyn o steil!

chefnogaeth gan Nan i chwilio am eitemau priodol ac mae diolch nifer ohonom iddi hi am ei gweledigaeth a'i dawn ryfeddol.

Un diwrnod, wedi gorffen ffilmio, dyma Nan yn troi ataf a dweud, 'Morgan, beth am ddod i lawr i Gaerdydd i weithio ar raglenni Cymraeg?' Dyna gwestiwn! Dyna groesffordd! Beth oeddwn i i'w wneud? Roeddwn wedi ffoli ar waith teledu ac awydd cryf ynof i fynd. Ond erbyn hynny roeddwn yn brifathro, mewn swydd ddiogel ac yn weddol gyfforddus fy myd. Gwrthodais y cynnig. Wel, doedd yna ddim hela na physgota draw yng Nghaerdydd! Tybed ai camgymeriad fu gwrthod y fath gynnig? Pwy â ŵyr erbyn hyn.

Ymhen ychydig amser bûm yn ddigon ffodus i gael cynnig gwneud rhaglen radio ugain munud o hyd i'w darlledu bob prynhawn dydd Sul, sef *Byw yn y Wlad*. Rhoddwyd rhwydd hynt i mi chwilio a recordio eitemau addas ac fe gefais gan y BBC beiriant recordio personol at y gwaith. Byddwn yn tanio'r peiriant, yn recordio'r sgwrs ac yna'n anfon y tâp at y cynhyrchydd Brian Griffiths yng Nghanolfan y BBC ym Mangor.

Bûm yn gweithio ar y rhaglen hon am wyth mlynedd a chan fy mod yn byw yng nghanol sir Aberteifi roedd gen i gyfoeth o Gymry huawdl a oedd yn caru sbort cefn gwlad i ymgomio â hwy. Ar adegau byddwn yn ymweld â mannau diddorol megis Sioe Crufts yn Llundain neu deithio o lyn i lyn yn Iwerddon a'r Alban. Byddai yno bob amser Gymry yn y cyffiniau i mi sgwrsio â nhw: cymeriadau lliwgar cefn gwlad yn siarad yn ddidwyll am eu profiadau. Efallai na fyddai ansawdd y tâp yn taro deuddeg bob tro ond câi'r cynnwys ei ganmol.

Cofiaf un rhaglen a wnaeth ei marc, un y bu llawer o siarad amdani am reswm digon hynod. Roeddwn wedi teithio i Gaerfyrddin i gyfweld David Benjamin Evans a oedd ar y pryd yn un o brif swyddogion Cyngor Sir Gaerfyrddin. Dyma'r gŵr a oedd wedi creu'r bluen bysgota 'Dai Ben'. Y rhyfeddod oedd ei fod yn fy ngalw'n 'Syr' wrth ateb fy nghwestiynau! Gan mai holi ac ateb oedd patrwm y rhaglen, mae'n debyg iddo fy nghyfarch felly dros hanner cant o weithie mewn ugain munud!

Wedi'r cyfnod hwnnw symudais unwaith eto i fyd teledu pan gefais y cyfle i weithio ar *Maes a Môr*. Y cyfarwyddwr clên oedd John Robert Williams gyda'r lliwgar John Bevan yn llywio'r rhaglen. Rhaglen gylchgrawn wythnosol oedd hon ac fe fyddwn yn teithio ledled Cymru yn chwilio am bobol ddiddorol i sgwrsio â nhw ynghyd â chanfod llecynnau addas i ffilmio ynddynt. Rhaid fyddai cael digon o le i fan enfawr yr OB (*Outside Broadcasting*)! Roedd triawd ohonom yn cyfrannu i'r rhaglen – fi gydag eitemau cyffredinol cefn gwlad; Dic Alltyferin, Caerfyrddin yn canolbwyntio ar erddi a phlanhigion; a'r Prifardd Dic Jones yn creu cerddi trawiadol i gyd-fynd â'r lleoliad neu'r achlysur. Cymysgedd o raglen a roddodd gryn fwynhad i'r gwylwyr. Cawsom raglenni cofiadwy o fannau megis fel Myddfai, Llangollen a Phontrhydfendigaid wrth gyfweld cymeriadu lliwgar megis Isaac Frongoy, Herbert y Fet yn Aberaeron a John Price, Gof Tal-sarn. Rhyfeddwn at allu Dic i weithio englyn ar unrhyw destun, a hynny mewn chwinciad.

Yn ddiweddarach bûm yn hynod lwcus o gael y cyfle i weithio ar raglen *Heno* gan Agenda ar gyfer S4C. Roedd yno dîm cynhyrchu penigamp yn barod i roi cyfle i nifer fawr o fechgyn a merched ifanc i drafod camerâu a pheiriannau sain am y tro cyntaf. Tybed faint sy'n sylweddoli cyfraniad y cwmni arloesol hwn, a drodd wedyn yn Tinopolis, i deledu yng Nghymru? Rwy'n cofio mynd i ffilmio i'r Diffwys ar fynydd Tregaron. Roedd y stori'n ymwneud â Martha Hughes a oedd yr adeg honno'n gampwraig ar drafod cŵn defaid. Y gŵr camera ifanc, dibrofiad, ar ei stori gyntaf oedd Joni Cray. Roedd y cŵn wedi casglu'r defaid a'r fugeiles wrthi'n ceisio eu didoli pan drodd chwe dafad a rhedeg i ffwrdd. Bant â Joni ar eu hôl a'r camera ar ei ysgwydd ond yn anffodus – yn ei awydd i gael lluniau da o'r defaid – roedd wedi anghofio bod gwifrau'r dyn sain ynghlwm wrth ei gamera a bod hwnnw erbyn hyn wedi cwympo ar ei ben-ôl a'i goesau yn yr awyr! Chwarae teg i'r Joni chwimwth, dyma fe'n troi'r camera ar y dyn sain a chael lluniau diddorol tu hwnt. Campus!

Un rhaglen a gafodd gryn sylw ar nifer o raglenni troeon trwstan megis 'You've been framed', oedd yr un lle bu ffured yn cnoi fy mys! Roeddwn i lan yn Nhrefenter gyda Dai Morris Jones yn trafod hela ac yn dal y ffured yn fy llaw pan gefais fy nghnoi. Dyma Dai yn dechrau chwerthin ac fe glywais y cynhyrchydd yn dweud '*cut*' a dyma'r ffilmio'n stopio, er bod y dyn sain yn dal i recordio er mwyn ymestyn yr awyrgylch – a'r boen! Fe drodd Dai at berchennog y ffured a dweud, '*The bloody ferret bit him – I bet he'll be asking for more money next week – danger money.*'

Heb os, roedd Dai yn un o gymeriadau mwyaf lliwgar cefn gwlad. Un tro pan oeddwn yn ei gwmni mewn tafarn ger Caeredin, dechreuodd Dai ddadlau'n frwd ag Albanwr ynglŷn â drylliau. Nid oedd neb yn gwybod mwy am ddrylliau na Dai ac wrth i'r ddadl barhau roedd y lleisiau'n codi a dyma'r Sgotyn yn dweud wrth Dai, '*I have you know, my man, that I am seventy years old.*' Ac allan o geg Dai fel ergyd o wn daeth y geiriau, '*And you bloody well look it!*' Nid oes angen dweud pwy enillodd y ddadl; doedd dim ateb gan y Sgotyn i'r glatsien honno!

Cyfres ddiddorol arall a ddangoswyd am gyfnod oedd *Dilyn Afon.* Arni byddai triawd ohonom sef Dai Davies y naturiaethwr o Rydcymerau, Spencer Edwards y ciper afon o sir Benfro a finne'n mynd ar hyd afonydd Cymru mewn cwch bach (fersiwn Cymru o *Three Men in a Boat!*). Roedd yn brofiad rhagorol ac fe gafwyd rhaglenni da –

'Three men in a boat?' neu tri dyn mewn dinghy ar y Dyfrdwy ger Bala!

yn ogystal â llond trol o hwyl wrth wneud y gwaith. Roedd gwybodaeth fy nau gydymaith yn aruthrol a'r profiad yn fodd o weld gogoneddau Cymru o safbwyntiau gwahanol.

Rhaglen i'w chofio oedd yr un oddi ar afon Dyfrdwy. Roedd Dai yn dost ac yn ei le daeth y naturiaethwr Dr Goronwy Wyn. Roeddem yn dechrau'r ffilmio ar Lyn Tegid ac wrth i'r doctor gamu i mewn i'r bad gofynnais iddo beth oedd e'n ei feddwl o'r cwch bach. Dywedodd mai'r tro diwethaf iddo fod mewn cwch oedd wrth groesi Môr Iwerydd yn y *Queen Mary*. 'Wel,' meddai Spencer, 'yr unig wahaniaeth rhwng y cwch yma a'r *Queen Mary* yw nad oes *duty free* ar hon!'

Roedd pob afon yn berchen ar ei harddwch a'i dirgelion ei hun a'r bobol ar eu glannau'n llwyr ymwybodol o bwysigrwydd cadwraeth er mwyn 'cadw i'r oesoedd a ddêl y glendid a fu'.

Bu cyflwyno rhaglenni treialon cŵn defaid yn addysg

*Cymryd yr awennau i yrru'r wagen gwrw drwy Langollen ar
gyfer rhaglen Dilyn Afon.*

pur. Rwy'n hoff o gŵn ac wedi bod yn berchen cŵn hela, ond
mae cŵn defaid yn gwbwl wahanol ac roedd eu gweld yn
cydweithio â'u meistri yn brofiad gwefreiddiol. Mae hi wir
yn grefft syfrdanol.

Cofiaf un achlysur penodol a ddigwyddodd wrth
recordio rhaglen o'r treialon a gynhelid ar y cae islaw Castell
Rhuthun gyda'r pencampwr Geraint Griffiths o Lŷn yn
cadw cwmni i mi yn y blwch sylwebu. Roedd y ci a oedd
allan ar y cae wedi cael y defaid o fewn poerad i'r gorlan a'r
bugail wedi gafael yn yr iet pan dasgodd un ddafad i ffwrdd.
Fel fflach dyma Geraint yn dweud, 'Arno ef oedd y bai, nid
ar y ci.'

Onllwyn Brace oedd cyfarwyddwr y rhaglen a dyma fe'n
galw 'Replay', rhywbeth sy'n cael ei ddefnyddio'n rheolaidd
wrth ffilmio'r campau. Dyma ni i gyd yn gwylio'r
ailddangosiad a'r tro hwn roedd llygaid pawb ar y bugail ac
fe allem weld yn glir mai fe oedd wedi cymryd cam ymlaen
ac wedi achosi i'r ddafad dasgu i ffwrdd. Llygaid craff,
gwybodaeth, ymwybyddiaeth o'r gofynion – y cyfan yn
ychwanegu at deledu da.

Mae torri coes yn medru rhoi stop ar bethe ac rwyf wedi

torri fy nghoes dde ddwywaith. Y tro cyntaf oedd chwarae pêl-droed dros Dregaron pan own i adre ar wyliau o'r fyddin. A'r ail dro pan oeddwn yn cerdded mynyddoedd mwyn Maldwyn yng nghwmni Emyr Lewis, Llanbrynmair. Roeddem ar ein ffordd i ffilmio, y ddau ohonom yn pysgota o gwch ar un o lynnoedd mynyddig yr ardal ar gyfer rhaglen deledu *Heno*. Ond wrth gerdded lawr at y llyn llithrais ar y borfa a throi fy mhigwrn. Fe'i clywais yn cratsian a gwyddwn ar unwaith fy mod wedi'i thorri. Doedd y criw ffilmio ddim yn fy nghredu. Ond i ffwrdd â fi am Ysbyty Bronglais, Aberystwyth gan alw ar y ffordd gyda Dyfi, gwraig Emyr. Ac fel nyrs dda rhoddodd honno gwdyn o bys wedi'u rhewi ar fy migwrn i'w hatal rhag chwyddo.

Gorfu i mi aros yn yr ysbyty am ryw bedair awr cyn cael triniaeth. Ond rhaid cofio bod tre Aberystwyth yn dyblu'n ei phoblogaeth pan fo'r myfyrwyr yno. Mae hwn yn fater sy'n cael ei anghofio'n aml pan fo'r gwybodusion yn sôn am gwtogi gwasanaethau mewn ysbytai.

Wedi cael plastar am y goes, roedd gen i broblem arall. Yn ystod yr wythnosau blaenorol rown wedi bod yn paratoi rhaglen deledu arall oedd i'w ffilmio yn Iwerddon yr wythnos ganlynol. Rhaglen o'r Ballina Salmon Festival, gŵyl flynyddol sy'n fwrlwm o hwyl a sbri oedd hon. Fi oedd wedi gwneud yr holl drefniadau ynglŷn â ble a beth i'w ffilmio a phwy i'w cyfweld. Felly roedd yn rhaid mynd i Ballina rywfodd neu'i gilydd. Awgrymodd y meddyg i mi gael benthyg cadair olwyn gan yr ysbyty. A dyna fu.

Dyma groesi ar y fferi'r wythnos ganlynol, a phawb yn barod i'm helpu er fy mod i'n teimlo'n dipyn o rwystr ar brydiau yn fy nghadair olwyn. Mae'r Gwyddelod yn enwog am eu dathliadau ac roedd wythnos Ballina yn llawn dathliadau cyffrous – ac anarferol.

Y digwyddiad cyntaf y gwnaethom ei ffilmio oedd Picnic y Tedi Bêrs. Ac roedd yna bedair mil o dedi bêrs o gwmpas y dre. Rown i'n diolch nad fi oedd yn gorfod penderfynu ar yr harddaf ohonynt! Er trefnu i ffilmio rasys cwryglau ar yr afon Conn, doedd yna'r un dyn byw yn siŵr o'r safle ar yr afon. Nac o'r amser cychwyn chwaith!

Ar ganol sgwâr y dre roedd yna griw yn arddangos sut i ddistyllu *Poitin*, sef y ddiod feddwol gwbl anghyfreithiol mae'r Gwyddelod yn ei wneud allan o dato. Oherwydd ei bod yn Ddiwrnod Treftadaeth roedd hawl macsu'r diwrnod hwnnw – o dan drwynau'r Garda, neu'r Heddlu! Roedd torf enfawr wedi ymgasglu o'u cwmpas, ac un gŵr digon clên yr olwg yn blasu a chadw llygad ar y macsu.

Fe gyrhaeddon yno'n weddol gynnar ac fe'm gwthiwyd ymlaen i ofyn i'r gŵr a oedd y ddiod yn ei blesio. Nac oedd! Doedd dim siâp arnyn nhw! Ganol y prynhawn cefais fy hun yn ei ymyl eto a dyma ofyn yr un cwestiwn. Dywedodd bod gwell blas ar bethe erbyn hynny – ond bod yna dipyn o ffordd i fynd. Nôl a fi ymhen dwy awr ac o'm cadair olwyn dyma holi sut oedd pethe nawr. Doedd ganddo ddim ond clod i'r ddiod a chyda winc meddai: 'Dyma win yr angylion ac mae'n gwella gyda phob llwnc. A choeliwch fi bydd toreth o fabis yn cael eu geni yn Ballina fis Ebrill nesa!' Wyddwn i ddim ble i edrych gan fod Offeiriad Catholig yn sefyll ar fy mhwys, er nad oedd e i'w weld yn hidio dim. Ond tybed â'i gwir fu'r darogan?

Yn anffodus gan fy mod wedi fy nghyfyngu i'r gadair olwyn collais lawer o'r digwyddiadau. Ond pe bawn yn iach gwn y byddwn wedi cystadlu ym Mhencampwriaeth y Byd am Blannu Tatw. Neu'r un am Bigo Tatw. Roedd rhychau o bridd wedi eu taenu ar y stryd fawr a'r cystadleuwyr yn y gystadleuaeth gyntaf yn plannu gymaint fedren nhw o datws wrth fynd lawr y rhych. A chystadleuwyr yr ail gystadleuaeth yn pigo'r tatw ar y ffordd nôl! Ie, dathlu pencampwriaethau o bob math. A chan fod yna fand o ffidlwyr ymhob tafarn, roedd y lle'n corco.

Criw Heno gyda Robert Croft, cricedwr Morgannwg a'r Llewod – sydd hefyd yn bysgotwr gwych.

Moc and Julian set to net an audience

Plus your chance to try out 'Stella' actor Julian's angling simulator chair on the day...

WELSH Angling legend Moc Morgan OBE and actor / presenter Julian Lewis Jones will discuss fishing in a lunchtime presentation at the National Library of Wales, Aberystwyth, on Wednesday, 15 February (1.15pm).

Tregaron angler and *Cambrian News* columnist Moc will be talking with Julian, presenter of S4C's *Sgôl*, who is also currently appearing in Ruth Jones' comedy *Stella*. The talk in Welsh, with simultaneous translation, offers free admission by ticket.

And to add to the occasion, there will be a chance to try out Julian's "angling simulator chair" at the *Life of Leisure* exhibition in the NLW on the day.

And visitors will be able to choose which type of fish they want to "catch", and the chair will simulate the experience, including the pressure on the rod being held for the experience.

The simulator chair will be available between 10am and 4pm.

Moc Morgan and Julian Lewis Jones (far left) discuss all things fishy at the National Library.

Gyda'r actor a'r pysgotwr afieithus Julian Lewis Jones yn sgwrsio am bysgota yn y Llyfrgell Genedlaethol

Rwyf wedi mynychu sawl un o wyliau gwyllt Iwerddon. Ond i mi mae'r un yn Ballina ym mis Gorffennaf yn rhagori ar y cwbwl! Ewch yno – hyd yn oed os ydych mewn cadair olwyn – cewch amser i'w gofio. Roedd pob un o'r criw ffilmio am ddychwelyd yno'r flwyddyn ganlynol. Ond stori arall yw honno!

Y gyfres gyflawn olaf imi ymwneud â hi oedd *Gwlad Moc*, hon eto'n seiliedig ar natur a phrofiadau cefn gwlad. Bu cynllunio gofalus cyn ffilmio ac roedd gennym ddigon o ddeunydd ar gyfer deunaw o raglenni difyr, a'r olaf i gael ei ffilmio yn yr Ariannin. Ond fel y gwyddom, mae siomedigaethau lu i'w cael yn yr hen fyd yma ac oherwydd bod un o'r rhaglenni blaenorol wedi bod mor llwyddiannus bu'n rhaid ei hymestyn i ddwy raglen gan benderfynu hepgor yr olaf, sef yr un o'r Ariannin. Dyna siom!

Bûm hefyd yn ffilmio ambell gyfres Saesneg. Un o'r rheiny oedd *Castaway*, sef cyfres yng nghwmni Gareth Edwards, y chwaraewr rygbi byd-enwog. Haerodd Gareth unwaith fod dal eog yn rhoi cymaint o wefr iddo â sgorio cais dros Gymru. Sgersli bilîf! Cyfres am bysgota oedd *Castaway*,

Tybed a'i gwir i Gareth Edwards deimlo mwy o wefr wrth ddal y pedwar eog yma nag a wnaeth wrth sgorio cais dros Gymru? Scersli bilîf!

gydag Onllwyn Brace yn uwch gynhyrchydd a Brian Griffiths yn gynhyrchydd rhaglenni. Bu'n brofiad hyfryd cydweithio â thîm mor frwdfrydig a chafwyd rhaglen wych i agor y gyfres, sef ffilmio agoriad y tymor pysgota eogiaìd ar afon Tweed yn Kelso ac uwchlaw'r dre, lle mae afon Teviot yn uno ag afon Tweed, y mae'r pwll gorau ym Mhrydain am eogiaid.

Er bod Gareth a finne wedi trefnu sut y byddem yn cyflwyno'r stori, cafodd Gareth wahoddiad i fynd i bysgota eogiaid ar yr afon, felly i ffwrdd ag e a'm gadael ar fy mhen fy hun i sylwebu ar yr hyn oedd y digwydd yn y pwll islaw. Roedd y camera wedi ei osod ger y pwll ac am naw o'r gloch cyrhaeddodd Flo Miller, gwraig perchennog y darn hwnnw o afon Tweed, yn ei chwch (gan mai o'r cwch y byddai'n pysgota), gyda'r gwas lan hyd ei geseiliau yn ei dynnu a'i reoli. Roedd Flo'n defnyddio'r troellwr du a melyn, sef y Toby, ac ar y trydydd tafliad fe fachodd eog. Wedi brwydro hir daeth yr eog i'r rhwyd. Roeddwn yn llawn rhyfeddod wrth sylwebu ac yn fy seithfed nef wrth i Flo fachu chwe eog arall a cholli un. Nid yn unig y bu'n helfa wych ond bu hefyd yn achlysur gwych o ffilmio gyda'r criw i gyd wrth eu bodd. Yr unig ddiflastod i mi fu wrth siarad â Gareth. Roedd e wedi cael profiad bythgofiadwy ac wedi dal eog braf ar ei ymweliad cyntaf ag afon Tweed – a'm lein inne'n dal yn sych!

Saith rhaglen hanner awr oedd y gyfres hon ac er nad oedd gen i gymaint â hynny o ddiddordeb ym mhysgod garw afon Wy na'r pysgod mawr yn y môr, bu'n gyfres fywiog a chofiadwy iawn. Un peth hynod o ddiddorol oedd bod Gareth bron ym mhob un o'r rhaglenni yn dal y pysgodyn mwyaf. Efallai ei fod yn lwcus weithiau ond yn ddiamau mae Gareth yn bysgotwr abl dros ben. Da o beth hefyd oedd clywed bod y rhaglenni wedi cael derbyniad da gan y gwylwyr yn Lloegr.

Profiad diddorol arall a ddaeth yn gwbl ddirybudd oedd cael cymryd rhan yn *Tales from the Riverbank*, sef rhaglen deledu a gynhyrchwyd gan gwmni o Fryste. Roeddent eisiau ffilmio pysgota sewin yn y nos, sef y dull mwyaf traddodiadol o bysgota'r pysgodyn hyfryd hwn. Yn anffodus roedd hyn cyn y datblygiadau mawr ym maes ffilmio ac nid oedd camerâu gweld yn y nos yn bethau cyffredin, felly roedd yr afon a'i glannau'n fwy tebyg i Blackpool nag unlle arall. Rhaid dweud bod y criw yn broffesiynol tu hwnt ac yn gweithio'n ddi-baid o ddeg y bore tan bedwar y bore canlynol. Er eu bod yn fy ffilmio i'n

Criw ffilmio 'Tales from the Riverside' o Bryste.

pysgota, gwir seren sioe o'r fath yw'r pysgodyn gwyllt ac ni wyddai neb a wnâi ef ymddangos ai peidio. Trwy ryw ryfedd wyrth fe wnaeth ac fe'i cafwyd i'r rhwyd. Fe gofnodwyd y cyfan ar ffilm, er mawr ryddhad a llawenydd i bawb.

Cyn gadael yr afon a'i throi am adre dyma un o'r bechgyn yn adrodd stori am bysgotwr dieithr a ddaeth i geisio'i lwc yn yr afon gerllaw. Cyfarfu â dyn tal mewn cot hir ddu a het uchel ddu ar ei ben. Rhoddodd hwnnw gyngor iddo ar ble a sut i bysgota ac fe gafodd lwyddiant aruthrol. Drannoeth aeth y pysgotwr i'r dafarn leol a gofyn i'r tafarnwr ble y câi afael ar y dyn a'i helpodd am ei fod am ddiolch iddo. 'Wn i ddim,' meddai'r tafarnwr. 'Bu'r gŵr ry'ch chi'n ei ddisgrifio farw ugain mlynedd yn ôl.' Distawrwydd llethol ac aeth ias oer i lawr cefnau pawb. Dawn y cyfarwydd ar lan afon ganol nos – ysbrydoledig a dweud y lleiaf! Mae'r cyfan yn dod 'nôl i'r cof, yn enwedig pan fyddaf ar lan afon a hithau'n nosi!

Erbyn hyn mae rhaglenni sy'n ymwneud â natur a chefn gwlad wedi dod yn arbennig o broffesiynol ac yn werth eu gwylio ond roeddwn i yno yng nghyfnod yr arloesi pan oedd arian yn brin.

Roeddwn i'n hollol naïf pan ddechreuais ymwneud â rhaglenni radio a theledu ond cefais bob cefnogaeth gan y gwybodusion, pobol fel Nan Davies, John Roberts Williams a chyfarwyddwyr *Heno*, yn enwedig Angharad Mair a Ron Jones. Mae fy nyled yn fawr i'r cyfryw rai am fentro gyda mi a rhoi profiadau gwych imi sy'n dal yn fyw yn y cof.

Profi bywyd y sipsi wrth deithio mewn carafan ar gyfer rhaglen Maes a Môr.

Ymweliad arlywyddol

Ar noson hyfryd ym mis Mehefin 1986, roeddwn i a'm ffrind Ben Jones yn pwyso ar iet clos ffarm Llanio Isaf ger Tregaron, yn edrych i lawr y lôn tuag at y ffordd fawr. Roeddwn i'n anarferol o dawel ac yn chwys drabŵd am fy mod yn nerfus dost. Roedd bod yn nerfus yn deimlad cwbl ddieithr i mi ac roeddwn wedi difaru rhoi fy hun yn y fath sefyllfa.

Ymhen rhyw chwarter awr byddwn yn dod wyneb yn wyneb â rhywun a oedd, hyd ryw bedair blynedd ynghynt, y gŵr mwyaf adnabyddus a phwerus yn y byd i gyd. Mwy gofidus na hynny oedd y ffaith i mi gytuno i'w gymryd dan fy adain, fel petai, tra treuliai wythnos o wyliau yn pysgota yma yng Nghymru! Tybed a fedrwn gyflawni fy addewid? Dyna oedd y cwestiwn mawr a dyna hefyd oedd achos fy nerfusrwydd. Y gŵr a fyddwn yn ei gyfarfod oedd Jimmy Carter, Arlywydd Taleithiau Unedig America rhwng 1977 ac 1981 gyda'i gartref yn y Tŷ Gwyn yn Washington.

Peter Vaughan, cyfaill a chyn-asiant Jimmy Carter, oedd perchennog Llanio Isaf ac ef oedd wedi gofyn i mi drefnu rhaglen bysgota ar gyfer y cyn-arlywydd yn ystod ei ymweliad

Jimmy Carter a finne'n barod am ddiwrnod o bysgota ar gronfa ddŵr Clywedog.

Cyrraedd nôl wedi helfa dda ar y dŵr.

â Chymru. Ar y dechrau ni allwn gredu bod gŵr mor bwysig a dylanwadol am ddod i gefn gwlad Cymru i bysgota. Gwyddwn ei fod yn bysgotwr o fri a'i fod wedi pysgota afonydd a llynnoedd mewn amryw o wledydd felly ni allwn lai na synnu ei fod am ddod i Gymru.

Gwyliau hollol breifat oedd y rhain i'r cyn-arlywydd a'i deulu ac o'r dechrau un cefais fy siarsio i gadw'r wybodaeth am eu hymweliad a'u gwyliau yn gwbwl gyfrinachol. Oherwydd hyn bu paratoi rhaglen ar ei gyfer yn dipyn o waith. Roeddwn yn awyddus iddo gael profiad o bysgota ar afonydd Teifi a Thywi, ac o bosib Lyn Clywedog ond roedd hi bron yn amhosib trefnu unrhyw beth heb ynganu enw'r gŵr wrth y ffrindiau yr oeddwn yn troi atynt am gymorth gyda'r trefniadau.

Wrth edrych i lawr y lôn roedd gennyf lu o amheuon am yr hyn oedd o'm blaen. Gobeithio na fyddwn yn siomi Peter Vaughan – a gobeithiwn na fyddem yn siomi'r cyn-arlywydd.

Gyda hyn sgrialodd dau gar pwerus i fyny'r lôn ac i mewn i'r clos. Dyma'r drysau'n agor a phedwar o ddynion tal, cyhyrog yn arllwys ohonynt a dod draw yn syth at Ben a minnau. Wedi ein cyfarch a sicrhau pwy oeddem dyma nhw'n dweud eu bod nhw'n rhan o'r criw diogelwch. Aethant ati'n syth i archwilio'r ffald ac ymhen rhyw ddeng munud daeth dau gar arall i mewn i'r clos a'r cyntaf a gamodd allan o'r *people carrier* ar y blaen oedd Jimmy Carter ei hun. Cerddodd draw atom yn syth a chyda gwên lydan ar ei wyneb dyma fe'n ein cyfarch gyda'r ddau air, 'Hi lads!' Aeth ymlaen i ddweud '*And I don't need to guess which of you is Moc Morgan! I am so pleased to meet you*'.

Cyflwynais Ben iddo. Mae Ben a minnau wedi bod yn gyfeillion ers flynyddoedd; wedi byw am dros ugain mlynedd y drws nesaf i'n gilydd yn Noldre ac yn gymorth hawdd ei gael yn fy nghyfyngderau. Er nad yw Ben yn pysgota roedd wedi dod gyda fi yn gwmni.

Bu'r cyfarchiad byr o enau'r cyn-arlywydd yn help i mi ymlacio a rhaid cyfaddef i mi deimlo rhyw agosatrwydd at y gŵr yn syth. Roedd ei wisg yn debyg i'm un i hyd yn oed – jîns a hen siwmper! Roedd ei wraig Rosalynn a'i ferch a ffrind iddi wedi mynd draw tuag at y tŷ lle'r oedd Peter Vaughan a'i wraig Mary King yno'n eu croesawu gyda breichiau agored. Roedd hi'n amlwg bod cyfeillgarwch gwresog rhyngddynt.

Cyn ymgartrefu yn Llanio Isaf roedd Peter Vaughan wedi bod yn aelod blaenllaw iawn o'r ymgyrch i sicrhau mynediad i Jimmy Carter i'r Tŷ Gwyn, a chyn ac wedi hynny bu'n dal swyddi pwysig iawn, er enghraifft, bu'n gweithio i'r Cenhedloedd Unedig fel swyddog â gofal am gyflenwadau dŵr yn y gwahanol wledydd.

Ar hyn dyma'r cyn-arlywydd yn troi ataf a gofyn a awn i ag e i lawr i gael cip ar yr afon – cyn swper hyd yn oed! (Hoffais y brwdfrydedd hwn – arwydd o wir bysgotwr!)

Roedd hi'n amlwg o'i edrychiad cyntaf ei fod wedi cymryd at afon Teifi. Wrth i mi ei wylio'n syllu i'r dŵr gwyddwn ei fod yn bysgotwr wrth reddf oherwydd roedd e'n amlwg yn medru darllen yr afon. Rhoddais farciau llawn iddo am hyn ac yng ngeiriau'r Ddynes Haearn, mi deimlais y gallwn wneud busnes â'r dyn hwn.

Dychwelasom i'r tŷ a chael ein tywys at y bwrdd swper. Bu tipyn o fân siarad o gwmpas y bwrdd, gyda'r merched yn trafod eu profiadau siopa yn Llundain y bore hwnnw. Ni fu fawr o sôn am bysgota gan nad oedd gan Peter, Mary na'r merched fawr o ddiddordeb yn y grefft.

Wedi gorffen swper aeth y cyn-arlywydd a minnau ar ein hunion i lawr at yr afon i bysgota. Y tro hwn daeth pedwar o'r criw diogelwch gyda ni – roedd pedwar arall wedi bod yn cerdded glannau'r afon tra buom ni'n swpera. Oedd, roedd ganddo nifer o ddynion i sicrhau ei fod yn ddiogel ble bynnag yr âi. Wrth i'r wythnos fynd yn ei blaen dechreuais innau ymgyfarwyddo â chael y criw yma o'n cwmpas. Byddent yn archwilio pob lleoliad yr oeddem am ei fynychu â chrib fân ac er syndod i mi, merch fach dwt a siarp oedd eu goruchwyliwr ac roedd hi'n cario dryll ym mhoced ôl ei throwsus tynn. Fedrwn i ddim bod yn siŵr a oedd unrhyw un o'r lleill yn arfog ond un o'r rhai agosaf at y cyn-arlywydd

Llawn gobaith wrth fynd am yr afon!

bob amser oedd cawr o ddyn croenddu. Safai nid nepell oddi wrthym gydol yr amser ac eto, roedd fel pe bai'n toddi i mewn i'r cefndir. Ni chlywais ef yn yngan gair yn ystod yr wythnos, dim ond nodio ei ben a rhoi gwên fach i mi yn awr ac yn y man.

Gwyddwn fod Jimmy Carter wedi dewis ei bwll i bysgota ar ein hymweliad cyntaf â'r afon a heb oedi am funud dyma fe'n lluchio pluen sych i geg y pwll. Nofiodd honno gyda'r llif yn berffaith, yn union fel pêl ping-pong. 'Go dda,' meddwn yn dawel wrthyf fy hun, 'Mae hwn yn medru cyflwyno pluen yn reit dda.'

Er i mi weddïo'n daer ar i frithyll ddangos diddordeb yn y bluen, ni ddaeth dim i fyny o'r gwaelodion i gydio ynddi. Ymlaen â ni i'r pwll nesaf. Siom eto. Dim cynnig ond roedd fy ngobeithion yn uchel gan fod yr haul wedi machlud a wyneb y dŵr yn crychu fel trowsus rib yn yr awel gan greu'r amgylchiadau pysgota perffaith. Nid oedd na lliw na llun o bysgodyn. 'Mae e'n haeddu dal brithyll,' meddwn wrthyf fy hun, gan ei fod yn pysgota'n wych. Mae'r dull o gyflwyno pluen neu abwyd mor bwysig.

Roedd hi'n amlwg ei fod yn mwynhau ei hun ond yng nghefn fy meddwl gwyddwn y dylai newid ychydig ar ei dactegau. Daeth fy nerfusrwydd yn ôl ac ofnwn ddweud gormod wrtho. *Shall we tell the President?* oedd teitl un o nofelau Jeffrey Archer a dyna'n union fy nheimladau i ar y pryd ond dyma fentro ac awgrymu ei fod yn newid pluen i'r *Sun Fly*, sef pluen a ddyfeisiwyd gan Dai Lewis, y pysgotwr gorau a fu ar afon Teifi erioed.

Newidiwyd y bluen a dyma symud i bwll arall a daeth lwc i'n rhan gan iddo ddal ei frithyll brown gwyllt cyntaf o afon Teifi. Roedd y boddhad yn amlwg ar ei wyneb. Dysgais yn syth fod cadwraeth yn bwysig iawn iddo oherwydd roedd e'n ofalus iawn yn trafod y brithyll cyn ei ryddhau yn ôl i'r dŵr. Ar hyn dyma benderfynu rhoi'r gorau iddi. Roedd hi'n amlwg ei fod e wedi blino gan ei fod wedi teithio o Lundain y bore hwnnw. Wrth i ni droedio 'nôl tuag at y tŷ, soniodd am ei ymweliad â Jim Callaghan y bore hwnnw. Roeddent yn ffrindiau mawr ac ni fyddai fyth yn dod i Brydain heb alw i'w weld. Soniodd hefyd am ei edmygedd o'r bardd Dylan Thomas.

Roeddem yn griw digon bodlon a llawen yn troedio 'nôl o'r afon tuag at y tŷ a rhaid cyfaddef i mi deimlo ychydig o'r brawdgarwch cyfrin sydd, yn ôl yr hanes, yn bodoli rhwng pysgotwyr. Er bod y naill ddyn yn gyn-arlywydd a'r llall yn brifathro di-nod nid oedd cymaint â hynny yn ein gwahanu yn yr orig fach honno. '*We'll carry on in the morning,*' meddai wrth fynd i'r tŷ i noswylio. A dyna a fu.

Brawdgarwch pysgotwyr! Mae'r ymadrodd '*the brotherhood of anglers*' yn mynd yn ôl ganrifoedd ac ae rhai sy'n credu mai Isaac Walton – nawddsant pysgotwyr, fel y'i gelwid – a fathodd y dywediad. Ef, yn 1653, a ysgrifennodd *The Compleat Angler*, y llyfr, yn ôl y sôn, sydd â'r gwerthiant ail uchaf yn y byd ar ôl y Beibl. Ystyriwyd ei fod yn llyfr mor odidog nes i chwedl dyfu sy'n honni bod Isaac wedi ei ysgrifennu gyda chwilsyn a blyciwyd o adain angel! Yn bersonol, nid wyf yn cyd-fynd â'r ddamcaniaeth uchod am darddiad y gair. Fy nghred i yw i Grist, pan oedd yn ddechrau ar waith mawr Ei fywyd, fynd ati i chwilio am ffrindiau a physgotwyr oedd y rhai cyntaf a ddewisodd yn ddisgyblion iddo. Dyna darddiad y gair 'brawdgarwch' yn fy nhyb i. Tybed pwy sy'n iawn?

Gan fy mod i bryd hynny yn ysgrifennu colofn wythnosol i'r *Western Mail* crybwyllais wrth yr is-olygydd yr hoffwn, os oedd hi'n bosib, gael mwy o ofod nag arfer y dydd Sadwrn canlynol. Yn naturiol ddigon roed e am wybod pam. Dywedais wrtho fod gen i ryw sgŵp fach. Wedi iddo addo i mi ar ei lw na fyddai'n yngan gair wrth neb, dywedais wrtho am ymweliad arfaethedig y cyn-arlywydd. Gair o

Carter mewn hwyliau da gyda chriw ffilmio Heno.

gyngor: peidiwch byth â datgelu eich cyfrinachau i newyddiadurwr! Deallais wedi hynny iddo gredu fy mod yn dechrau drysu gan nad oedd neb o fois mawr y cyfryngau wedi clywed bod Jimmy Carter yn dod i Gymru, heb sôn am ddod i Dregaron. Mae'n debyg iddo dorri ei air pan geisiodd argyhoeddi'r panel golygyddol ac i'r rheiny, wedi iddynt wneud ychydig o ymholiadau, wfftio'r stori gan awgrymu mai 'stori pysgotwr' oedd hi. Ond erbyn hynny roedd yna arogl mwg ac fel y gŵyr pawb, does dim mwg heb dân.

Fore trannoeth roeddem ar yr hewl erbyn naw o'r gloch ac yn teithio i gyfeiriad Llyn Clywedog yng nghanolbarth Cymru. (Roeddwn yn becso'n arw y byddai pethau'n mynd o chwith gan fy mod yn gyfrifol am drefniadau'r holl griw ac yn dymuno iddynt oll brofi a mwynhau Mwynder Maldwyn.) Roeddwn eisoes wedi trefnu gyda bechgyn Clwb Pysgota Llanidloes, y clwb sy'n gyfrifol am redeg y bysgodfa, gan sicrhau y byddai Jimmy Carter yn mynd i bysgota yno. Chwarae teg iddynt, roeddent wedi cael hawl arbennig i ddefnyddio cwch gyda modur petrol ar y llyn yn ystod ei ymweliad. Mae rheolau pendant yn gysylltiedig â'r gronfa hyfryd hon. Nid oes hawl gan neb i ddefnyddio cwch gyda modur petrol wrth dramwyo ar ei thraws (gellir defnyddio modur trydan gan nad yw hwnnw'n cadw sŵn). Pan luniwyd y llyn a'r argae roedd hyn yn un o'r amodau fel nad oes neb i amharu ar ddistawrwydd y lle. Flynyddoedd ynghynt cofiaf fynd gyda Dallas Davies a Colin Welson, ysgrifennydd a thrysorydd Clwb Pysgota Llanidloes, i gwrdd ag Aelod Seneddol Rhyddfrydol y sir sef Alex Carlisle i geisio newid y rheol ond ofer fu'r apêl.

Wrth deithio i fyny o Lanidloes i'r bryniau uwchben daethom ar draws praidd o ddefaid – dros gant dybiwn i – yn cael eu gyrru gan fugail a'i gi. Roedd y ci yn prysur weithio 'nôl ac ymlaen y tu cefn i'r praidd gan eu symud ymlaen yn araf. Pe digwyddai dafad dorri allan o'r llinell, byddai'r ci yno mewn dim o dro yn ei throi yn ei hôl gan roi rhyw gnoad bach iddi yn ei phen-ôl i ddysgu gwers iddi. Gan fod y defaid yn symud mor araf â minnau erbyn hynny ar bigau'r drain yn ofni ein bod ni'n gwastraffu amser, awgrymais y dylwn gael gair â'r bugail gan ofyn a fyddai modd i'r ceir oddiweddyd y defaid. 'Dim o gwbwl,' oedd ymateb y cyn-arlywydd; roedd e'n mwynhau gwylio'r ci yn gweithio. Nid oedd wedi gweld dim byd tebyg o'r blaen a rhyfeddai at y cydweithio byrlymus rhwng y bugail a'i gi.

Roedd Jimmy Carter yn byw ar fferm yn nhalaith Georgia ac wrth i ni sgwrsio cyfeiriodd at y gŵr a oedd yn amaethu'r fferm nesaf ato – dyn o'r enw Mr Metz. Cefais syndod o glywed hyn gan fod Metz yn enw cyfarwydd ym myd pysgota ac yn wir, hwn oedd y dyn y clywswn i amdano. Roedd Mr Metz wedi magu a datblygu brid unigryw o geiliogod a oedd â phlu hir iawn ac roedd y rhain yn cael eu defnyddio i greu plu pysgota gwych. Gan fod gwar pob ceiliog yn costio tua hanner canpunt roedd Mr Metz wedi dod yn filiwnydd yn fuan iawn.

Wedi cyrraedd y gronfa cafwyd croeso cynnes gan fechgyn Llanidloes ond nid oeddem yn barod am y dyrfa o griw y cyfryngau a oedd wedi ymgynnull ar y safle. (Fel y crybwyllais eisoes, peidiwch â datgelu unrhyw gyfrinach wrth ddynion y wasg!) Roedd rhai yr oeddwn yn eu hadnabod ac roeddent yn awyddus i gyfweld y cyn-arlywydd. Gofynnais iddo a fyddai'n barod i sgwrsio â nhw a bodlonodd wneud hynny ar yr amod y byddent yn mynd ymaith wedyn. Roedd bechgyn y cyfryngau'n hapus gyda hyn ac yn barod i gytuno â'r amod. Aeth y cyfweliadau'n dda a minnau'n ymfalchïo'n dawel bach o glywed Jimmy Carter yn dweud mai darllen gwaith Moc fu'n gyfrifol am ei ymweliad â Chymru! 'Sgersli bilîf,' meddwn i!

Gadawodd y newyddiadurwyr y safle yn ôl eu haddewid ac aeth yr Arlywydd a minnau i lawr at y lanfa ac i mewn i'r cwch gyda Dallas Davies. Aeth Dallas â ni o gwmpas y gronfa a chafwyd amser i'w gofio. Bu Clywedog yn hynod garedig wrthym ac fe ddaliwyd sawl pysgodyn. Roedd y gwestai pwysig wrth ei fodd.

Fodd bynnag, wedi dod 'nôl i'r lan cafwyd siomedigaeth. Roedd un o fois y cyfryngau'n dal yno a dyma fe'n ceisio cael cyfweliad pellach gyda'r cyn-arlywydd. Dyna'r unig dro i mi weld Jimmy Carter yn dweud y drefn wrth unrhyw un. Roedd y gŵr wedi torri ei addewid ac wrth wneud hynny rhoddodd enw gwael i newyddiadurwyr Cymru. Dangosodd y cyn-arlywydd fod ganddo ochr gadarn iawn pan fyddai angen.

Yn ffodus i mi roedd Jimmy Carter yn mwynhau pysgota ar afon Teifi – afon sy'n cael ei hystyried yn frenhines afonydd Cymru. Bu wrthi bob cyfle a gâi yn pysgota ger Llanio Isaf. Daeth i adnabod y pyllau gorau ar y rhan honno o'r afon ac roedd yn mwynhau ceisio ynganu eu henwau: Pwll Dolau Gwawr, Pwll Signal, Pwll y Felin, Pwll Pont Llanio Fach, Pwll Colli Bachau a Pwll Llyndi.

Er mwyn cael ychydig o newid penderfynais fynd ag ef i bysgota am sewin ar afon Tywi ger Nantgaredig ar y nos Iau.

Perchennog y dŵr yr oeddwn am i'r cyn-arlywydd ei bysgota oedd y Cyrnol Chaldecot. Roedd y Cyrnol wedi ymddeol o'r fyddin ers blynyddoedd ond wedi anghofio hynny! Roedd tuedd ynddo i drafod pawb, gan gynnwys y cyn-arlywydd, fel yr arferai drin y bechgyn yn y fyddin ac wrth gwrs, mae hawl i bob ceiliog glochdar yn uchel ar ei domen ei hun!

Llwyddiant i'r Arlywydd – diolch i'r afon Tywi!

Roedd y criw diogelwch yn bur amheus o'r lleoliad newydd a dieithr hwn ac yn fwy amheus fyth o'r bwriad oedd gennyf o bysgota drwy'r nos yn y tywyllwch. Wedi iddynt gael cyfle i archwilio gymaint a fedrent, dyma'r

Rosalyn a Jimmy Carter yn edrych mlaen at bysgota sewin ar y Tywi.

pennaeth yn y trowsus tynn yn fy ngorchymyn i sefyll yn nŵr yr afon rai llathenni'n is na lle'r oeddwn i wedi bwriadu i'r cyn-arlywydd bysgota. Ceisiais egluro na fyddai hynny'n syniad da gan mai'r gyfrinach wrth bysgota sewin oedd cadw o olwg y pysgodyn rhag iddo gael ei ddychryn. Gwaith ofer oedd dadlau â hi. Nid oeddwn yn or-hoff ohoni ar y gorau gan y byddai'n tywys y cyn-arlywydd trwof i – yn enwedig os oedd rhywbeth o le. Ni chawsom eiriau croes fel y cyfryw ond roedd deinameit yn yr awyr yn aml! Roedd ei thafod miniog ar waith dro ar ôl tro wrth iddi roi cyfarwyddiadau i'r gwarchodwyr eraill. Felly, ar y noson dyngedfennol honno, dyna lle'r oeddwn yn cerdded o flaen Jimmy yn yr afon. Profiad cwbwl newydd wrth gwrs a phe bai rhywun yn boddi, fi fyddai hwnnw!

Mae rhai, ar adegau anodd yn eu bywydau, yn gweddïo ar i rywbeth arbennig ddigwydd. Anodd gwybod a yw'r Bod Mawr yn gwrando ar y gweddïau hyn ond cofiaf glywed am un wàg a honnai mai *local call* yw'r Nefoedd o Dregaron! Wrth gerdded drwy'r afon y noson honno roeddwn yn ysu am wneud *local call* – roedd angen rhyw gymorth arnaf.

Roeddwn wedi tybio i mi ddewis y pwll gorau ar gyfer y cyn-arlywydd ac wedi ei osod yn y lleoliad gorau un ond wedi awr o bysgota di-dor nid oedd yr un sewin wedi dod i'r rhwyd. Ar hyn dyma lais awdurdodol yn dod o'r lan a'r Cyrnol yn chwifio'i bastwn ac yn gweiddi cystal ag unrhyw sarjant mejor: '*Move him down the pool you silly b****!*' ('O! cau dy geg!' meddwn innau o dan fy anadl.) Ond dyma'r cyn-arlywydd yn cyffwrdd ei gap a chyda gwên fawr yn dweud, '*Aye Aye, Sir!*' Roedd hi'n amlwg fod y cyrnol yn hoff o'i awdurdod, yn enwedig gan ei fod wedi fy ngosod i mewn sefyllfa *lance corporal* dibrofiad! Flynyddoedd wedi hynny bu raid i mi lawer gwaith wrando ar y Cyrnol yn brolio sut y bu iddo gael President Carter i bysgota a gwledda yn ei gartref yn Vrynylan ond nid oedd fyth gyfeiriad at y *lance corporal* bach!

Ni wn a oedd gan y Cyrnol awdurdod dros y pysgod hefyd ond cyn pen fawr o dro, wedi i ni symud yn ôl gorchymyn y Cyrnol, dyma fi'n clywed lein Carter yn sgrialu ac roedd clobyn o sewin braf wedi ei fachu ac yn ymladd yn ffyrnig o'i flaen. Chwarae teg i Jimmy Carter, er nad oedd wedi cael sewin Cymreig ar ei flaen llinyn erioed o'r blaen, mi wnaeth yn hynod dda i'w gadw i ffwrdd o wreiddiau'r coed yr ochr arall i'r pwll. Unwaith mae sewin yn cael ei ben i mewn i wreiddiau mae'n ddominô ar y pysgotwr druan. Pysgod cecrus yw'r sewin ac maent yn ymladdwyr brwd, yn neidio a chlatsio'r dŵr nes ei fod yn ewyn gwyn. Ar adegau felly – yn enwedig pan mae'n neidio'n uchel o'r dŵr – rhaid gofalu nad yw'n llwyddo i ddisgyn o'r entrychion ar ben y lein a'i thorri. Yn anffodus dyna a ddigwyddodd y tro hwn. Rhaid i mi gyfaddef i mi golli fy hunan-reolaeth yn llwyr yr ennyd honno. Roeddwn wedi ewyllysio i'r cyn-arlywydd ddal y sewin mawr a phan aeth yn rhydd clywais fy hun yn rhegi. Sylweddolais yn syth nad oedd yr eirfa lachar yn dderbyniol gan y cyn-arlywydd a phan ddywedodd un o'r bechgyn gerllaw fy mod 'wedi caca ar y gambren' fel petai, gwyddwn ei fod yn dweud y gwir! Oedd, roedd Jimmy Carter wedi cael siom ac roedd y sioc o golli'r sewin a chlywed y rheg wedi ei gynhyrfu'n llwyr!

Rhaid oedd clymu pluen arall ar y blaenllinyn gan fod y sewin wedi mynd â'r plu i ffwrdd. Mae plu pysgota yn amrywio o afon i afon ac un o'r goreuon ar afon Tywi yw pluen Dai Ben. (Gyda llaw, rwyf wedi gweld sawl pysgotwr wedi cawio pluen Dai Ben gan roi dau ben iddi!)

Wedi lluchio'r blaenllinyn ar draws yr afon mi gafodd Jimmy Carter ddau neu dri phlwc. Yna gwelodd gylch ar wyneb y dŵr. Roedd hi'n amlwg fod pysgodyn wedi codi at bryfyn naturiol. Dyma'r cyn-arlywydd yn ceisio lluchio pluen ato. Roeddwn i wedi sylweddoli mai pysgodyn bach oedd wedi codi at y pryfyn gan dorri wyneb y dŵr gyda'r fath sŵn. Gweiddais *'It was only a small one – don't waste time on it!'*

A dyma ateb yn dod: *'Isn't it funny Moc that in fishing as in life in general it is the little ones that keep making the biggest fuss.'*

Tybed, meddyliais i mi fy hun, pwy oedd y dyn bach oedd wedi codi twrw yn ei erbyn? Gwn nad oedd ganddo fawr o olwg ar rai o'i gyd-aelodau yn y Tŷ Gwyn. Yn ystod yr wythnos clywais sawl cyfrinach o enau'r gŵr a deuthum i sylweddoli pa aelodau o staff y Tŷ Gwyn oedd wedi peri gofid iddo pan oedd yn dal y barchus arswydus swydd.

Ymlaen â ni at ffedog y pwll a chwarae teg i afon Tywi, daeth sewin tua phwys a hanner o'r dyfnion a llyncu'r bluen. Bendith ar ben Dai Ben, meddwn – wrthyf fy hunan y tro hwn!

Daeth Carter allan o'r afon ac eistedd wrth fy ymyl. Roedd wedi cael llwyr fwynhad ac roedd hi'n amlwg erbyn hyn bod y brawdgarwch wedi ei selio. Mae Cynan wedi ysgrifennu cân odidog i afon Teifi ac ynddi mae'n sôn amdano ef a Wilbert Lloyd Roberts yn cael sgwrs ar lan yr afon yng nghanol nos. Tybed a oes rhyw ledrith ym mherfedd nos sy'n tynnu rhai yn glòs at ei gilydd? Daeth cwpled o waith Cynan i'r meddwl:

A pha sawl cyfrinach cyfeillach a fu
Ar ffedog Pwll Henri yn ymyl Pwll Du.

Clywais lawer o storïau gan y cyn-arlywydd am Camp David a heb amheuaeth credai mai yno y cafodd ei lwyddiant pennaf – nid oes angen dweud mwy. Pan ymwelais ag UDA rhyw ddwy flynedd yn ddiweddarach cefais siom o sylweddoli cyn lleied o bobol oedd yn ymwybodol o'r gwaith cadwraeth y bu Jimmy Carter yn

Dau bysgotwr yn trafod tactegau.

gyfrifol amdano pan oedd yn arlywydd. Bu'n sôn wrthyf am y frwydr yn erbyn y *Corps of Engineers* a'r *Bureau of Reclaimation* a oedd yn gwneud difrod mawr drwy sychu gwlypdiroedd. Un dydd Sadwrn pan oedd yn Llywodraethwr Georgia clywodd am ymdrech y ddwy asiantaeth i sychu afonig Terry Creek yn Brunswick a dyma fe'n gorchymyn Joe Tanner, y Comisiynydd dros Bysgod a Helwriaeth i wahardd y gwaith rhag cael ei gyflawni. Wedi i'r gwaith gael ei atal ffoniodd Carter Lywodraethwr y *Corps of Engineers* am dri o'r gloch y bore a'i orfodi i godi o'i wely a sicrhau bod y peiriannau'n cael eu symud o'r safle ar unwaith. Clywais hefyd fel y bu iddo, ar ôl deufis yn y Tŷ Gwyn, wrthod cyfrannu arian i'r ddwy asiantaeth hyn. Gosodwyd cryn bwysau arno i newid ei feddwl gan aelodau'r Gyngres ond nid oedd symud arno.

Fel pob rhiant roedd ganddo ofid am y dyfodol ac am yr hyn y byddai'r bobl ifanc yn ei etifeddu. Yn ddiamau roedd ·

wedi cael siom yn naliadau a gweithredoedd rhai o'i gyfoedion. Rhyfedd, meddyliais, fel mae'r esgid fach yn gwasgu ar bawb, hyd yn oed ar arlywyddion y wlad fwyaf yn y byd. Tybed a oedd ofn arno ddod yn un o ddynion ddoe, fel sy'n digwydd i lawer? Rydym ni sydd wedi bod yn brifathrawon yn dioddef o hyn; yn bennaeth ar bopeth cyn ymddeol ond wedi ymddeol yn neb.

Rhyfedd; pa mor uchel bynnag y mae dyn yn dringo, mae'r cwymp pan ddaw yn siŵr o ddolurio. Dyma fi, am y tro cyntaf yn teimlo'n flin drosto ac mae cynifer o bethau a ddywedodd wrthyf yn ystod ein horiau yng nghwmni'n gilydd wedi eu cloi'n ddiogel yng nghell y cof. Roedd ei wraig Rosalynn yn gymeriad cryf ac yn gymorth mawr i'w gynnal a'i warchod.

Noson fawr a phleserus fu honno ar afon Tywi ac wrth i ni godi a mynd am y car dyma fe'n gofyn yn sydyn, '*Moc, what are the chances of coming again tomorrow night?*'

Roeddwn y gwybod o'r foment honno ei fod wedi mwynhau ei wyliau. Bendith. Diflannodd y gofidiau. Cefais air â'r Cyrnol ac nid oedd problem o gwbwl. '*I'll arrange a midnight feast on the riverbank,*' meddai. Roedd Carter yn ei seithfed nef. Wrth i ni adael dyma'r Cyrnol yn dweud yn ei lais awdurdodol, '*Be here at seven sharp!*'

Roedd y cyn-arlywydd bob amser yn brydlon a thrannoeth dyma ni'n cyrraedd y tu allan i Vrynylan am ddeg munud i saith. Bu raid inni yrru o amgylch Nantgaredig am ddeng munud er mwyn bod yno yn unol â gorchymyn y Cyrnol '*at seven sharp!*' Pwy fuasai'n meddwl – y gŵr oedd wedi bod yn feistr ar y byd rai blynyddoedd ynghynt yn teimlo rheidrwydd i ddilyn ordors y Cyrnol!

Roeddwn wedi ofni na fyddai'r pysgota cystal yr ail noson ond bu'n llwyddiant mawr ac wrth gwrs, roedd y wledd ar lan yr afon yn ychwanegu at y mwynhad: eog wedi'i fygu a'r trimins i gyd. O, ie, fe gwympodd Rosalynn i'r dŵr a gorfu i'r Cyrnol fynd â hi 'nôl i'r tŷ er mwyn iddi gael bàth a chynhesu ond stori arall yw honno.

Ymhen dwy flynedd daeth Jimmy Carter ar ail ymweliad â Llanio Isaf ond nid oedd ganddo gymaint o amser i bysgota y tro hwn. Daeth Rosalynn i sgwrsio â mi gan ddweud bod y cyn-arlywydd ers tro wedi rhoi ei fryd ar bysgota'r Chalk Streams, sef yr afonydd calchog yn ne Lloegr. Hawdd gweld mai hi oedd yn bennaf gyfrifol am ei amserlen y tro hwn. Nid hawdd oedd cael caniatâd ar fyrder i bysgota afonydd de Lloegr ond yn ffodus roedd gennyf ffrind yn yr ardal, sef Ron Holloway ac fe drefnodd ef inni gael pysgota ar yr afon Itchen sy'n llawn o frithyllod brown braf. Ar yr ail ymweliad hwn sylweddolais fod nifer y swyddogion diogelwch wedi gostwng – un fyddai'n hofran yn y cefndir o hyd. Erbyn hyn roedd sawl blwyddyn ers i Carter adael y Tŷ Gwyn a hwyrach nad oedd gofalu am ei ddiogelwch mor dyngedfennol ag yn y blynyddoedd cynt.

Byddai'r daith i'r Itchen yn cymryd pum awr bob ffordd ond nid oedd hynny'n broblem o gwbwl. Dysgais yn fuan nad oedd Americanwyr yn malio dim am deithio'n bell. Pan oeddwn yn Jackson's Hole rai blynyddoedd yn ôl, cefais wahoddiad i bysgota yn Wyoming ac roedd y daith dros chwe awr. Wedyn, dwyawr o bysgota anhygoel ac yna chwe awr o daith yn ôl! Diwrnod hir ar yr hewl ond i bysgotwr brwd yn werth bob munud.

Roedd yn rhaid gadael Llanio Isaf am hanner awr wedi pump y bore er mwyn bod yn Itchen Abbas ger Winchester erbyn hanner awr wedi deg, lle byddai Ron Holloway yn disgwyl amdanom. Roedd Ron wedi bod yn gipar ar yr afon hyfryd hon am ugain mlynedd a mwy ac yn gwybod popeth oedd i'w wybod am yr afon. Oherwydd fy mod yn ymwybodol bod y daith o'n blaenau mor faith, roeddwn wedi cychwyn o'r tŷ ar frys a heb ymweld â'r tŷ bach yn ôl fy arfer boreol! Dyma gyrraedd Llanio Isaf a'r criw yn disgwyl amdanaf, felly gorfu imi roi'r tŷ bach yng nghefn fy meddwl. Wrth nesu at Gaerfyrddin roedd galwad natur yn gryf ond a allwn ddweud hyn wrth y cyn-arlywydd? Rhaid oedd cadw'n ddistaw a dioddef yn dawel. Awgrymodd rhywun ein bod yn cael hoe wedi i ni groesi afon Hafren a dyna ryddhad – tŷ bach o'r diwedd! Bu'r daith yn y car y bore hwnnw yn un o'r rhai diflasaf erioed i mi. Ers hynny rwy'n rhoi digon o amser i fi fy hun yn y bore!

Cafodd y cyn-arlywydd fwynhad arbennig yn pysgota afon Itchen, yn enwedig y darn o'r afon a elwir yn Cabinet Beat. Ron oedd yn tywys Carter a finne'n gofalu am Rosalynn. Roedd hi'n bysgotwraig dda iawn ac yn well na Jimmy am gyflwyno pluen. Roedd hi mewn hwyliau da am ein bod ni ein dau yn cael gwell canlyniadau na'r ddau arall. Roeddwn wedi amau o'r blaen bod Rosalynn yn well am bysgota na'i gŵr ac fe brofodd hynny ar afon Itchen. Bu tipyn o dynnu coes wedi i mi ddatgan hynny wrth ei phriod!

Roedd y ddau eisiau esboniad ar yr enw Cabinet Beat. Wel, mae'n debyg mai dyma'r rhan o'r afon a bysgotwyd yn rheolaidd gan Lord Grey of Falldon, sef y gweinidog tramor yn 1917, adeg y Rhyfel Byd Cyntaf. Yn ôl y stori roedd Lloyd George, y Prif Weinidog, eisiau cynnal cyfarfod o'r Cabinet gan fod gobaith dod â'r rhyfel i ben. Ateb Lord Grey oedd dweud wrtho'n blwmp ac yn blaen nad oedd ef yn dod o afon Itchen gan ei bod yn dymor y *Mayfly* ac os oedd rhaid cael cyfarfod o'r Cabinet byddai'n rhaid i'r aelodau ddod i lawr i Itchen Abbas i'w gynnal. Mae'n debyg mai dyna ddigwyddodd a bod y Cabinet wedi cwrdd mewn ystafell fach mewn tŷ yn Itchen Abbas. Gelwir yr ystafell hyd heddiw yn *Cabinet Room*.

Ni allaf dystio i hygrededd y stori – mae nifer yn awgrymu ei bod yn 'stori pysgotwyr' arall ac fel y gŵyr pawb, mae llawer o'r rheiny ar lafar gwlad. Dywed ambell bysgotwr fod ganddo ormod o barch at y gwir i'w lusgo i mewn i bob stori! Ond mae rhai ffeithiau sy'n perthyn i'r stori – megis enw'r ystafell ac enw'r darn afon – yn dystiolaeth o ryw fath fod cysylltiad rhwng yr ardal a'r Cabinet ar y pryd. Cafwyd sgwrsio diddorol dros ginio ar lan afon Itchen gyda phawb mewn hwyliau da, wedi cael profiadau bythgofiadwy wrth bysgota'r *chalk stream* fwyaf adnabyddus yn ne Lloegr. Bu cryn drafod am y genweiri ac ati, ac roedd Ron yn berchen ar nifer dda ohonynt ac wedi adeiladu rhai ohonynt ei hun o bren bambŵ o Tseina. Mae adeiladu genwair yn gofyn am sgil arbennig – er mwyn ei chael i blygu'n ystwyth rhaid tapro'r bambŵ yn ofalus o'r bôn i'r blaen.

Wedi cinio cafwyd prynhawn pleserus yn pysgota yn nŵr clir a chroyw afon Itchen ond am bump o'r gloch rhaid oedd ffarwelio â hi a dechrau ar y daith am adref. Roedd y cyn-arlywydd yn cysgu'n drwm cyn pen dim ac fe gafodd y gweddill ohonom gyfle i ymlacio wrth deithio tua'r Fenni lle'r oeddem i swpera yng Ngwesty'r Felin. Yno cafwyd croeso arlywyddol a phryd hyfryd o fwyd. Aeth yr amser yn gyflym iawn ac roedd hi'n ganol nos arnom yn gadael y gwesty. Nid oes unrhyw amheuaeth, roedd gan y cyn-arlywydd stamina diarhebol. Dim syndod felly ei fod yn rhedeg o amgylch Llanddewi-brefi am chwech o'r gloch ambell fore!

Un prynhawn wrth i ni gerdded 'nôl o afon Teifi, cawsom gyfle am ymgom hir – ef yn sôn am ei gyfnod yn y Tŷ Gwyn ac am y tactegau etholiadol sy'n bodoli yn yr Unol Daleithiau a minnau'n cymharu â chyfeirio at yr hyn sy'n digwydd yng Nghymru.

Ar amrantiad penderfynais ofyn iddo a hoffai ddod i ginio a noson lawen o fath yng ngwesty'r *Talbot* yn Nhregaron. Roedd wrth ei fodd! Cafwyd cinio gwych – y *Talbot* yn rhagori gyda phryd o gig oen Cymreig a phwdin reis. Wrth eistedd o gylch y tân wedi cinio, cafwyd noson hwyliog a fu'n llwyddiant a hyfrydwch pur. Bu Ben a'i briod

Eirioes yn canu unawdau a deuawdau, Rhian Dafydd yn canu'r delyn a finne'n arwain y gweithgareddau ac adrodd ambell stori. Dechreuais ganu ac am y tro cyntaf dyma Rosalynn yn ymlacio a chwerthin yn iach. Ymunodd y cyn-arlywydd ac yn sydyn dyma'r ddau yn dechrau canu'r salm *The Lord is my Shepherd* ar ffurf emyn gyda mi. Cawsom gydganu brwd yn yr ail a'r trydydd pennill ond deuawd rhwng Carter a minnau – a minnau'n cloffi! – oedd y pedwerydd, a dim ond un oedd yn canu'r pumed – ie, y cyn-arlywydd ei hun. Roedd y ffordd yr ymunodd y ddau yn yr hwyl yn brawf eu bod yn mwynhau eu hunain. Rhyfedd fel y gall noson fel hyn newid cywair a pherthynas pobl a'i gilydd.

Ymhen blwyddyn roeddwn yn UDA yn pysgota yng Nghwpan y Byd yn Jackson's Hole ac roedd Jimmy Carter wedi bwriadu dod yno i gyfarfod â'r cystadleuwyr ond yn anffodus bu'n rhaid iddo fynd i ran arall o'r byd.

Bu treulio amser yng nghwmni'r cyn-arlywydd yn brofiad mawr i mi ac er yr holl ofidiau cyn yr ymweliad ac ambell broblem ac anhap, mae'r cyfnod wedi ei serio'n y cof ac yn dwyn atgofion melys. Mae Jimmy Carter yn cael y cyfle i bysgota afonydd gorau'r byd ond mae'r ffaith iddo ddod yn ôl i Gymru i bysgota yn dweud llawer am yr hyn sydd gennym ni i'w gynnig.

Uchafbwynt ymweliadau'r cyn-arlywydd oedd y pysgota ond roedd digwyddiadau eraill hefyd yn uchel ar y rhestr – y ci defaid, y noson yn y *Talbot* a'r sgwrsio â phobl cefn gwlad. Ar ei ail ymweliad â Chymru bu yn Abertawe oherwydd cysylltiad y ddinas â Dylan Thomas. Oedd, roedd gan y gŵr hwn ddiddordeb mewn nifer o feysydd ac roedd e'n ŵr gwybodus iawn.

Sylweddolais yn y cyfnod hwnnw mor wir yw'r gred fod brawdoliaeth pysgotwyr yn diddymu ffiniau. Daeth hyn yn fyw iawn i mi pan glywais un o'r criw gwarchod yn dweud wrth eu pennaeth, '*Leave them to it – they're like brothers.*'

Rosalyn a Jimmy Carter yn ymuno yn y canu wedi swpera yn y Talbot.

Ymddeol

Yn 1980, wedi cyfnod o ddeg mlynedd ar hugain fel athro, daeth cyfle i ymddeol yn gynnar. Roedd gormod o athrawon i gyfateb â nifer y disgyblion yn yr ysgolion a chyflwynodd y llywodraeth gynllun i ryddhau athrawon yn gynnar er mwyn gostwng y nifer. Manteisiais ar y cyfle ac felly, yn hanner cant a dwy, cefnais ar fyd addysg yn llwyr. Nid oeddwn yn un am segura a rhaid oedd chwilio am waith arall ar unwaith.

Gwelais hysbyseb yn y papur newydd am swydd ran-amser fel Swyddog Maes i weithio ar gynllun arloesol a gâi ei hybu gan Bwyllgor Celfyddydau Gorllewin Cymru. Y prif amcan oedd adfywio pentrefi gwledig gan ddod â phrofiadau celfyddydol i gyrraedd y bobol. Cyfarwyddwr y cynllun oedd Tommy Scourfield a bûm yn gweithio iddo am yn agos i ddwy flynedd.

Roedd hon yn dipyn o her a chefais fwynhad yn ymweld â nifer o bentrefi gwledig gogledd Ceredigion, cwrdd â nifer o bileri cefn gwlad a chreu syniadau ar sut i fynd ati i greu diddordeb yn y celfyddydau yn y gymdeithas leol.

Dangoswyd diddordeb mewn amrywiaeth o feysydd celfyddydol megis arlunio, crefftau, drama, canu ac ati. Fy swyddogaeth i oedd dod o hyd i'r ffyrdd mwyaf effeithiol o gyflwyno'r math o weithgareddau oedd y cymdeithasau lleol yn debygol o'u cefnogi.

Dangoswyd cryn ddiddordeb mewn dosbarthiadau meistri mewn canu, actio ac arlunio. Byddai arbenigwr yn y maes yn rhoi gwersi i'r rhai dibrofiad a chafwyd cefnogaeth dda i'r syniad newydd hwn.

Roedd dramâu'n apelio'n fawr a chafwyd cydweithio hyfryd rhyngom a chwmni drama'r coleg yn Aberystwyth, gyda myfyrwyr y cwrs drama yn ganolog i'r fenter. Hyfryd, ymhen blynyddoedd, oedd gweld nifer o'r rhain yn serennu ar y sgrin fach gydag actorion megis Nia Caron a Dewi Rhys yn eu mysg.

Defnyddiwyd ysgolion y cylch fel canolfannau i lwyfannu'r dramâu ac fe brofodd hyn i fod yn llwyddiant mawr. Daeth nifer o siaradwyr gwadd i'r ardal i sôn am eu gwaith ac wrth i'r cynllun fynd yn ei flaen roedd y diddordeb i'w weld yn cynyddu. Pan ddaeth fy nghyfnod i ben cefais gynnig swydd llawn-amser gan y cwmni ond am ryw reswm gwrthod wnes i – a difaru wedyn!

Ar daith bywyd deuwn bob hyn a hyn at groesffordd lle mae'n rhaid dewis pa lwybr i'w droedio. Fe gymer amser weithiau cyn inni sylweddoli ein bod wedi dewis y ffordd lai ffafriol, gyda'r sylweddoliad hwnnw'n aml yn dod yn rhy hwyr.

Wedi cyfnod o ryw fis, cefais ar ddeall bod lecsiwn ar y gorwel i Gyngor Sir Ceredigion. Nid oedd ymgeisydd ar gyfer ardaloedd Lledrod a Phontrhydfendigaid a chan fod gen i ddiddordeb, cyflwynais fy enw a chefais fy ethol i wasanaethu'r ddwy ardal. Bûm yn Gynghorydd am wyth

Pysgota'r darn o'r Teifi a gafodd gefnogaeth y Cyngor.

Adeilad y Cyngor yn Aberaeron – rwy'n siŵr iddo gostio ceiniog a dime i ni'r Cardis!

mlynedd ond a bod yn onest, doeddwn i ddim yn Gynghorydd wrth reddf. Er hynny, cefais gyfle i ddysgu am bŵer y Cyngor ac yn fwy fyth am bŵer yr is-bwyllgorau. Dysgais hefyd mor bwysig yw hi i etholwyr fod yn ymwybodol o'r hyn sydd o fewn eu gallu.

Mae'n rhaid i mi gyfaddef nad oeddwn yn un o'r rhai mwyaf selog yng nghyfarfodydd y Cyngor ond roeddwn i yno pan oedd yr amgylchedd neu faterion bywyd gwyllt ar yr agenda, a phan fyddai angen gwarchod buddiannau fy etholaeth yn y Bont a Lledrod.

Roedd hi'n braf derbyn canmoliaeth a chefnogaeth fy nghyd-aelodau pan fyddwn yn traethu ar faterion cymhleth cefn gwlad ac ar brydiau byddai Cynghorydd yn dod ataf i ofyn am gefnogaeth ar fater a oedd o bwys iddo fe. Y cwestiwn cyntaf fyddai: 'Wyt ti'n mynd i'r Cyngor fory? Os wyt ti, a alli di gefnogi'r peth a'r peth?' Roedd hi'n bwysig ystyried y cais ac os yn bosib, ei gefnogi. Roedd pob Cynghorydd yn awyddus i gael cefnogaeth i'w broblemau lleol.

Dysgais wrando'n astud ar ddadl cyn dweud dim, oedi i weld pa ffordd yr oedd y gwynt yn chwythu a cheisio mesur pryd y byddai'r drafodaeth yn dod i ben cyn agor fy ngheg. Roeddwn wedi sylwi bod sylwadau'r Cynghorwyr yn fwy dylanwadol pan oedd y ddadl ar fin cael ei chloi nag wrth gael ei hagor. Tric oedd hwn a brofodd yn reit llwyddiannus i mi ar sawl achlysur ac wrth gwrs, wedi hir drafod mae pawb yn awyddus i'r cyfarfod ddod i ben!

Mae'n rhaid fy mod wedi gwneud rhywbeth i blesio oherwydd fe gefais fy mhenodi'n Gadeirydd Pwyllgor Cyllid y Sir. Nawr, mae swyddi pwysig i'w cael mewn bywyd ond mewn gwirionedd, a fedrwch chi feddwl am swydd – yn y byd ariannol – sy'n uwch na Chadeirydd Cyllid yng ngwlad y Cardis! Nid oedd Ceredigion yn debyg i siroedd Lloegr lle'r oedd mwy o arian na synnwyr. Problem Sir y Cardi oedd ein bod fel pobol â phocedi dwfn ond breichiau byr!

Yn y cyfnod hwn bûm yn pysgota, fel y soniais eisoes, gyda'r cyn-arlywydd Jimmy Carter a rhaid dweud fy mod yn ei chael hi'n fraint cydgerdded ag un o ddynion mwyaf pwerus y byd. Ond wedi meddwl, tybed nad oedd hi'n fraint gyffelyb iddo fe gydgerdded â Chadeirydd Pwyllgor Cyllid y Cardis, a hynny ar adeg pwnc llosg y Treth y Pen bondigrybwyll! Môr tymhestlog fu'r mater hwnnw, credwch chi fi!

Cofiwch na fu twll du yng nghronfa gyllid Ceredigion wedi i mi fod yn y swydd – fel sydd wedi digwydd i'r Deyrnas Gyfunol yn gyfan wedi cyfnod Gordon Brown yn ei swydd yn Llundain! Roeddwn i'n ffodus tu hwnt fod gŵr hynod o effeithiol yn Gyfarwyddwr Cyllid Ceredigion ar y pryd, ac roedd ei arweiniad yn holl bwysig.

Fel sy'n digwydd mewn aml i Gyngor Sir, wrth i'r flwyddyn ariannol ddod i ben bydd arian ar ôl heb ei wario ac os na chaiff ei wario bydd yn mynd yn ôl i bwrs y wlad. Digwyddodd hyn yn fy nghyfnod i ac rwy'n dal i ymfalchïo fy mod wedi medru rhoi cyfran o'r *slippage* ar gyfer codi toiledau yn un o bentrefi mwyaf nodedig y sir.

Hefyd ar y pryd roedd hawliau pysgota ar werth ar afon Teifi. Oherwydd na fyddai modd i'r Cyngor gwblhau un prosiect arbennig cyn diwedd mis Mawrth, byddai'r arian a nodwyd ar ei gyfer yn cael ei golli. Soniais am broblem afon Teifi a throsglwyddwyd yr arian er mwyn prynu'r hawliau ar gyfer clwb pysgota lleol.

Credaf mai doeth fyddai i bob Canghellor y Llywodraeth yn Llundain dreulio cyfnod yng Nghadair Pwyllgor Cyllid Sir y Cardi – byddai'n brentisiaeth wych iddo!

Roeddwn yn Gadeirydd Cyllid pan gyhoeddwyd cynlluniau'r 'Taj Mahal', sef yr enw a roddwyd gan rai ar adeilad newydd y Cyngor Sir yn Aberaeron. Anghofia i byth mo'r diwrnod y dadorchuddiwyd y cynlluniau. Drwy'r bore roeddem wedi bod wrthi'n ceisio dod o hyd i arian ar gyfer cynorthwyo i ddarparu cyflenwad dŵr i ardal yng ngwaelod y sir. Mae sicrhau cyflenwad dŵr yn holl bwysig a theimlwn ddyletswydd i gefnogi'r achos i'r carn. Wedi hir drafod daethpwyd i gyfaddawd a chafwyd ugain mil o bunnoedd tuag at y gwaith. Wedyn trafodwyd cais pentref cyfagos am doiledau. Eto bu dadlau brwd ond ymhen hir a hwyr penderfynwyd neilltuo pum mil ar hugain tuag at y cynllun hwnnw. Roedd pawb yn weddol hapus wrth fynd am ginio.

'Nôl â ni i'r cyfarfod prynhawn. Roedd cynlluniau anferth, tua chwe throedfedd o daldra, wedi cael eu gosod o amgylch yr ystafell. Y rhain oedd cynlluniau'r 'Taj Mahal'! Er mai fi oedd Cadeirydd y Pwyllgor Cyllid nid oedd gen i nac unrhyw Gynghorydd arall syniad bod hyn ar ddigwydd! Sioc enfawr! O'n blaenau roedd dau gynllun – un a fyddai'n costio £1 miliwn a'r llall £1.5 miliwn. Ni chymerwyd fawr o amser i benderfynu ar yr ail.

Gallai'r pentrefi dan sylw yn y bore fod wedi cael cronfa ddŵr gyfan a thoiledau â seddi aur pe gwyddem fod yr holl arian ar gael. Does ryfedd bod dyn weithiau'n troi'n hen sinig! Hyd yn oed heddiw byddaf yn cyffwrdd fy nghap wrth yrru heibio i ambell doiled yn y sir.

Rhan arall o swyddogaeth Cynghorydd Sir oedd gosod tenantiaeth tai cyngor – y 'Cownsil Howsus' bondigrybwyll. Roedd pethau wedi gweithio'n hynod o hwylus yn ystod fy nghyfnod fel Cynghorydd ond a minnau ond rhyw ddeufis yn fyr o ddiwedd fy nhymor ac yn teimlo'n *demob happy*, daeth tro ar fyd.

Roeddwn i newydd osod tŷ i fam sengl a'i merch fach, Cymry glân a fyddai o gymorth i'r ysgol a'r gymdeithas leol. Yna daeth tŷ arall yn wag yn yr etholaeth a dyma gnoc ar ddrws fy nghartref ac yn fy wynebu roedd Saesnes ronc o Lundain. Eglurais fy mod eisoes wedi addo'r tŷ nesaf a ddeuai'n rhydd i deulu o bentref cyfagos, Cymry pur, er na ddywedais hynny wrthi hi. Os do, wel druan â fi. Ni chlywais erioed y fath dafod! Roedd ganddi lond dwrn o 'bwyntiau' ac roedd hi'n fy nghyhuddo o osod y tai i Gymry Cymraeg, yn enwedig pe bai plant gyda nhw, a hynny o flaen pobol anabl a phobol o bant. Oedd unrhyw un yn haeddu'r fath dafod am wasanaethu'r gymuned leol? Ond dyna'r pris y mae'n rhaid i ambell Gynghorydd ei dalu.

Wedi i mi orffen fy nghyfnod fel Cynghorydd daeth nifer o straeon anhygoel i'm clyw. Clywais am un ddynes o Loegr oedd wedi cael tŷ cyngor iddi hi ei hun, un arall i'w rhieni a thrydydd tŷ i'w chariad! Ni chofiaf y manylion ond heb amheuaeth roedd pobol ddŵad a wyddai eu hawliau'n iawn ac a lwyddai i odro Cyngor Sir yn hesb.

Cofiaf eistedd am deirawr mewn cyfarfod yn gwrando ar helynt un teulu – gŵr a gwraig a dau o blant. Roedd y rhieni wedi ysgaru a'r gŵr wedi priodi rhywun arall ond roedd y cyngor yn talu am lety'r ddau. Nawr roedd y gŵr am ddychwelyd at y wraig gyntaf ac roedd am i'r Cyngor sicrhau y byddent yn talu am lety'r ail wraig hefyd. Ni wn a lwyddwyd i ddatrys y broblem gan fod gen i bwyllgor arall i fynd iddo a gorfu i mi esgusodi fy hun ond unwaith eto dyna enghraifft o odro'r system.

Mewn un ardal yn y sir roedd pâr o Lerpwl wedi gwneud apêl am dŷ cyngor yng nghefn gwlad Ceredigion am fod y gŵr yn anabl. Ymhen chwe mis roeddent wedi gwneud apêl am gael newid y tŷ efo'r ferch a oedd yn dal i fyw yn Lerpwl. (Dywed y gyfraith na ellir gwrthwynebu hyn os yw'r ddau yn cytuno.) Felly dyma newid tai. Ymhen deufis roedd tŷ arall o fewn ergyd carreg i'r tŷ gwreiddiol yn wag a dyma'r ddau oedd newydd ddychwelyd i Lerpwl yn gwneud apêl i symud 'nôl er mwyn i'r ferch fedru edrych ar ôl ei rhieni. A do, fe gawsant dŷ! Dau dŷ yng nghefn gwlad Cymru wedi eu rhoi i Saeson o Lerpwl. Ond roedd mwy i ddod, mae'n debyg. Yn ôl y Cynghorydd lleol dyma'r ferch yn dechrau cwmnïa â gŵr sengl ar y stad ac wedi iddi ysgaru oddi wrth y gŵr cyntaf, symudodd ato i fyw a'i briodi. Gosodwyd y tŷ yn enw'r ddau ond ni fu'n hir cyn claddu'r gŵr. Felly mewn ychydig flynyddoedd roedd yr un wraig hon wedi llwyddo i gael tri thŷ ar yr un stad! 'Cofia,' meddai'r Cynghorydd, 'ti a fi sy'n talu am dai'r diawled!'

Bûm unwaith yn eistedd fel Cynghorydd ar drafodaeth ynglŷn â faint y dylid ei dalu am gartref i ŵr a gwraig a oedd wedi ysgaru ond yn dal i fyw yn yr un tŷ! Sgam arall. Ond beth oedd y gyfraith yn ei ddweud?

Daeth fy nghyfnod fel Cynghorydd i ben a hwyrach i mi gael fy meirniadu lawer tro ond gwn i mi ddysgu tipyn am y dulliau dan-din a ddefnyddir gan rai er mwyn cael tai yng nghefn gwlad Cymru. Na, nid yw gwaith Cynghorydd yn fêl i gyd ond ar y cyfan mae gen i atgofion hyfryd o'm blynyddoedd ar y Cyngor ac am y nifer o ffrindiau a wnes yn ystod y cyfnod hwnnw.

Hela

Ers yn ifanc iawn rown i wedi ysu am fod yn berchen ar gi. Ond gorfu i mi aros am flynyddoedd cyn cael un, a'r ci cyntaf hwnnw oedd Rover. Daeth Rover i'm meddiant drwy i mi ffeirio fy nghyllell boced amdano. Rown i wedi cael y gyllell boced gan filwr Americanaidd oedd yn Nhregaron adeg y rhyfel ac er mor hoff oeddwn ohoni, ni feddyliais eilwaith cyn ei thrwco am Rover.

Nid oedd Mam am gael ci yn y tŷ a'r unig le iddo oedd y tŷ bach ar ben yr ardd. Diolch i'r drefn bod Mam wedi cymryd ato'n syth. Yn wir, fe ddaeth yn ffefryn gan bawb o'r teulu.

Mwngrel oedd Rover mewn gwirionedd, ei dad o frid Llwybreiddiwr a'i fam o frid *English Pointer*. Ond o'r cychwyn cyntaf bu'n hynod o ufudd ac yn bwysicach fyth roedd wedi ei freintio â thrwyn godidog. Ci hela wrth reddf felly! Os digwyddai ddod ar draws cwningen neu betrisen yn cuddio mewn drysni byddai'n syllu arni hyd nes iddi godi o'i gwâl.

Gan fod gen i ddryll dwbl baril roeddwn yn cael tipyn o hwyl wrth hela gan fy mod yn cael rhybudd bod rhywbeth yn barod i godi o'i wâl pan welwn Rover yn syllu.

Roedd Rover yn gi

Rover fy nghi cyntaf – bu farw o'r clefyd Hard Pad.

eithriadol o dda ond ymhen rhyw dair blynedd cafodd ei daro gan yr aflwydd *Hard Pad* pan fo'r pawennau'n caledu. Roeddwn yn gofidio cryn dipyn amdano ond ar y pryd yn gorfod mynd ar ran yr undeb yn lleol i Gynhadledd Athrawon yn Blackpool. Fy nghydymaith oedd Robert Thomas o Langeitho.

Un prynhawn wedi i ni'n dau ddiflasu braidd ar y darlithiau hirwyntog dyma benderfynu mynd am dro ar hyd Milltir Aur enwog Blackpool. Digwyddasom weld poster gyda'r geiriau '*Madam Dalby knows everything – a warm welcome to all*'. I mewn â ni lle'r oedd gwahoddiad i bawb ysgrifennu cwestiwn ar bapur a'i osod mewn blwch ar gyfer Madam Dalby. Gofynnais yn syml a oedd fy nghi yn mynd i wella. Pan ddaeth Madam Dalby at fy nghwestiwn, dyma wrando'n astud. Ond aeth iâs oer lawr fy nghefn pan glywais hi'n dweud nad oedd fy nghi yn mynd i wella am ei fod yn dioddef o *Hard Pad*.

Mewn syfrdan mi es allan i'r awyr agored – fyth eto i ddychwelyd i bresenoldeb rhywun a oedd yn gwybod pethau dirgel amdanaf. Ni fûm mor ofnus yn fy mywyd. Wedi cyrraedd adref roeddwn yn falch gweld fod Rover dipyn yn well – ond ymhen pythefnos roedd wedi marw.

Nid oedd esboniad posibl am yr hyn ddigwyddodd yn Blackpool – ond roeddwn wedi fy nghynhyrfu'n lân am fod y cyfan tu hwnt i'm dirnadaeth.

Yn ystod fy mywyd rwyf wedi cadw dros dri dwsin o gŵn o bob brîd ar gyfer hela ac wedi dysgu cryn dipyn o astudio pob un.

Mae yna gred bod dealltwriaeth ci yn hynod o eang. Ond y gwir yw bod mwnci'n llawer mwy clyfar na chi ond bod gan ambell gi ewyllys anhygoel i blesio'i feistr. Rwy'n cofio bod ar faes y Sioe yn Llanelwedd yn sylwebu ar gŵn wrth eu gwaith. Malcolm Price o Sgiwen oedd perchennog y cŵn, sef saith *Labrador* hyfryd eu lliw a'u llun. Roedd ei weld wrth ei waith

Fy mhedwar ci yn mwynhau reid yng nghefn y fan – cyn diwrnod o hela.

yn anhygoel gyda'r cŵn yn gwrando'n astud ar ei lais a'i chwib wrth fynd trwy'u pethau. Yna'n gwbl annisgwyl dyma un ci o'r enw Brandi yn gwrthod ymateb i'w orchymyn. A dyma fi'n esbonio i'r gwrandawyr mai bach iawn yw dealltwriaeth ci – rhywbeth cyffelyb i un plentyn dwyflwydd oed, a bod rhaid cofio hynny wrth eu hyfforddi. Wedi i'r arddangosfa ddod i ben dyma globen o ddynes yn brasgamu tuag ataf a rhoi llond pen i mi. Rhag fy nghywilydd, meddai am ddweud shwt beth am ei chi bach hi. Roedd e'n *house-trained* ac yn ymddwyn yn llawer mwy deallus na phlentyn dwyflwydd. Yn anffodus roedd y meic yn dal ymlaen ac roedd y dorf eang yn clywed y dwrdio. Achosodd hyn gryn hwyl ac am flynyddoedd wedyn byddai rhywun yn siŵr o'm hatgoffa am y sylwebaeth fythgofiadwy honno.

Bob blwyddyn byddai'r ymwelwyr brenhinol yn dod i weld y cŵn wrth eu gwaith.

Y ci olaf i mi ei gadw oedd sbaniel bach hynod o fywiog a hoffus. Un diwrnod neidiodd i ben wal y bont sy'n rhannu

Croesawu'r Frenhines i wylio arddangosfa'r cŵn.

Egluro tasgau'r cŵn hela wrth Ddug Caeredin yn y Sioe Frenhinol.

pentref Bont yn ddau a syrthiodd i'r afon islaw. Ni welais ef
yn disgyn ond cafodd niwed difrifol i'w goes ôl. Mi es ag e'n
syth at y milfeddyg yn Nhalybont ac fe gyflawnodd hwnnw
wyrthiau. Ailosododd y goes ac ymhen rhai misoedd roedd
y ci'n rhedeg a neidio gystal ag erioed.

Ci arall cofiadwy y bûm yn berchennog arno oedd

Driver, sef *German Pointer* brithliw. Roedd hwn eto wedi ei freintio â thrwyn da ac wrth ei fodd yn hela. Daeth i'm meddiant trwy ffordd ddigon annisgwyl. Nid oedd angen ci arna i pan ddaeth y cynghorydd lleol Owen Davies ataf ac ymbil arnaf i gymryd ei gi. Roedd wedi ymosod a lladd dwsin o ieir yn yr ardd y bore hwnnw ac roedd ei wraig wedi'i siarsio i gael gwared â'r ci ar unwaith. Cytunais i'w gymryd ac yna gofynnodd Owen i mi roi chweugain amdano – er mwyn iddo fedru dweud wrth bawb iddo werthu'r ci! Profodd Driver i fod yn gi amhrisiadwy.

Un diwrnod daeth gŵr o Ganada ar ymweliad â'r ardal a threuliais brynhawn yn ei gwmni yn hela cyffologiaid. Dyna oedd ei waith pan oedd adre yng Nghanada ac fe wyddai bopeth am yr aderyn a'i arferion.

Yr arfer yng Nghanada oedd dilyn cyffologiaid wrth iddynt ymfudo o'r gogledd i'r de. Roedd e'n berchen ar bedwar *German Pointer*. Ond dim ond dau fyddai'n hela ar y tro. Byddai'n newid y pâr amser cinio am ei fod o'r farn bod cŵn yn blino wedi rhyw bedair awr o hela caled a bod eu trwynau hefyd yn colli eu heffeithiolrwydd. Stori ddiddorol oedd ei stori ef.

Roedd wedi ffoli ar Driver – gymaint felly fel ei fod yn barod i'w brynu – ond nid oedd ar werth. Yr unig wendid ar Driver oedd bod ganddo gynffon hir. Mae'n arferiad torri cynffonnau Pwyntiwr Almaenig er mwyn eu harbed rhag sgathru'r gynffon wrth iddynt redeg drwy'r drysni. Yn anffodus, byddai Driver yn niweidio'i gynffon ambell waith. Yng Nghanada roedd yn arferiad gan yr helwyr i glymu cloch fach am wddf y ci hela a phan fyddai honno'n distewi byddai'r heliwr yn gwybod bod y ci yn pwyntio ac wedi rhewi ar aderyn. Rhyfedd fel mae arferion hela'n gwahaniaethu o un wlad i'r llall.

Bu treulio amser yng nghwmni Dai Cobler yn Bont yn fodd i mi ddysgu llawer am gŵn ac am hyfforddi cŵn. Roedd

Dai yn berchen ar gi da bob amser ond roedd hefyd yn feistr ar y grefft o'u hyfforddi. Wedi treulio blynyddoedd ym myd cŵn hela a chŵn defaid rwyf yn benderfynol o'r farn bod dysgu ci yn gamp. A dydw'i ddim yn credu bod y bobl sy'n talu arian mawr am gi da wedi ei ddysgu gan rywun arall yn haeddu clod am lwyddiant ei gi pan allan yn y maes.

Ers dyddiau plentyndod bu gen i ddiddordeb mawr mewn hela. Ac er nad ydw i'n hela mwyach, mae'r arfer ledled gwlad mor gryf ag y bu erioed. Er y newid sydd wedi digwydd o ran hwsmonaeth – ffermydd bach yn cael eu huno i greu un ffarm anferth gyda chaeau enfawr di-glawdd – mae yna lecynnau naturiol ar ôl yn llawn coed, mieri, ffosydd a pherthi, llecynnau perffaith ar gyfer hela.

Pan yn grwtyn ysgol, awn yn gwmni i ambell heliwr pan fyddai'n hela cwningod yn y caeau ar gyrion y dre. Ac yna cefais yr hyfdra i ofyn i Mr Jones y cigydd, porthmon oedd yn byw drws nesa ac oedd yn berchen ar ddau filgi, a gawn i fynd â'i gŵn, Sam a Sweep i hela. Cefais ganiatâd, am y byddai hynny, hwyrach yn rhoi cyfle i'r cŵn gael rhedeg yn rhydd. Ond roeddwn i wrth fy modd.

Roedd Sam yn filgi cryf a chwim a Sweep ei fam – er yn llai – yn llawer mwy cyfrwys. Golygai hela cwningod gwato yn y brwyn a'r trash ar hyd caeau Glanrafon. A phan fyddai cwningen yn codi o'i chuddfan byddai'r ddau gi'n rhuthro ar gwrs i'w dal. Sam fyddai bob amser ar y blaen, ond wrth i'r gwningen bleti'n ôl i'w osgoi byddai Sam yn colli'r cwrs. A dyna lle byddai Sweep yn dod i'r fei a dal y gwningen, fyddai erbyn hyn wedi colli'i mantais drwy wyro nôl a blaen ar draws y ddôl.

Cofiaf fynd â'r milgwn mor bell â bryniau Ffair Rhos, chwe milltir a mwy o Dregaron i gwrso sgwarnogod. Ac unwaith yddai sgwarnog yn codi o'i gwâl fe âi'n ras go iawn. Y sgwarnog fyddai'n ennill gan amlaf, yn enwedig os y gwnâi ddilyn llwybr defaid.

Un o'r pleserau mwyaf wrth hela yw gwylio ci da wrth ei waith, ac felly roedd dewis ci addas yn hanfodol bwysig. Roedd cŵn o frîd Sbaniel, Labrador neu Bwyntiwr yn ddelfrydol. Gan amlaf byddwn yn cadw dau neu dri chi a ystyriwn yn gŵn da. Ond tybed a'i gwir y dywediad 'Tebyg i ddyn fydd ei lwdwn', gan fod mwy nag un wedi profi braidd yn benstiff ar brydiau!

Anodd credu heddiw, ond pan yn dair-ar-ddeg oed prynais ddryll dwbwl baril gyda'r arian a wnes o werthu cwningod. Dyna ffordd wych o gael arian poced! Gyda'r dryll dan fy mraich a'r cŵn wrth fy sodlau byddwn yn mynd i hela cwningod, hwyaid gwyllt a phetris.

Roeddwn wedi bod yn hela cwningod gyda ffured a milgwn ers rhai blynyddoedd – roedd hynny cyn i glwy'r *Myxamatosis* ledu drwy'r wlad. Gŵr o'r enw Jac Fronfelen oedd am werthu ei ddryll ac roedd wedi dod â'r arf gydag ef i'r gweithdy er mwyn ceisio taro bargen. O glywed y trafod yn y gweithdy deallais ei fod yn ddryll purion – y bareli'n lân a di-rwd. A dyma godi fy niddordeb. Roeddwn i'n ddigon gwirion i gredu, gan mai Jac oedd y perchennog gwreiddiol, y byddai'r dryll yn dda am saethu! Wedi i mi ddangos diddordeb dyma Isaac yn fy nghymell a'm cynghori i'w brynu. Anodd credu erbyn heddiw bod crwt tair ar ddeg oed yn cael ei annog i brynu dryll – ond dyna fu.

Aeth Isaac y crydd â mi allan am wersi a chofiaf fynd i saethu ar gaeau sofl Trecefel am chwech o'r gloch y bore er mwyn cael cynnig ar y petris cyn iddynt hedfan i ffwrdd. Wedi'r troeon cyntaf yng nghwmni Isaac byddwn yn mynd ar fy mhen fy hun i hela yn yr eithin ar ben Pica Bach, sef bryncyn uwchben Tregaron.

Roedd Isaac yn saethwr gwych, a gydol ei oes bu'n berchen ar gi hela. Ei gydymaith fyddai Llew Gof, saethwr gwych arall. Byddai Dafis y Crydd yn saethu gyda Ted Sewel, perchennog siop sadler y dre – dau saethwr brwd –

ond heb fod yn saethwyr cywir iawn. '*Hopeless*' oedd barn Llew Go amdanynt ac ychwanegai na allai un o'r ddau 'saethu tas wair mewn pasej'!

Wrth gwrs roeddwn wedi dechrau hela a saethu rhyw flwyddyn yn gynharach, ac wedi cael yr hyfforddiant angenrheidiol yn Academi Dôl Dre, sef gweithdy'r crydd. Roeddwn wedi bod yng nghwmni aml i heliwr profiadol yn hela petris a chwningod ac felly wedi cael hyfforddiant trwyadl ar sut i drin y dryll.

Wrth i'r blynyddoedd fynd rhagddynt, roedd hela'n dal yn rhan bwysig o'm bywyd a byddwn wrth fy modd yn astudio arferion gwahanol adar. Un aderyn a ddaeth yn ffefryn oedd y cyffylog a fyddai'n mewnfudo mewn niferoedd mawr i ddalgylch Tregaron bob gaeaf. Deallais ei bod hi'n arferiad gan y cyffylogod bob gyda'r nos i hedfan o redyn a choedwigoedd y bryniau cyfagos i fwydo yng ngwlypdir glannau'r afon. Cefais dipyn o hwyl yn ceisio'u saethu wrth i mi ddisgwyl yr hwyaid a'r corhwyaid i hedfan mewn i byllau dŵr ar lan y Teifi.

Cyfeirir at Awst y deuddegfed fel y '*Glorious Twelfth*' – dechrau tymor saethu grugieir – a rhaid oedd bod allan ar fynyddoedd grugog y canolbarth yn eu cwrso. Weithiau byddwn yn dod ar draws haid o rugieir ac yn llwyddo i gael un neu ddwy ond bryd arall byddwn yn methu saethu'n gywir. Ac unwaith y byddech wedi tanio atynt a methu, anodd fyddai dod o fewn ergyd iddyn nhw wedyn. Cerddais filltiroedd ar filltiroedd yn hela grugieir ond pe bawn yn mesur fy llwyddiant byddai'n gweithio allan rhyw un aderyn bob deng milltir.

Fy hoff aderyn oedd y betrisen ond yn anffodus mae'r adar hyn wedi prinhau'n aruthrol erbyn heddiw. Mae'n debyg mai colli cynefin sy'n bennaf gyfrifol am hyn er fy mod o'r farn nad yw dyfodiad y minc – sydd erbyn hyn wedi lledaenu dros Gymru gyfan – wedi bod o unrhyw help i adar y ffosydd a glannau'r afon. Creadur mileinig yw'r minc a'i fryd ar ladd pob peth o fewn ei allu. Nid oes amheuaeth nad yw'r minc wedi gwneud difrod mawr i adar sydd yn nythu ar y ddaear.

Cofiaf yn dda yn y pedwar degau fynd ben bore yng nghwmni Isaac y crydd i hela ar gae sofl y tyddynnod ac yn cael pâr o betris cyn mynd i'r ysgol. Lle da arall i hela petris oedd yn y rhannau o'r cae lle byddai tato a maip yn cael eu tyfu.

Colled fawr fu colli'r betrisen Gymreig ond yn ffodus mae'r cwmnïau sydd heddiw'n rhedeg ffermydd saethu yn magu petris Ffrengig, er nad ydynt cystal adar ar gyfer y ford nac i'w hela, â'r hen betrisen Gymreig.

Cofiaf Nhad yn adrodd hanes amdano yn anafu petrisen ac iddi, er hynny lwyddo i fagu nythaid o gywion braf. Gan mai gweithiwr rheilffordd oedd Nhad, rhan o'i waith oedd cadw'r trac yn glir. Un diwrnod wrth bladuro'r borfa bob ochr y trac, sylweddolodd gyda chryn ofid bod ei bladur wedi torri drwy goes petrisen oedd â'i nyth ynghudd yn y borfa hir. Roedd deg o wyau yn y nyth a thrwy ryw ryfedd wyrth llwyddodd yr aderyn uncoes i fagu'r nythaid. Hyfryd fu gweld y deg yn cymryd adain a hedfan i ffwrdd. Ym marn Nhad, y betrisen oedd y fam orau o holl adar gwyllt y byd.

Mae yna hen ddywediad sy'n dweud:'Iachaf cig, cig petrisen' ac nid wyf yn anghytuno â hyn, a phob Nadolig rwy'n ceisio sicrhau bod yna bâr o betris gogyfer â'r bwrdd cinio.

Byddwn yn mwynhau mynd allan gyda'r nos i geisio saethu hwyaid gwyllt. Fy nghydymaith ar yr adegau hyn oedd fy ffrind, Ben Jones, Prifathro Ysgol Llangeitho. Ein cyrchfan gan amlaf oedd Cors Llanio ac wrth i ni aros yn amyneddgar i'r hwyaid hedfan i mewn byddem yn trafod pob math o bethau. Fel Cynan yn ei gerdd i'r Teifi wrth sôn am ei gyfeillgarwch ef a Wilbert Lloyd Roberts – 'sawl cyfrinach, cyfeillach a fu' rhwng Ben a minnau ar yr adegau hynny.

Nid oedd y naill na'r llall ohonom yn saethwr da, er rhaid cyfaddef bod Ben yn well na fi. Yr hyn oedd yn apelio fwyaf oedd gweld y corhwyaid yn hedfan mewn tua'r gors fel awyrennau chwim ac yna, o glywed taniad y dryll yn hedfan yn syth lan i'r awyr. Weithiau byddai llwyddiant, ond gan amlaf adre'n waglaw byddem yn mynd ein dau.

Roeddem ein dau yn cadw cŵn at y gwaith o gyrchu'r adar – ac er na fyddent yn ddigon da i ennill gwobr mewn treialon cŵn hela, byddai'r ddau yn cydweithio'n hyfryd. Roedd gast Labrador eithriadol o dda gan Ben ac fe fyddai hi'n gweithio mewn cytgord perffaith â'r Pwyntiwr oedd gen i. Dau anifail wedi eu breintio â thrwynau da a synnwyr cyffredin.

Roedd nifer o saethfeydd o gwmpas yr ardal ac ymhen hir a hwyr cafwyd perswâd arnaf i ymuno. Felly nawr roedd galw am dalu am y fraint o saethu ffesantod a oedd yn cael eu

Anya'r Labrador yn gorffwys wedi diwrnod o hela grugieir yng Nghwmystwyth.

magu gan gipar. Cymerais ran mewn saethfeydd yn Llanilar, Mynachdy ger Cilcennin a Maesycrugiau, a chael amser da ymhob un.

Ymunais â saethfa Mansel Jones yn y Mynachdy pan oedd y fenter yn cael ei sefydlu a bu'n brofiad gwych. Yn anffodus ymhen pedair blynedd aeth y gost aelodaeth allan o'm cyrraedd. Roedd cynnydd yn nifer y ffesantod magu yn cael ei adlewyrchu ym mhris aelodaeth y clwb ac ni allwn weld fy ffordd yn glir i dalu'r chwe chan punt angenrheidiol. Ac er i aelod arall fod yn ddigon caredig i gynnig talu fy siâr, ymadael fu raid.

Saethfa ddiddorol arall y bûm yn aelod ohoni oedd yr un ym Maesycrugiau lle'r oedd hwyaid, ffesantod a giachod yn cael eu cadw. Chwech o feddygon o Ysbyty Treforys oedd y prif aelodau ac roedd y gwmnïaeth yn un hwyliog tu hwnt, yn enwedig amser cinio pan fyddai pawb yn cyfnewid storïau.

Saethfa Llanilar oedd y drydedd y bûm yn gysylltiedig â hi. Anthony Bevan oedd yn gyfrifol am y gweithgareddau ac roedd popeth yn cael eu trefnu'n broffesiynol iawn. Fel y gŵyr pob saethwr, bernir ansawdd ffesantod yn ôl pa mor uchel y byddent yn hedfan. Ac yn Llanilar byddent yn hedfan mor uchel fel eu bod nhw'n ymddangos fel 'Smarties' yn yr entrychion!

Wedi i mi ddioddef trawiad ar y galon yn 1987 cwtogwyd ar fy hela oherwydd na allwn gerdded yn bell, yn enwedig ar foreau oer, barugog. Er hyn, medrwn fynd allan i'r goedwig gyfagos gyda'r nos i ddisgwyl i'r sguthanod ddychwelyd i glwydo. Profodd hwn yn ddull hyfryd o saethu, a hynny heb orfod cerdded llawer.

Er hyn, daeth yr amser pan fu'n rhaid hongian y drylliau yn y nenfwd. A da yw medru dweud na fu'r profiad mor boenus ag yr ofnwn. Treuliais y gaeaf yn pysgota yn Seland Newydd ac felly torrwyd fy nghysylltiad â'r helfeydd a fu'n gymaint rhan o'm bywyd. Roedd eraill wedi camu i'r adwy erbyn i mi ddychwelyd – a doedd yr hen awch a'r blys am hela ddim yno mwyach.

Erbyn hyn mae saethu wedi mynd yn gostus iawn a rhaid talu o leiaf ddau i dri chan punt am ddiwrnod o saethu ffesantod. A chymaint yw'r diddordeb fel bod meibion a merched yn cymryd rhan bellach. Mae'n ddull arbennig o hela ac yn dod â llawer o gyllid i gefn gwlad bob gaeaf.

Fel helwyr fe fyddem yn chwilio lleoliadau gwahanol i hela ac, un tro, cafodd fy ffrind Gilbert Jones o'r Cei – pysgotwr a heliwr brwd arall – wahoddiad i ardal Cwmtydu a Llangrannog i hela, ac fe'n croesawyd yno gan yr hynaws Tydfor.

Ni fu'r helfa'n un lwyddiannus ac ymhen rhyw dridiau roedd yr englynion yma yn y post i ni.

Englynion Cyfarch i'r ddau heliwr –
Moc Morgan a Gilbert Jones
(a ddaethant un Sadwrn i hela ar diroedd
y Cilie a Gaerwen)

Ar sgowt daeth dau heliwr sgwâr – un hydref
    I edrych am adar,
  A'u cŵn, ben bore cynnar,
  O'r Cei yn eu Daimler-car.

Ond dratio wedi'r trotian – ymadael
    Yn siomedig wnaethan
  Mewn brys – a dim namyn brân
  Eu saig eithaf – a sguthan!

A chyn hir am loywach nen – ac o'r foel
 Heb argoel gwell bargen
 Ac o'r rêp draw i Gaerwen
 Troesant heb weld petrisen.

Ac yno ni bu'n amgenach – arnynt
 Pan chwyrn hedodd gïach
 Fry o'i anwel wâl frwynach
 Ar ffo a ffletio fel fflach.

Gan bwyll heb egni bellach – ciliasant
 O'r clos adre'n llegach
 Ac o'r antur gan grintach
 Mewn siom heb gêm yn y sach.

Aflwydd, er cael sawl cyfle – fu hela
 Ar hen foel y Cilie;
 Iddynt boed heb ddiodde
 Well llwydd tro nesa'n y lle.

Ben yn hela ger Llangeitho.

Cawio

Fy hoff englyn heb unrhyw amheuaeth yw un Dewi Emrys i'r pysgotwr am ei fod yn diffinio i'r dim beth yw gwir apêl pysgota:

> Cilio draw wedi'r gawod – i wynfyd
> Cymanfa'r mwyalchod
> Wrth afon fyw, byw a bod
> A thwyllo hen frithyllod.

Mae'r llinell olaf yn drawiadol iawn ac fel y gŵyr pob pysgotwr, dyna'r gamp – twyllo'r pysgodyn i gymryd yr abwyd ac ni ellir twyllo'r un pysgodyn os nad oes efelychiad lled gywir o'r pryfed mae'r pysgodyn yn arfer bwydo arnynt ar y blaenllinyn.

Mae clymu plu neu wisgo plu pysgota yn grefft hynafol iawn ac roedd Dewi Emrys nid yn unig yn bysgotwr penigamp ond hefyd yn gawiwr o fri. Cawiwr yw rhywun sy'n cawio, sef y gair Cymraeg cywir am y grefft o glymu plu pysgota.

Rhyw ddeng mlwydd oed oeddwn i pan sylweddolais bwysigrwydd clymu plu, neu gawio. Roeddwn i yn nhŷ Dai Lewis pan glywais e'n galw ar ei ffrind, Jac Coedygof: 'Rho'r tegil 'na ar y tân – ma' ise i fi glymu disen o ffleis i Dai George.' Roedd Dai George ar fin cychwyn am ddiwrnod o bysgota ac arno angen dwsin o blu o ryw batrwm arbennig a Dai oedd yn eu clymu. Tân agored oedd yn nhŷ Dai a byddai'r tegil yn cymryd rhyw ddeng munud i ferwi. Yn ystod y deng munud hynny byddai Dai wedi cawio deg o blu pysgota – anghredadwy!

O dan ffenest fach y parlwr yr oedd bwrdd cawio Dai. Ni fyddai'n defnyddio feis gan mai cawio yn ei ddwylo y byddai bob amser: dal y bachyn rhwng bys a bawd y llaw chwith, a'r llaw dde'n troi fel troell wrth i'r edau fain rwymo'r plu a'r ffwr wrth y bachyn. Yna selio'r cwlwm terfynol gyda dabyn bach o gŵyr crydd, er mwyn gwneud yn siŵr na fyddai'r cwlwm yn datod. Ie, cŵyr crydd – dyna gyfrinach fawr Dai. Nid yw'r cŵyr gwenyn a ddefnyddir heddiw hanner mor effeithiol.

Gwylio Dai yn clymu amrywiaeth o blu pysgota wnaeth gynnau fy niddordeb oes yn y grefft o gawio ac fel Dai, yn fy nwylo y byddaf inne'n cawio, heb yr un feis ar gyfyl y lle. Mae hanes cawio yng Nghymru yn mynd yn ôl ganrifoedd ac erbyn heddiw gellir cyfri'r gwahanol batrymau plu pysgota nid yn eu degau ond yn eu cannoedd. Er bod cyfeiriadau at greu plu pysgota mewn dogfennau o'r Oesoedd Canol a bod y pen bardd, sef Dafydd ap Gwilym wedi cyfansoddi cerdd i'r eog 'nôl yn y bedwaredd ganrif ar ddeg gan gyfeirio ato fel y 'cilionwr', y llyfr cyntaf sy'n cadarnhau bod y grefft yn bodoli oedd llyfr Dame Juliana Berners yn 1496, sef *A treatyse of Fysshyng with an Angle*. Ynddo mae hi'n dweud:

> *Fishermen get the better of the fish by their fisherman's craft. They fasten red wool round a hook, and fix on to the wool two feathers which grow under a cock's wattles, and which in colour are like wax. Their rod is six feet long, and their line is the same length. They throw their snare, and the fish – attracted and maddened by the colour – come straight at it.*

Wn i ddim a oedd hi'n abades ond roedd ganddi gyswllt â'r mynachlogydd ac mae'n debyg i'w llyfr gael ei ddosbarthu i fynachlogydd gan gynnwys Ystrad-fflur, Tyndyrn a Glyn y Groes ac roedd hi'n wybyddus bod y mynachod yn dal pysgod.

Roedd yn 1820 cyn i 'The Fly Fisher's Legacy' gan George Scotcher o Gas-gwent gael ei gyhoeddi, sef y llyfr cyntaf ar gawio yng Nghymru. Yn 1899 cyhoeddwyd y llyfryn cyntaf yn y Gymraeg am blu pysgota, sef *Llawlyfr y Pysgotwr* gan William Roberts o Fethesda, Dyffryn Ogwen ac mae'r enwau ar y patrymau nid yn unig yn hudolus ond hefyd yn eu disgrifio i'r dim, e.e. 'pluen ddu flaengoch ar gorff clust sgwarnog', 'petrisen liwgar ar gorff lliw gwin' ac 'aden iâr ddŵr ar gorff paun a thraed du-flaengoch'.

Dengys y disgrifiadau hyn mai plu, ffwr a gwlân oedd y prif ddefnyddiau angenrheidiol ar gyfer creu plu pysgota ond erbyn heddiw mae pob math o ddefnyddiau synthetig ar y farchnad i ateb gofynion y cawiwr.

Fe ddysgais i'n gynnar, os oeddwn am fod yn bysgotwr go iawn, bod gofyn i mi fedru darllen yr afon a'i deall yn ei chyfanrwydd. Mae hynny'n cynnwys y bywyd o'i mewn – nid yn unig y pysgod ond cylch bywyd pob creadur a phryfetyn sy'n byw ynddi gan mai'r rheiny yw bwyd y pysgod.

Fel plant ym mhob man fe fydden ni, fechgyn Tregaron, yn bracso a chwilotan yn y nentydd a'r afonydd byth a beunydd ac o droi'r cerrig byddem yn darganfod yr amrywiaeth o greaduriaid oedd yn byw oddi tanynt. Bob gwanwyn byddai'r afon yn bywiocáu – y creaduriaid yn cenhedlu a dodwy wyau, y rheiny'n deor neu'n ffurfio crysalis cyn newid yn bryfed prydferth a hedfan i ffwrdd. Mae cylch bywyd y creaduriaid a'r pryfetach hyn yn anhygoel ac o ddiddordeb mawr i unrhyw naturiaethwr a physgotwr.

Gan mai'r rhain yw bwyd y pysgod, dyna'r her i bob pysgotwr pluen a phob cawiwr, sef creu pluen i efelychu pob pryfyn yn eu tro, gan mai pysgota gydag abwyd artiffisial yn hytrach nag abwyd byw yw pysgota pluen. I mi does dim pysgota tebyg i bysgota pluen – yn enwedig gyda phluen yr wyf i fy hunan wedi'i chreu.

Yng nghwmni'r awdur toreithiog ar bysgota sewin ac eog, sef Hugh Falkus, a rhaid cydnabod i mi ddysgu llawer yn ei gwmni.

Mae'n rhaid i bob cawiwr gael stôr o ddefnyddiau priodol wrth law. Yn y 1950au-60au, pan ddechreuais i gawio o ddifri roedd digon o ffwr cwningod, sgwarnogod, wiwerod, gwahaddod neu blu ieir, ceiliogod, petris, cyffylog, piod a hyd yn oed regen yr ŷd ar gael – dim ond o chwilio a gofyn yn y lle iawn. Pan oeddwn i'n dysgu yn Nhregaron a'r Bont byddai bron pob fferm a thyddyn yn cael ffowlyn i ginio Sul ac fe fyddai'r plant yn dod ag ambell war iâr neu geiliog i mi i'r ysgol ar fore Llun a finne'n dethol y plu gorau ar gyfer cawio. Roedd peth tebyg yn digwydd gyda ffwr, gydag ambell glust neu gynffon cwningen neu wiwer yn glanio ar ddesg yr athro! Rhaid cyfaddef y byddai cryn ddrewdod ond beth yw ychydig ddrewdod pan fo crefft ar waith?!

Fel ym mhopeth, mae gwahaniaethau rhwng un peth a'r llall a choeliwch neu beidio, mae yna wahaniaeth rhwng plu a phlu, gan ddibynnu ar frid yr iâr neu'r ceiliog. Byddai cael gwar ceiliog gan Dafydd Moses, Fferm y Cyrtau yn plesio'n fawr am fod Dafydd yn cadw ceiliogod o frid *Cree* – ffowls â phlu brith prydferth dros ben, yn berffaith ar gyfer twyllo brithyll afon Teifi!

Roedd fy niddordeb mewn cawio'n cynyddu o dymor i dymor. Fe fyddwn yn darllen llyfrau a chylchgronau ac yn astudio plu pysgota ac wrth fy modd yn ymchwilio i hanes y grefft yng Nghymru. Byddwn yn ymweld â llyfrgelloedd ac amgueddfeydd a'r cyfan yn rhoi gwefr aruthrol i mi. Wrth gwrs, roedd pob afon ac ardal a rhanbarth â'u cyfrinachau. Roedd y lliwiau a'r defnyddiau o'r diddordeb pennaf ac fe fyddwn wrth fy modd yn ail-greu neu'n efelychu pob patrwm a welwn ar fy nheithiau.

Byddwn bob amser yn cadw llygad agored am iâr neu geiliog â phlu o liw anarferol. Rwy'n cofio unwaith hela yn ardal Pen-uwch pan welais geiliog o liw llechen rydlyd yng ngardd rhyw ddyddyn. Roedd yr aderyn wedi ei amgylchynu â thyrfa o ieir ond roedd e'n sefyll mas o'r crowd! Doeddwn i erioed wedi gweld ceiliog â phlu mor berffaith a phenderfynais ei brynu. Rhoddais gnoc ar y drws ond doedd neb gartre.

Ffowls yn crafu ar ben domen – golygfa wrth fodd pob cawiwr.

Doedd dim amdani ond gofyn i bostmon yr ardal holi'r deiliad faint oedd hi am ei godi am y ceiliog? Dywedodd yr hoffai ymgynghori â ffrind a'r wythnos ganlynol dywedodd ei bod yn gofyn pedair punt amdano. Gan fy mod wedi clywed porthmyn yn bargeinio am wartheg, dyma fi'n cynnig teirpunt iddi ond gwrthod wnaeth hi gan ddweud bod ei ffrind yn ei chynghori i ofyn am ragor. Wedi rhyw ddeufis o drafod, fe gododd y pris i ddegpunt! Doeddwn i ddim yn medru coelio'r peth. Fodd bynnag, roeddwn wedi rhoi fy mryd ar yr aderyn ac fe dalais ddegpunt i'r postmon i'w roi i'r fenyw gan ddweud y byddwn yn casglu'r ceiliog y nos Wener ganlynol. Cyrhaeddais y tyddyn tua phump o'r gloch ond gan ei bod hi'n ganol mis Tachwedd roedd hi'n dechrau nosi. Agorwyd y drws ac fe eglurais fy mod i yno i gasglu'r ceiliog. 'Iawn,' meddai'r wraig 'ond bydd yn rhaid i chi fynd i'w nôl. Mae e wedi mynd i glwydo yn y goeden ar waelod yr ardd.' I mewn â hi i'r tŷ gan gau'r drws yn glep!

Dyma fynd i lawr yr ardd a chyda'r postyn lein ddillad yn fy llaw ceisiais ddenu'r ceiliog i lawr o'r goeden. Cafodd y boi pluog ofn a hedfanodd dros glawdd yr ardd i'r cae dan tŷ a rhedeg nerth ei draed i mewn i'r gwyll – a finne ar ei ôl! Dyna beth oedd cwrs. Ond da medru dweud i mi lwyddo i'w ddal ac i ni gyd-fyw'n hapus – a'r plu wedi harddu cannoedd o blu pysgota!

Ymhen rhai wythnosau deallais mai'r 'ffrind' fu'n cynghori'r perchennog ar y pris oedd cyfaill agos i mi, sef Dafydd Edwardes Pen-uwch. Roeddwn droeon wedi rhoi reid i Edwardes a'i gyfeillion Dafydd Morris Jones a Frank Owen i ffeiriau cefn gwlad – nifer ohonynt yn Lloegr. Am ryw reswm nid oedd lle i Edwardes pan aeth y car i'r ffair nesaf! A oeddwn ar gam wrth fwynhau talu'r pwyth yn ôl? Chwerthin llond ei fol wnaeth Edwardes!

Gymaint fy mrwdfrydedd am yr hen gelfyddyd o gawio fel i mi benderfynu cynnal dosbarthiadau nos ar y grefft.

Roedd cryn ddiddordeb ledled y wlad mewn clymu plu a bûm yn cynnal dosbarthiadau nos yn Nhregaron, Aberystwyth, Llanbed, Aberteifi, Aberaeron, Llanddewi-brefi, Llandeilo a Chaerfyrddin. Credaf iddynt oll fod yn llwyddiant gan fod yr adborth bob amser yn galonogol.

Roedd pob dosbarth yn wahanol oherwydd yr aelodau a'u cyfraniadau nhw. Byddwn yn paratoi'n drwyadl gan ddewis rhyw ddwsin o blu i'w clymu dros y deuddeg wythnos o gwrs. Byddai'r gwersi'n dechrau gyda chyflwyniad byr o hanes a chefndir y pryfyn y byddwn yn ei efelychu wrth gawio, e.e. y coch-a-bonddu neu'r alder. Wedyn fe fyddwn i'n arddangos gam wrth gam sut i'w chlymu cyn cael y dosbarth i weithio fel unigolion.

Un o'r disgyblion yn fy nosbarth yn Aberaeron oedd y diweddar Dan Evans, pysgotwr o fri a gŵr uchel iawn ei barch. Roedd e'n llawn hiwmor ac yn cadw pawb i fynd gyda'i jôcs. Er iddo wrando'n astud ar fy nghyflwyniadau wythnosol a'm gwylio'n clymu pob pluen, pan âi 'nôl i'w ddesg byddai'n clymu'r dwsin a mwy o'r un bluen bob

Plant ifanc yn dysgu'r grefft o gawio.

wythnos, sef y bwtsier. Roedd hon yn bluen oedd yn sicr o ddal sewin ar afon Aeron a chyn pen fawr o dro roedd gweddill y dosbarth yn ei ddilyn gan glymu dim ond y bwtsier!

Y cymeriadau oedd yn gwneud y dosbarthiadau ac fe gefais gryn hwyl yn y dosbarth oedd gen i ym Maenordeilo ger Llandeilo. Câi ei gynnal yn yr ysgol gynradd – ta shwt oedd yr aelodau'n medru gwasgu y tu ôl i'r desgiau bach – ond dyna fel yr oedd hi bryd hynny. Un o'r aelodau oedd John Evans, gŵr â llais main, uchel ac o'r herwydd ei lysenw yn yr ardal oedd John Sgrech. Roedd gan John stoc dda o blu ceiliogod a byddai weithiau'n dod â cheiliog, gŵydd neu hwyaden gydag e i'r dosbarth mewn basged. Cofiaf un noson iddo ddod â dau geiliog i'r dosbarth, noson pan oeddwn i wneud rhaglen deledu am weithgareddau'r dosbarth cawio. Rhoddodd y ddwy fasged ar ford yr athro a dyma'r ddau geiliog yn penderfynu canu deuawd. Dyna beth oedd sŵn a'r ddau am daro'r nodau uchaf. Roedd y dyn camera yn ei seithfed nef yn cael lluniau hyfryd o bobol yn cawio – ond am y dyn sain, druan ohono! Roedd cael y lefel sain yn amhosib gan fod y ddeuawd yn torri ar draws popeth gyda'u synau hunllefus! Er hynny, pan ddarlledwyd y rhaglen roedd hi'n gwbwl dderbyniol ac atgofion hyfryd yn dod yn ôl am y noson ryfeddol honno. Hwn oedd y dosbarth hapusaf i mi ei arwain erioed ond gan fy mod i'n cawio plu sewin, sef fy hoff bysgodyn, roeddwn innau hefyd mewn cywair gwell na'r cyffredin!

Pan drefnais ddosbarthiadau nos Caerfyrddin, gwnes gamgymeriad mawr sef ceisio gwasgu gormod i mewn i un sesiwn nos o bedair awr. Roedd tri dwsin yn mynychu'r dosbarth ac roedd cael digon o ddefnyddiau ar eu cyfer a rhoi digon o amser i helpu pob unigolyn bron yn amhosib. Wrth deithio adre roedd y migren oedd yn fy nharo'n aml bryd hynny'n ofnadwy o boenus. Fodd bynnag, mae dyn yn dysgu rhywbeth newydd o hyd ac ni fu gen i fwy na phymtheg mewn dosbarth ar ôl hynny, heb fod un sesiwn yn para mwy na dwyawr.

Bûm hefyd yn beirniadu ceiliogod mewn Ffair Ffowls Nadolig yn Llanybydder. Nid yn aml y cewch chi fathodyn 'Beirniad Ceiliogod' ond dyna fe, a'm gwaith oedd penderfynu pa geiliog oedd â'r plu gorau ar gyfer cawio. Treuliais y bore'n beirniadu ac wedi rhoi'r garden goch i geiliog brithliw crand, i ffwrdd â fi i ginio. Pan ddeuthum yn ôl yn y prynhawn roedd y gynulleidfa wedi cael mynediad i'r sioe a dyna sioc o weld bod rhywun wedi symud y cerdyn coch a'i roi i geiliog digon gwantan yr olwg. Allwn i wneud dim am fod perchennog y ceiliog yn sefyll wrth ei ymyl ac yn ymfalchïo yn ei lwyddiant. Yn y gornel roedd criw o bysgotwyr lleol yn gwylio fy ymateb i'r sefyllfa. Ie, dyna ddrygioni a hiwmor cefn gwlad ar ei orau!

Roeddwn o'r farn bod cawio yn grefft arbennig a bod y patrymau cywrain o waith pysgotwyr cyffredin yn werth eu rhoi ar gof a chadw. Roedd y gwŷr bonheddig ers y cychwyn yn prynu eu plu pysgota oddi wrth gwmnïau mawr megis *Hardy's* a *Farlow's* ond fe fyddai'r cawiwr gwledig yn creu ei blu ei hun ac weithiau'n ceisio efelychu'r rhain. Roedd hyn yn digwydd gyda Dai Lewis. Rwy'n cofio Wncwl Dan yn prynu ambell bluen mewn siop dacl yng Nghaerdydd a dod â nhw i Dai Lewis. Ni fyddai Dai'n hir yn eu hastudio, eu datod a chreu un o'r newydd ar gyfer pysgota afon Teifi.

Gydag amser cefais fy nghymell gan gyfaill, sef Lynn Hughes o Landeilo, i droi fy ymchwil yn llyfr ac yn 1984 cyhoeddwyd y gyfrol *Fly Patterns for the Rivers and Lakes of Wales*. Lynn ysgrifennodd y rhagarweiniad ac mae fy nyled yn fawr iddo am ei gyngor a'i arweiniad parod.

Da yw gallu dweud bod yna ddiddordeb cynyddol yn y grefft o gawio ac erbyn hyn mae canran helaeth o'r plu ieir a cheiliogod a geir yn y siopau tacl yn cael eu mewnforio o India a Tsieina. Mae'r siopau tacl yn gofyn deugain punt a mwy am *war jungle cock*. Mae hi'n bluen hardd a'r cawiwr yn ei thrysori'n fawr.

Pysgotwr a chawiwr nodedig o Gymru oedd Pryce Tennant o Fachynlleth. Roedd yn arbenigo mewn cawio plu pysgota eog. Rhoddodd ei fryd ar ddysgu gymaint ag y medrai am afon Dyfi. Pan fu farw, gwasgarwyd ei eiddo ond rhyw ddwy flynedd yn ôl clywais fod blwch ac ynddo bedair pluen o'i wneuthuriad wedi ei werthu am $28,000 yn Unol Daleithiau'r America!

Cynhelir ffeiriau clymu plu ledled y byd a chlymwyr proffesiynol yn arddangos eu crefft a'u gwaith. Mae'r rheiny'n codi miloedd am eu campweithiau.

Yn anffodus, nid wyf fi i fel cawiwr yn y categori hwnnw. Fy mwriad a'm gobaith i yw dal y pysgodyn – ac nid y dyn! Mewn dosbarthiadau a chystadlaethau clymu plu fe glywir tipyn o dynnu coes a brolio weithiau. Clywais am un cawiwr yn rhoi un o'i greadigaethau i'w ffrind gan ddweud, 'Bydd yn ofalus rhag ofn iddi hedfan i ffwrdd!'. Roedd un arall yn taeru bod rhywun wedi mynd â phluen roedd e newydd ei chawio o'r ddesg ond darganfu wedyn mai corryn oedd wedi rhedeg ar draws y ddesg, gafael ynddi a mynd â hi 'nôl i'w we!

Carwyn Jones yn cael gwers cawio gan Malcolm Edwards.

*Mick Hall, clymwr plu o Awstralia mewn Ffair Glymu Plu yn Lloegr
yn dangos ei grefftwaith i mi.*

Bûm yn ddigon ffodus i wneud fy ymchwil cyn i lawer o'r cewri cawio ymadael â'r hen fyd hwn. Mae gennym gymaint i'w ddysgu oddi wrth ein cyndeidiau ac mae rhywun yn ofni nad yw wedi holi digon cyn i'r wybodaeth ddiflannu.

Mae cylchgronau a llyfrau fyrdd yn cael eu hysgrifennu am gawio, gymaint yw'r diddordeb. Yn y diweddaraf o'r rhain sef 'Fly Fishing the Welsh Borderlands' mae'r awdur Roger Smith, yn pwyso a mesur y llyfrau sydd wedi eu hysgrifennu ar y pwnc ac mi gefais fy mhlesio'n arw wrth ddarllen y sylwadau am fy llyfr am blu Cymru: *'This is without doubt the definitive book on Welsh Flies.'* Pluen fach yn fy nghap?!

Fe fyddwn yn argymell unrhyw un sy'n adnabod pysgotwr i ofyn am gael gweld ei flychau plu pysgota. Mae'n rhyfeddod yn wir!

A chofiwch hyn – yr adegau gorau i bysgota yw pan fydd hi'n bwrw glaw – a phan fydd hi ddim!

Amddiffyn ein hafonydd

Erbyn imi gyrraedd fy ugeiniau cynnar roedd hi'n amlwg fod pysgota yn fy ngwaed. Ni allwn adael i ddiwrnod fynd heibio heb imi ddal genwair yn fy llaw a'i chwipio ar ryw nant, afon neu lyn yn y gobaith o dwyllo brithyll neu ddau. Byddwn hefyd yn pori'n gyson mewn cylchgronau pysgota er mwyn dysgu mwy, nid yn unig am y grefft o bysgota ond hefyd am ddulliau ac arferion dal pysgod mewn rhannau eraill o'r wlad – a'r byd.

Buan y sylweddolais fod llawer mwy i bysgota na dal pysgod a dyna pryd y dechreuais wir werthfawrogi'r hyn yr oedd y clybiau pysgota – bach a mawr – a oedd wedi eu sefydlu ledled Cymru yn ei gyflawni. Diolch i weledigaeth ein cyndeidiau, roeddent hwy wedi sylweddoli fod gwerth enfawr i'r afon leol ac wedi sefydlu clybiau pysgota er mwyn gwarchod yr em o afon a lifai gerllaw.

Rhannu llwyfan gyda David Bellamy yn trafod cadwraeth.

Ar un cyfnod câi pob math o sbwriel ei daflu i'r afon. Rwy'n cofio sgwrsio â rhywun yn y 1950au a oedd yn clirio cartref ei ddiweddar fam ac yn bostio bod llawer o'i heiddo ar fin cyrraedd Bae Aberteifi. Ie, gwaredu sbwriel drwy ei daflu i'r afon! Chwerthin oedd e ond dyna'r math o weithred anghyfrifol yr oedd y clybiau pysgota am eu hatal.

Roedd y clybiau'n ymwybodol fod afon yn llawer mwy na dŵr yn llifo i'r môr. Roedd hi hefyd yn bysgodfa a dyna brif nod y clybiau pysgota – sicrhau bod dŵr yr afon yn bur ac yn medru cynnal y bywyd o'i mewn, yn bysgod, pryfetach a phlanhigion.

Ychydig fisoedd yn ôl mewn cyfarfod yng Nghaerdydd, clywais un o Weinidogion y Llywodraeth yn talu teyrnged i bysgotwyr y gorffennol am eu dycnwch a'u gofal o afonydd Cymru, gofal a ddechreuwyd ymhell cyn sefydlu Asiantaeth yr Amgylchedd. Heb amheuaeth, roedd clod o'r fath yn gwbwl haeddiannol, er na chaiff ei ddatgan yn aml iawn gwaetha'r modd.

Aelodau Clwb Pysgota Tregaron yn gwasgar calch ar Lyn Berwyn er mwyn diddymu effaith niweidiol y glaw asid.

Cyfrif trychfilod ar wely'r afon er mwyn asesu purdeb y dŵr.

Pan oeddwn i'n fachgen ysgol, cofiaf gael fy nhywys gan un o hoelion wyth y gymdeithas i gyfarfod o Gymdeithas Pysgota Tregaron. Er mai gwrando'n dawel yn y cefn oeddwn i ar y dechrau, ni fûm yn hir cyn sylweddoli'r gwaith yr oedd yr aelodau'n ei wneud er budd y clwb. Ymhen hir a hwyr cefais innau fy mhenodi'n ysgrifennydd y clwb a chael budd mawr o'i wasanaethu.

Yn y cyfnod hwn hefyd penderfynais ymuno â'r *Welsh Salmon and Trout Angling Association*. Hyd hynny, braidd yn ynysig a rhanedig oedd cymdeithasau a chlybiau pysgota Cymru. Un o brif amcanion y gymdeithas o'r cychwyn cyntaf oedd cefnogi a chynnig cymorth i glybiau pysgota ledled Cymru. Yn 1967 cyhoeddodd y gymdeithas adroddiad o'i gwaith o dan y pennawd 'Parhad Cymdeithasau Pysgotwyr Cymru' ac o ganlyniad uniongyrchol i'r cyhoeddiad hwn agorwyd drysau a fyddai'n galluogi clybiau pysgota Cymru i ymgeisio am grantiau i'w cynorthwyo i brynu'r hawliau pysgota ar afonydd eu hardal. Fe drodd y gymdeithas at Mr James Griffiths, Aelod Seneddol Llanelli ac Ysgrifennydd Gwladol Cymru ar y pryd i chwilio am arweiniad a bu'n gymorth amhrisiadwy i'r gymdeithas a'i haelodau gyda'i gyngor parod. Heb amheuaeth mae dyled pysgotwyr afonydd Cymru yn fawr iawn i'r gwladgarwr a'r cymwynaswr hwn.

Bu'r grantiau a dderbyniwyd o fudd anhygoel i'r clybiau. Oni bai am y rhain ni fyddent wedi medru codi'r arian angenrheidiol i atal cwmnïau mawr a chyfoethog o du hwnt i Glawdd Offa rhag prynu milltiroedd o afonydd Cymru a oedd wedi eu cael gosod ar y farchnad. Dyna pam y mae Cymru mor unigryw heddiw – y clybiau pysgota lleol sy'n berchen neu sy'n rhentu cymaint o'i hafonydd a hynny er budd a defnydd trigolion eu hardaloedd. Mewn gwledydd eraill, tirfeddianwyr neu gwmnïau mawr ariannog sy'n meddu ar yr hawliau pysgota ac ni chaiff pysgotwyr lleol fynd yn agos at yr afon heb dalu crocbris am y fraint. Mor bwysig yw hi felly i gadw'r sefyllfa fel ag y mae fel bod y cenedlaethau o bysgotwyr sydd i ddod yn medru mwynhau eu hetifeddiaeth.

Erbyn 1968 – ac er mwyn medru cynrychioli holl

Dadorchuddio cofeb i Morgan Davies, Pontllanio; yn ei ewyllys cyflwynodd filltiroedd o'r afon Teifi i'r clwb – er budd pysgotwyr lleol.

bysgotwyr gêm Cymru – penderfynwyd ailfedyddio'r gymdeithas yn Gymdeithas Genweirwyr Eog a Brithyll Cymru (CGEBC) a gaiff ei hadnabod fel yr WSTAA', sef acronym yr enw Saesneg.

Mae'r WSTAA yn gorff llywodraethol cydnabyddedig gan Gyngor Chwaraeon Cymru. Fe'i rheolir gan bwyllgor gwaith gyda'r aelodau'n cynrychioli clybiau o fewn chwe phwyllgor rhanbarthol sef Gwynedd, Clwyd, y Canolbarth, Gŵyr, a De a Gorllewin Cymru. Cynrychiolir y gymdeithas ar nifer o bwyllgorau cenedlaethol a rhyngwladol sy'n trafod pysgodfeydd. Fel corff llywodraethol, y WSTAA sydd hefyd â'r hawl i gynnal cystadlaethau pysgota pluen cenedlaethol ac i anrhydeddu'r pysgotwyr sy'n cael eu galw i gynrychioli Cymru mewn cystadlaethau rhyngwladol.

Mae unrhyw fater sy'n amharu ar bysgodfeydd Cymru yn cael sylw gan y gymdeithas. Dros y blynyddoedd fe aeth ati i baratoi a chyflwyno adroddiadau lu i wrthwynebu unrhyw beth a allai fod yn andwyol i ddyfroedd a physgodfeydd Cymru, gan nodi safbwyntiau'r clybiau bob tro. Mae'r rhestr yn un hir a maith ond fel y gŵyr pawb, os nad oes digon o ddŵr yn yr afon, a hwnnw o ansawdd da, ni ellir ei chynnal fel pysgodfa. Felly mae'n rhaid bod yn barod i ymladd i'w gwarchod.

Cefais y fraint o gynrychioli'r gymdeithas ar nifer o bwyllgorau, gan deithio'n helaeth a chyfarfod nifer o wyddonwyr adnabyddus sy'n gweithio yn y maes. Bûm yn aelod o'r Atlantic Salmon Trust gan deithio'n gyson i Lundain a'r Alban i drafod bywyd a thynged y pysgodyn rhyfeddol hwn. Cofiaf hefyd deithio'n wythnosol i Lundain er mwyn cynghori'r aelodau hynny o Gymru a oedd ar is-bwyllgor y Mesur Eogiaid a oedd i'w gyflwyno i'r Tŷ, a rhyfeddu at ei ddulliau o weithio.

Mae gen i le i ddiolch i'r gymdeithas a'i haelodau. Dyma'r bobol sy'n crwydro glannau ein hafonydd yn gyson

*Carwyn Jones, Prif Weinidog Cymru Heddiw –
ond Gweinidog yr Amgylchfyd ar y pryd – yn
ymweld a phabell WSTAA yn y Sioe.*

ac sy'n gwybod beth sy'n digwydd, nifer ohonynt heb erioed fod mewn coleg ond mae eu gwybodaeth a'u hymwybyddiaeth o natur eu hafonydd yn anhygoel. Ac oes, mae mwy i bysgota na dal pysgod!

Ond i symud ymlaen at ddal pysgod – sef y gangen arall o'r WSTAA – gan fod y gymdeithas hefyd yn cynnal cystadlaethau pysgota pluen. Pan ymunais gyntaf â'r gymdeithas 'nôl yn y 1950au, mae'n debyg mai fy mhrif nod oedd ceisio ennill fy lle fel pysgotwr yn nhîm pysgota Cymru.

*Dau aelod o Dŷ'r Arglwyddi yn cwrdd a dirpwyriaeth o Gymdeithas Genweirwyr
Eog a Brithyll Cymru (CGEBC) yn Llundain i drafod pysgodfeydd Cymru.*

Yn y cyfnod hwnnw nid oedd hi'n hawdd i unrhyw bysgotwr bach cyffredin ddod yn aelod o'r tîm cenedlaethol am fod y telerau a osodid gan yr hen drefn yn ffafrio pobol gefnog. 'Nôl yn 1932 pan gynhaliwyd un o'r cystadlaethau rhyngwladol cyntaf, roedd aelodau tîm Cymru i gyd ond un yn swyddogion yn y fyddin. Rhaid bod y Mr Griffiths bach hwnnw nad oedd yn swyddog milwrol yn teimlo'n ddigon unig a di-nod ynghanol y cadfridogion honedig hynny! Ie, y crachach oedd yn rheoli ac araf iawn fu pethau'n newid.

Er i mi gystadlu mewn cystadleuaeth bysgota agored o dan y CPPC – ac ennill y bencampwriaeth – pan ddaeth hi'n amser enwi'r tîm a fyddai'n cynrychioli Cymru ar y llwyfan rhyngwladol yn

Capteniaid y bedair gwlad yn y saith degau.

Y tîm cyntaf o Gymru i ennill pencampwriaeth y pedair gwlad – a fi'n gapten – 1967.

223

Tîm Pysgota (Merched) cyntaf Cymru – a finne'n reolwr arnynt.

Iwerddon yn yr haf, cefais wybod na fyddai lle i mi ynddo. Efallai, meddent, y cawn fy ngwahodd fel eilydd pe bai un o'r etholedig rai yn methu mynd! Nid oes angen dweud, ond do, fe gododd fy mwnci!

Yn y pwyllgor canlynol bu tipyn o drafod yr annhegwch amlwg hwn. Penderfynwyd yn y fan a'r lle fod yn rhaid newid y system ddewis. Fodd bynnag, roedd hi'n 1969 cyn i mi gael cyfle i gystadlu fel aelod o dîm cenedlaethol pysgota pluen Cymru.

Yn 1971 cefais fy mhenodi'n rheolwr timau pysgota Cymru. Dyna pryd y dechreuwyd gweithredu'r system sy'n bodoli hyd heddiw, sef cynnal rhagbrofion, ac yna bydd y goreuon yn naturiol yn cael eu lle yn y tîm.

Bûm yn rheolwr hyd 2011, sef deugain mlynedd, ac yn ystod y cyfnod hwnnw cyflwynwyd cystadlaethau ar gyfer merched, ieuenctid a phobol anabl. Yn ystod y cyfnod hwnnw hefyd fe ymledodd y cystadlaethau lawer ymhellach gan lunio timau o Gymru i gystadlu yng nghystadlaethau Ewrop, y Gymanwlad a'r Byd. Mae'n dda medru nodi i'r WSTAA fedru hawlio pencampwr byd ar fwy nag un achlysur.

Bûm am nifer o flynyddoedd ar bwyllgor CIPS a'r is-bwyllgor FIPS Mouche (*Federation Interntionale de Peche Sportive – Mouche*), sef y pwyllgor gwaith rhyngwladol sy'n trefnu a rheoli cystadlaethau pysgota'r byd. Roedd teithio i wledydd megis Ffrainc, Awstria, y Swistir a Gwlad Pŵyl am dridiau o bwyllgora yn dipyn o newid byd ac er ei fod yn waith caled, cefais dipyn o fwynhad hefyd.

Yn ystod ei hoes bu'r gymdeithas yn gweithio'n agos iawn ag Asiantaeth yr Amgylchedd ac er ei bod yn gwarafun gweld y gostyngiad yn nifer y beilïaid, daliai i fod â chyswllt gweithredol da â'i swyddogion.

Y llynedd, sef blwyddyn fy ymddeoliad, nodwyd y byddai newidiadau mawr ar y gorwel ac erbyn 2013 bydd yr Asiantaeth wedi uno â'r Comisiwn Coedwigaeth a Chyngor Cefn Gwlad Cymru mewn corff unedig newydd. Mae'n debyg y bydd manteision ariannol o uno'r tri sefydliad ond rhaid i mi ddweud fy mod eisoes yn gofidio am dranc posibl ein pysgodfeydd o dan y drefn newydd. Mae yna feddylfryd mai 'da popeth newydd' ond nid yw hynny'n wir bob amser yn fy mhrofiad i.

Nid yw pawb yn ffoli'r un fath – a diolch am hynny. Mae cystadlaethau pysgota yn anathema i rai, ond nid felly i mi. Cefais fwynhad pur wrth gystadlu a hefyd wrth drefnu

Aelodau pwyllgor FIPS Mouche yn mwynhau egwyl dros ginio yn Awstria.

cystadlaethau, boed y rheiny ar raddfa ranbarthol, genedlaethol neu ryngwladol ar gyfer Ewrop, y Gymanwlad neu'r byd.

Y Bencampwriaeth Byd gyntaf i mi ei threfnu oedd honno ar afon Dyfrdwy yn 1990. Câi ei chynnal o dan ymbarél CIPS ac ar y pryd, Sbaenwr a elwid yn Señor Diaz Diaz oedd y Llywydd Anrhydeddus. Er ei fod yn fychan o gorff, roedd ganddo syniadau – a llais – mawr ac ar y pryd roedd yn ddyn dylanwadol dros ben. Roeddwn wedi derbyn ei fanylion drwy'r post ac wedi nodi ei enw llawn, sef Diaz Diaz, a'i deitl (fel y tybiwn i) sef Con Duc, neu 'Duke' i fi. Yn naturiol felly tybiais fod ganddo waed brenhinol yn ei wythiennau. Oherwydd hynny fe gyfeiriwn ato bob amser fel 'Señor Diaz Diaz Con Duc'. Ymhen ychydig dyma Sbaenwr yr oeddwn i'n lled gyfarwydd ag e yn dod ataf a gofyn pam oeddwn i'n cynnwys cyfeiriad Señor Diaz Diaz bob tro y byddwn i'n sôn amdano, gan mai enw'i gartref oedd Con Duc!

Er y camgymeriad hwn (a achosodd gryn hwyl i bawb!) aeth y gystadleuaeth a'r trefnu yn hynod o dda. Roedd dros ugain o wledydd yn cystadlu ac roedd trefnu llety, cludiant o'r maes awyr i bawb, bwyd, adloniant a'r rhaglen ddyddiol

Talyllyn – pysgodfa wych ar gyfer hyfforddi pysgotwyr ifanc.

*Loch Leven, yr Alban, llyn enwoca'r byd; dyma'r llyn roedd Syr David
am ei efelychu ar Gors Caron.*

yn dipyn o goeled. Ond da dweud iddi fod yn llwyddiant
ysgubol ac, yn ôl barn pawb, honno fu'r ornest orau o
ddigon a gynhaliwyd hyd hynny.

Roedd yn rhaid gofyn i eraill ysgwyddo baich y
dyletswyddau gwahanol ac yn anffodus, penodais un person
cwbwl anaddas. Credai mai dim ond trwy weiddi nerth ei
ben ar bawb y llwyddai i gael pawb i'w lle a byddai'n codi
twrw gyda phawb arall a oedd yn gwneud eu gwaith yn
odidog. Onid yw'n rhyfedd fel y mae dyn yn medru cam-
farnu rhywun nad yw'n ei adnabod yn dda?

Penodwyd rhywun arall i ofalu am y 119 o wirfoddolwyr
a oedd yn barod i dywys y cystadleuwyr ar hyd glannau'r
afon, un ar gyfer pob cystadleuydd. Ofnwn ar y cychwyn nad
oedd e'n ddigon cryf ar gyfer y gwaith ond chwarae teg iddo,
ni wnaeth yr un camgymeriad drwy'r wythnos ac roedd
pawb yn ei ganmol.

Am fy mod ar bwyllgor CIPS gofynnwyd imi droeon
ymhelaethu ar y problemau tebygol a sut i'w datrys er budd
pawb. Mae rhywun yn dysgu rhywbeth newydd bob dydd
wrth gwrs. Cofiaf am un tîm yn archebu tair ystafell wely ar

Y Crëyr Glas – y pysgotwr gorau oll!

Y dwrgi – nôl yn ei gynefin ar afonydd Cymru.

gyfer saith o bobol, ond drannoeth sylwais fod un ar ddeg yn eistedd wrth y bwrdd brecwast! Wedi hynny roedd gofyn i bawb gyflwyno tocyn bwyd – wedi'r cyfan, roedd yn rhaid i rywun dalu am y cyfan!

Cofiaf hefyd drefnu Pencampwriaeth Byd i Ieuenctid, eto yng ngogledd Cymru. Fe aeth criw o Norwy, heb yn wybod i'r trefnwyr, i ddawns yn Wrecsam a bu un bachgen ar goll tan hanner dydd drannoeth ac erbyn hynny roeddwn wedi galw'r heddlu.

Dysgais bryd hynny nad trefnwyr yr ornest ddylai fod yn gyfrifol am y timau ond swyddogion y gwledydd, a rhaid fyddai cael rhestr o'r rheiny cyn i'r ornest gychwyn.

Erbyn hyn mae'r WSTAA wedi tyfu a datblygu i fod yn llawer mwy proffesiynol nag yr oedd hanner canrif yn ôl ac ar ddiwedd 2011 deuthum allan o'r trasus. Er ei bod hi'n rhyfedd sefyll ar y naill ochr wrth i'r gweithgareddau fynd yn eu blaenau, mae gen i nawr fwy o amser i bysgota. Wrth edrych yn ôl, mae'r amser wedi hedfan ond mae'r atgofion yn dal yn gryf yn y cof.

Criw gweithgar WSTAA yn y Sioe Frenhinol.

Teithio byd

Mae'n werth troi'n alltud ambell dro
A mynd o Gymru fach ymhell
Er mwyn cael dod i Gymru 'nôl
A medru caru Cymru'n well.

Y troeon cyntaf i mi fynd dramor oedd pan oeddwn i'n aelod o dîm pysgota pluen Cymru. Yn ddiweddarach fi oedd rheolwr tîm Cymru ac roedd un peth oedd yn sicr – byddai'r profiad bob amser yn un cyffrous.

Bydd pobol yn gofyn imi'n aml pa un o'r gwledydd yr ymwelais â hwy oedd orau gen i. Fe ddaw'r ateb yn hawdd bob tro – Tasmania. Dyna lle cefais y profiadau mwyaf gwefreiddiol wrth bysgota a dyna lle byddwn yn teimlo hapusaf. Tybed a oedd hynny am fod rhannau o Tasmania mor debyg i Gymru?

Rwyf wedi sôn droeon am y cyfeillgarwch sy'n datblygu mor rhwydd rhwng pysgotwyr a'i gilydd ac yn ystod fy nheithiau dramor cefais y fraint a'r mwynhad o gwrdd ag amryw o bysgotwyr yn ogystal â nifer o wleidyddion. Byddai'r rheiny bob amser yn gefnogol iawn i ornestau pysgota rhyngwladol, yn enwedig pan fyddent yn cael eu gwahodd i'r seremonïau agor a chau!

Pan aethom i Tasmania am y tro cyntaf cawsom ein synnu o sylweddoli mai gweinidog yr amgylchedd fyddai'n tywys tîm Cymru o gwmpas y lle. Roedd ganddo ddiddordeb mawr ym mhysgodfeydd y wlad ac er nad oedd yn bysgotwr o fri, roedd wrth ei fodd ynghanol y pysgotwyr. Roedd ganddo hofrenydd at ei wasanaeth personol ac roedd hi'n braf cael ambell reid yn y peiriant hyfryd hwnnw.

Roedd rheol yn Tasmania na ellid teithio i'r llynnoedd

pellaf mewn car nac mewn unrhyw gerbyd dwy na phedair olwyn. Yr ateb felly oedd hofrenydd a phwy oeddwn i i ddadlau os oedd modd gweld y wlad felly? Roedd yr olygfa o'r hofrenydd yn un hudolus dros ben. Nid oes amheuaeth nad yw pysgota wedi, ac yn, cyfrannu'n helaeth at economi nifer o wledydd ac mae'r gwleidyddion yn fwy na pharod i ddangos eu gwerthfawrogiad drwy fynychu pencamp-wriaethau pysgota.

Ein llety y tro cyntaf hwnnw oedd yr hyn a elwir yn *shack*. Mae'n debyg y byddai ei ddisgrifio fel 'bwthyn pren' yn llawer rhy hael! Safai rhyw ugain milltir o ddinas Hobart a rhyw ddwy filltir oddi wrth y tŷ agosaf ato. Pysgota'r llynnoedd neu'r 'lagŵns' oeddem ni ac roedd e'n ddull pysgota cwbwl newydd inni. Roedd *shack* tîm Cymru rhyw hanner canllath oddi wrth y llyn agosaf a byddwn yn codi bob bore tua phedwar o'r gloch er mwyn mwynhau rhyw bedair awr o bysgota cyn i weddill y tîm godi. Roedd e'n lle digon gwyllt ac ambell neidr yn llithro yma a thraw ond y peth mwyaf brawychus oedd sylweddoli bod y nadroedd hyn yn medru nofio!

Rhai cyffelyb oedd nadroedd Awstralia. Un tro roeddwn yn pysgota llyn ben bore, rhyw ddeg llath oddi wrth fy nghyfaill Bob Church o Loegr. Tybiais weld pysgodyn yn codi a dyma gastio pluen i'w gyfeiriad dim ond i glywed Bob yn bloeddio mai neidr oedd yno. Nid oeddwn wedi troi a rhedeg mor gyflym erioed yn fy mywyd! Roedd gofyn bod yn wyliadwrus yn y gwyllt neu yng nghefn gwald rhai cyfandiroedd dieithr, er bod y pysgota'n gallu bod yn ddifyr tu hwnt.

Cefais y fraint o bysgota yn Seland Newydd deirgwaith. Dyma Wlad y Ddwy Ynys ac er i mi bysgota ar yr ynys ddeheuol, rhaid cyfaddef bod yr ynys ogleddol â llawer mwy i'w gynnig i'r pysgotwr. Un peth a'm trawodd wrth gerdded un o strydoedd yr ynys ddeheuol a gweld cangen o Siop

Rhiannon a'i ffenest yn llawn o dlysau aur Cymru oedd bod y fath beth â hiraeth yn bodoli. Ie, rhyw bwl bach o hiraeth am sgwâr Tregaron, Henry Richard a'r Talbot – a finne mor bell oddi cartre!

Ar yr ynys ogleddol cefais brofiad digon anarferol, sef pysgota ar dir y carchar lleol yn Rotorua. Roedd afon Tongariro yn llawn pysgod ac roeddem wedi ein cymell i bysgota'r darn oedd yn llifo drwy dir y carchar. Er mwyn gwneud hyn roedd yn rhaid i mi a'm ffrind Gwynfor (o Dregaron ond sydd nawr yn byw yn Bow Street) lofnodi cofrestr mynediad y carchar cyn cael pysgota yn yr afon. Roedd y pysgota'n wych a thrwy gydol y dydd fe wnaethom ein dau lwyr ymgolli yn hud a lledrith yr afon. Dal pysgod breision mewn pyllau dyfnion – nefoedd yn wir! – ond wrth i'r gwyll gau amdanom dyma ddechrau anesmwytho a thybio bod llygaid yn ein gwylio o'r llwyni oddi amgylch. Llygaid ambell garcharor, efallai? Fues i ddim yn hir cyn awgrymu ei bod yn well inni fynd a llofnodi ein bod yn ymadael â'r sefydliad cloëdig hwn mor fuan a phosib! Er inni gael profiad pysgota gwych, roedd profi rhyddid y tu allan i furiau'r carchar yn llawer mwy gwerthfawr.

Ar fy ail ymweliad â Seland Newydd bûm yn teithio ar yr ynys ogleddol mewn cerbyd gwersylla. Roedd y bencampwriaeth yn ardal Rotorua ac wedi i'r cystadlu ddod i ben bûm yn crwydro'r ardal ac yn ffilmio ar gyfer y rhaglen deledu *Heno* gyda'r criw ffilmio yn cadw cwmni i mi.

Rwy'n cofio cael gwers ar sut i goginio brithyll gyda sbrigyn o fintys y tu mewn iddo er mwyn gwella'r blas. Serch hynny, ni fedrem ddilyn y rysáit yn iawn wedi cyrraedd adref am fod y pysgodyn fel arfer yn cael ei lapio mewn papur arian a'i osod i'w goginio mewn twll yn y ddaear! Yng ngwlad y ffynhonnau poethion a'r gwres a'r ager yn codi o'r tir, roedd hynny'n ddigon i goginio'r pysgodyn yn berffaith yn y ddaear.

Oherwydd y cysylltiad â'r bencampwriaeth ryngwladol cawsom groeso twymgalon gan y bobol Maori a buont yn canu a dawnsio i'n diddanu. Roeddent yn hynod groesawgar a chyfeillgar ac un peth rhyfedd a nodweddiadol amdanynt oedd y ffaith na fyddent yn claddu nac yn amlosgi eu meirwon; câi cyrff eu gosod uwchben y ddaear gyda mur cerrig o'u cwmpas.

Pan ddaeth y Nadolig canlynol cefais ail-fyw'r cyfan pan ddangoswyd y ffilm awr o hyd ar brynhawn dydd Nadolig gyda'r teitl *Moc a'r Maoris* ac O! – yr hiraeth am Seland Newydd!

Mae'n rhyfedd meddwl, er fy mod wedi treulio oes yn pysgota (ac rwy'n amau a oes unrhyw un wedi treulio mwy o amser na fi ar lan llyn neu afon) nid wyf wedi dal llawer o bysgod mawr. Hyd yn oed yn Seland Newydd, lle bûm ar rai o bysgodfeydd gorau'r byd, wnes i ddim llwyddo i fachu pysgod tebyg i'r lefiathans fyddai gweddill y criw yn eu dal. Heb amheuaeth, roedd bywyd pysgotwr afon yn wych yn Seland Newydd gan fod yno gymaint o afonydd hyfryd i'w pysgota. A gefais fy nhemtio i aros yno? Wel do, ac fe fyddwn wedi gwneud oni bai am yr hiraeth am Gymru!

Hoffais bysgota yng ngwledydd Sgandinafia hefyd. Er i mi gael hwyl iawn yn Norwy a Sweden, credaf mai yn y Ffindir y profais y pysgota gorau. Cofiaf un noson i mi ddal tri brithyll anferth a oedd yn pwyso tua chwe phwys yr un. Mae'n debyg bod y brithyll yn nofio i fyny afonydd y Ffindir o lynnoedd mawr Rwsia i gladdu eu hwyau. Onid yw byd natur yn un rhyfeddod mawr!

Cyn diwedd fy arhosiad yn y Ffindir cefais gyfle i groesi i Rwsia a physgota yn un o'r llynnoedd yno. Roedd y profiad pysgota'n wych ac er imi addo i mi fy hun y byddwn yn dychwelyd yno rywbryd, ni ddigwyddodd hynny hyd yma.

Cyn i mi ei throi hi am adre o'r Ffindir cefais wahoddiad i ddychwelyd yno i roi cyfres o ddarlithoedd ar bysgota yng

*Pysgota'r afon Snake yn yr Unol Daleithiau o gwch.
Rhedai'r afon drwy Yellow Stone Park.*

Nghymru. Roeddwn i wrth fy modd. Cyrhaeddais yno ac yn fy nghyfarfod roedd deintydd rhan amser (hynny am ei fod yn treulio'r rhan helaethaf o'i amser yn pysgota!). Ef fyddai'n fy nghludo o un lleoliad i'r llall ac er bod y ffyrdd wedi rhewi'n gorn, ni wnaent beri problem o gwbwl. Bu'r cyfan yn brofiad anhygoel. Roeddwn i'n darlithio yn Saesneg a'r deintydd huawdl yn cyfieithu'r cyfan ar gyfer y gynulleidfa. Dechreuais amau'r cyfieithiadau pan oedd y gynulleidfa'n rholio chwerthin a finne heb ddweud dim byd doniol! Roedd y deintydd yn gymeriad ac yn amlwg yn dipyn o dynnwr coes yn ogystal â thynnwr dannedd ond roedd y croeso a'r ymateb a gefais yn arbennig o gynnes a chofiadwy.

Cofiaf ddangos llun o bysgotwr yn eistedd ar goeden ar lan afon Dwyryd a dweud iddo fod yno cyhyd nes i'r goeden dyfu o'i amgylch. Dechreuodd pawb chwerthin, a hynny'n gwbwl afreolus ond mae'n debyg iddynt fod wedi cwyno'n gynharach yn y dydd am bysgotwyr a oedd yn gwrthod symud o'r pyllau mwyaf poblogaidd ar yr afonydd! Er apelio ar i bawb ymdawelu, roedd ambell bwl o chwerthin i'w glywed tan i'r ddarlith ddod i ben!

Credaf i mi gael y profiadau pysgota mwyaf rhyfedd pan

gynhaliwyd y Bencampwriaeth Byd ar yr enwog Snake River yn y Taleithiau Unedig. Roeddem yn pysgota yn Jackson Hole ac roedd hi'n costio rhyw ddau gan punt i bysgota am bedair awr. Does ryfedd fod y lle'n cael ei alw yn *Millionaire's Playground!*

Byddem yn cael ein cludo i fyny'r cwm am ryw bedair milltir ac yna'n cael ein tywys at yr afon, camu i mewn i gwch a physgota'r afon o'r cwch ar y ffordd i lawr. Roedd dyn yn llywio'r cwch a dau gystadleuydd yn pysgota o'r naill ben i'r cwch a'r llall. Profiad bythgofiadwy – er yn ddrud!

Darganfûm fod British Columbia yn lle delfrydol i bysgota, yn enwedig o gael rhywun abl i ddangos y ffordd i chi. Dyna beth ddigwyddodd i mi pan gefais fynd yng nghwmni Mr Chan, y prif swyddog pysgodfeydd, am ddiwrnod o bysgota. Gwn i mi gael sylw arbennig gan fod rhywun wedi dweud wrthynt fy mod wedi pysgota gyda'r cyn-arlywydd Jimmy Carter!

Aeth Mr Chan â fi i fyny i'r mynyddoedd lle'r oedd llynnoedd dirifedi a chefais syndod o'i glywed yn dweud bod

Dyfroedd British Columbia – yn llawn pysgod breision.
Enillodd Russell Owen o Gymru Bencampwriaeth y Byd yma.

ambell un o'r llynnoedd yn colli eu stoc yn llwyr pan fo'r gaeaf yn galed. Fodd bynnag, byddai stoc y gweddill yn llwyddo i oresgyn caledi'r gaeaf. Er ei fod yn wyddonydd o fri, nid oedd ganddo unrhyw eglurhad am hyn.

Wedi i ni bysgota am beth amser tynnodd fy sylw at aderyn oedd yn hofran uwch ein pennau. Gwalch y pysgod oedd e ac ymhen dim dyma'r aderyn yn plymio i'r dŵr ac yna'n ailymddangos gyda physgodyn braf yn ei grafangau cyn hedfan i ffwrdd. 'Daliwch i wylio,' meddai Mr Chan ac o glogwyn yn y pellter daeth yr eryr pen moel mwyaf godidog i'r golwg a hedfan yn urddasol i gyfeiriad y gwalch. Dyma hwnnw'n cyffroi, yn gollwng y pysgodyn a'r eryr yn plymio i lawr a gafael yn y pysgodyn a hedfan 'nôl i'w nyth ar y clogwyn. Golygfa anhygoel ac am y tro cyntaf erioed roeddwn i'n gwarafun mai gwialen bysgota ac nid camera oedd gen i yn fy llaw – ond mae drama'r ddau aderyn yn dal yn fyw yn y cof hyd heddiw.

Yn Newfoundland cefais gryn fwynhad hefyd, nid yn unig wrth bysgota a ffilmio, eto ar gyfer *Heno*, ond o ymweld

Mynd mewn hofrennydd i ffilmio a physgota cronfeydd Newfoundland.

â'r ysgol leol a chlywed bod pob un plentyn yn pysgota! Roedd cymaint o frwdfrydedd nes i bysgota ddatblygu'n arferiad, gyda'r disgyblion a'u rhieni'n pysgota gyda'i gilydd ar ŵyl banc y gwanwyn.

Ceir profiadau pysgota gwych mewn nifer o wledydd yn Ewrop. Cofiaf un bencampwriaeth a gynhaliwyd yn Ghent yn Fflandrys. Nid oedd y tywydd yn rhyw ffafriol iawn ac aeth criw o'r bois i dafarn gyfagos. Er syndod iddynt roedd yno 365 gwahanol fath o lager o gwmpas y bar – un ar gyfer pob dydd o'r flwyddyn! Er iddynt feddwl taclo'r 365 bu'n rhaid rhoi'r gorau i'r syniad a chanolbwyntio ar y pysgota!

Mewn un sesiwn yn ystod y gystadleuaeth honno roeddwn i'n pysgota am frithyll ar un o'r llynnoedd. Wedi castio am ryw awr a dal dim, dyma fi'n sydyn yn synhwyro bod gen i globyn o bysgodyn ar y blaenllinyn. Dyma ddechrau ei rilio i mewn. Ond na, roedd e'n araf dynnu'r ffordd arall. Roeddwn i wedi cynhyrfu'n lân a wyddwn i ddim beth i'w wneud. Yn sydyn sylweddolais fy mod wedi fy amgylchynu gan griw o Ffrancwyr a'r rheiny i gyd yn gwenu a chwerthin. Mewn rhyw hanner awr aeth y lein yn slac a dyna pryd yr eglurwyd imi fy mod wedi bachu'r carp hanner can pwys oedd yn preswylio yn nyfroedd y llyn ers blynyddoedd! Felly dyna 'un mawr arall' wedi dianc o'm gafael!

Mae ambell daith yn aros yn y cof am resymau ar wahân i bysgota. Heb amheuaeth mae profiadau pysgota gwych i'w cael yng Ngwlad Pwyl ac edrychem ymlaen at y bencampwriaeth oedd i'w chynnal yno. Ond wedi swpera'n fras ar gyw iâr ar y noson gyntaf, aeth pawb yn sâl – yn sâl iawn yn wir, gyda'r ddau ben yn gweithio ar yr un pryd! Gofynnwyd i'r meddyg lleol ddod i'r gwesty ar frys i'n trin ond buom yn swp sâl gydol ein cyfnod yno. Mae'n debyg ein bod oll wedi dal salmonela gan i'r salwch barhau am gyfnod wedi i ni ddychwelyd adre. Wedi dweud hynny cawsom ofal da gan y meddyg ac oherwydd fy mod wedi dioddef trawiad ar y galon beth amser cyn hynny, bu'n cadw llygad barcud arnaf am dridiau a mwy.

Cawsom brofiadau da yn pysgota mewn pencampwriaethau yn Sbaen, Ffrainc, Gwlad Belg, Hwngari a Slofenia ond bu ein profiadau yn yr Eidal y tu hwnt i'n dirnadaeth. Roedd prinder pysgod yn ei dyfroedd ac eto roedd tîm yr Eidal yn dod o hyd i bysgod – bob dydd! Yr Eidal enillodd y bencampwriaeth y flwyddyn honno ond ni fu fawr o gymeradwyaeth iddynt ar ddiwedd y dydd. Ys gwn i pam?

Mae gair da i bysgota yn Iwerddon, er bod siomedigaethau wedi bod yn y wlad honno hefyd. Rwyf wedi ymweld ag Iwerddon bob blwyddyn ers dechrau'r 1950au ac rwyf wedi gweld newidiadau mawr yn ystod y cyfnod hwnnw. Pan euthum yno gynta roedd hi'n wlad dlawd iawn – gwragedd yn golchi dillad yn yr afon ac asynnod yn cario mawn o'r corsydd. Roedd ei llynnoedd serch hynny'n llawn o frithyllod brown gwyllt. Ond daeth tro ar fyd a medrwn rywfodd synhwyro'r newidiadau. Cofiaf fynd yno gyda thîm o Gymru i gystadlu ym Mhencampwriaeth Ieuenctid y Byd. Cyn i'r gystadleuaeth ddechrau gofynnwyd i mi a Jac Simpson o Ganada fynd i gwrdd â phwyllgor oedd i benderfynu sawl gorsaf creu trydan y dylent eu codi ar afonydd Iwerddon. Roedd gan y pwyllgor

Pysgodfa yng ngwlad Belg mewn parc cyhoeddus – lle peryg i feicwyr a cherddwyr.

drigain miliwn i'w wario ar adeiladu trigain gorsaf drydan ar drigain o afonydd Iwerddon! Doeddwn i fawr o gymorth iddynt ond roedd gan Jac Simpson brofiad helaeth o faterion cyffelyb yng Nghanada. Wedi gwrando arno, derbyniwyd ei gyngor a gwrthod y prosiect arfaethedig. Roeddent wedi cael arian mawr o Ewrop ac er na wariwyd yr arian ar gynhyrchu trydan, mae'n debyg nad aeth dim o'r arian yn ôl i Ewrop chwaith – craffter y Gwyddel mae'n debyg!

Ceir profiadau pysgota gwych ar afonydd, llynnoedd a chronfeydd dŵr yr Alban, Lloegr, Iwerddon a Chymru ac er bod teithio gwledydd byd yn dod â phrofiadau newydd a diddorol i rywun, nid oes rhaid mynd ymhell i fwynhau pysgota mewn gwirionedd.

Gwn fod gwledydd a llecynnau yr hoffwn eto eu pysgota ond gyda threigliad amser, mae arnaf ofn mai dim ond drwy dudalennau llyfrau y caf y profiadau hynny mwyach.

Tîm Cymru fu'n pysgota'r Bengampwriaeth Byd yn Iwerddon –
a cholli allan ar y fedal aur o un pwynt.

Yr anesboniadwy

Yn ystod ei oes daw dyn ar draws ambell beth sydd y tu hwnt i'w ddirnadaeth ac mae'r pethau, neu'r digwyddiadau hynny'n dychwelyd i gorddi'r cof bob hyn a hyn ac yn dal i greu dryswch a phenbleth. Yn Blackpool un tro euthum i a ffrind – o ran cywreinrwydd – i wrando ar Madame Dalby (*The Lady Who Knows Everything*). Yno fe enwodd a disgrifiodd salwch fy nghi Rover gan ddarogan ei farwolaeth, a hynny bythefnos a mwy cyn i hynny ddigwydd.

Mae digwyddiadau eraill sydd wedi bod yn anodd i mi eu hesbonio ac er bod rheswm yn dweud un peth, mae'r meddwl yn mynnu credu rhywbeth gwahanol. Mae'r byd gwyddonol a thechnolegol wedi gwneud darganfyddiadau anhygoel yn ystod fy mywyd sy'n mynd beth o'r ffordd i egluro sawl ffenomenon oedd yn gwbwl anesboniadwy flynyddoedd yn ôl. Ond eto, mae pethau rhyfedd wedi digwydd i mi'n bersonol ac er nad wyf yn meddwl fy mod i'n ofergoelus ... eto ... tybed?!

Roedd cefn gwlad fy magwraeth yn llawn ofergoelion a'r werin yn credu'n gryf mewn arwyddion ac argoelion di-ri. Mae'n debyg mai chwilio am ffyrdd i egluro digwyddiadau rhyfeddol natur oedd ein cyndeidiau wrth osod ffyrdd i osgoi unrhyw ddrwg a allai ddod i'w rhan. Beth am yr arferion hyn: peidio canu cyn brecwast – rhag llefen cyn te; sarnu halen – taflu pinsied ohono dros yr ysgwydd chwith; peidio cerdded o dan ysgol. Roedd y tri'n gyffredin ymhlith y bobol pan oeddwn i'n blentyn. Er bod fy nghenhedlaeth i yn honni ein bod yn fwy soffistigedig na'r genhedlaeth flaenorol, ni allwn waredu'r hen ofergoelion yn llwyr chwaith – rhag ofn!

Yn ôl yn y 1950au, ar ôl gorffen fy niwrnod gwaith

byddwn yn mynd i bysgota i Lyn Rhos-rhudd ger Trisant, taith o ryw ddeg milltir o'r Bont. Awn yno ar fy motobeic-a-seidcar – y seidcar yn handi iawn i gario'r tacl pysgota. Cyn gynted ag y byddwn yn glanio wrth ochr y llyn byddai John, y ffermwr lleol, yn cyrraedd o rywle i'm gwylio i'n pysgota. Gŵr tawel oedd John ac ni fyddai byth yn amharu ar y pysgota ond wedi iddo syllu ar y dŵr a'm gwylio am sbel fe fyddai weithiau'n dweud yn dawel bach, a hynny yn y trydydd person: 'Mae e siŵr o gael pysgodyn bach heno!' Yna byddai'n troi am adre. Yn ddi-ffael, os byddai John yn ynganu'r geiriau yna, byddwn yn siŵr o fachu pysgodyn. Ond os na wnâi eu hynganu, gwag fyddai'r crwth! Nid oedd John yn bysgotwr; a dweud y gwir, doedd e'n deall dim am bysgota, ond i mi, John oedd y gŵr oedd â'r gallu rhyfeddol i ragweld a fyddwn i'n lwcus ai peidio.

Ni all neb na dim fy narbwyllo nad oedd gan John rhyw allu goruwchnaturiol, tebyg i'r dynion hysbys hynny y clywswn gymaint amdanynt gan 'Nhad a Tad-cu. Rwy'n dal i bysgota Rhos-rhudd hyd heddiw ond ers marw John, prin iawn fu fy lwc ar y llyn hwnnw.

Efallai bod ofergoeliaeth yr oes a fu wedi cael gafael reit dynn ynof, a hynny o bosib oherwydd rhai o straeon fy nhad-cu. Rwy'n ei gofio'n adrodd am ei brofiad yn dod wyneb yn wyneb â channwyll gorff neu'r toili. Roedd e'n was cyflogedig mewn fferm yng Nghwm-glasffrwd. Un nos Sadwrn wrth iddo gerdded adre o'r pentre gwelodd olau gwan yn dod i lawr lôn ffermdy cyfagos a throi'n araf i'r ffordd fawr gan symud tuag ato. Wrth i'r golau nesáu, medrai weld torf o bobol yn dilyn ac wrth i'r golau a'r dorf ei basio, teimlai ei hun yn cael ei wasgu i'r clawdd. Roedd ei ddau gi wedi synhwyro rhywbeth hefyd ac yn chwyrnu ac anesmwytho wrth ei draed. Cyn diwedd yr wythnos torrodd y newydd fod gŵr y fferm wedi marw ac roedd yr angladd yn dilyn yr un llwybr â'r gannwyll gorff. Nid wyf wedi adrodd y stori hon wrth neb ond aelodau'r teulu ond heb os, roedd fy nhad-cu yn gwbwl argyhoeddedig iddo brofi rhywbeth cwbwl arallfydol y noson honno.

Roedd llawer o sôn am bethau cyffelyb yn ei gyfnod ef a choel fawr yn cael ei rhoi ar ddynion hysbys ac ar allu rhai i felltithio neu reibio eraill. Heb amheuaeth roedd clywed hanesion fel hyn yn gwneud argraff fawr ar feddwl ifanc – fel fy un i ar y pryd.

A finnau wedi ymddeol, rwy'n cofio mynd i bentre Bronnant ger Tregaron i ffilmio ar gyfer rhaglen deledu *Heno*. Cyfweld Daniel Jones, Fronfynwent oeddwn i, gan ei holi am rai o arferion cefn gwlad yr ardal. Roedd Daniel yn ŵr diwylliedig ac yn ysgolor cydnabyddedig. A dweud y gwir roeddwn i wedi siarad amdano gydag Elwyn Howells, clerc Cyngor y Dre ar y pryd. Credai hwnnw fod gallu a chof eithriadol gan Daniel Jones, gymaint felly fel nad oedd angen cadw cofnodion o gyfarfodydd y Cyngor am fod y cyfan ar gof a chadw gan Daniel.

Wedi i mi gyfweld Daniel a chael digon o ddeunydd ar

Daniel Jones, Bronant ar ei aelwyd gysurus – ond oes 'na dylwyth teg?

Daniel Jones yn torri mawn ar Gors Caron.

gyfer y rhaglen, dyma fe'n dweud ei fod, ar ambell noson yn
y gaeaf, yn gweld tylwyth teg yn dawnsio a chwarae o flaen y
tân. Wyddwn i ddim beth i'w ddweud. A oedd y dyn galluog
hwn yn tynnu coes? Roedd gen i'r parch mwyaf tuag ato ac
nid oedd gen i reswm i'w amau. Byddaf yn cofio'n aml
amdano yn adrodd y stori honno ac yntau'n eistedd ar ei
aelwyd ger tanllwyth o dân mawn.

Ac felly ymlaen at ryfeddod anesboniadwy arall. Yn y
1960au roedd llawer o sôn am yr *UFOs* neu'r soseri
hedegog, sef gwrthrychau llachar yn hofran yn yr awyr
gyda'r nos. Roedd nifer yn tyngu iddynt fod wedi gweld y
ffenomenon hon a llawer o sôn am y pwnc yn y papurau
newydd.

Un noson wrth i mi deithio gyda ffrind adre dros Fynydd
Llanybydder fe welsom olau llachar yn hofran uwchben y
goedwig gerllaw. Mas â ni o'r car a syllu mewn syndod ond
nid oedd unrhyw arwydd ei fod e'n symud. Ymhen peth
amser penderfynais ei throi hi am adre a meddwl tybed beth
oedd y golau hwnnw? Ni chlywsom am unrhyw un arall
oedd wedi gweld y golau y noson honno ac nid wyf am

honni ei fod yn rhywbeth arallfydol – ond roedd e'n rhyfedd iawn. Wrth gwrs, roedd canolfan arbrofi awyrennau RAE Aber-porth ar ei hanterth yr adeg honno a llawer o arbrofion dirgel yn digwydd yno, felly pwy a ŵyr. Ond fe gadwais i draw o Fynydd Llanybydder am dipyn wedi hynny!

O sôn am bethau anesboniadwy, tybed beth fyddai'r eglurhad am y diwrnod gwaethaf i mi ei brofi erioed? Yn y 1960au roeddwn i wedi bod yn cystadlu mewn pencampwriaeth bysgota ryngwladol ar gronfa `ddŵr Grafham yn swydd Northhampton ac wedi cael amser da tu hwnt. Yn hytrach na'i chychwyn hi am adre'n syth fel y dylwn fod wedi'i wneud, penderfynodd fy nghyfaill, Emyr Lewis o Drawsfynydd, a finnau aros yn y cyffiniau. Rhoddai hynny gyfle i gael diwrnod ychwanegol o bysgota ar gronfa ddŵr Rutland oedd newydd agor.

Cawsom lety dros nos yn Oakham ac wedi swpera dyma benderfynu mynd i'r gwely'n weddol gynnar, gan edrych ymlaen at ddiwrnod o bysgota gwefreiddiol ar ddŵr Rutland trannoeth. Yn anffodus roedd rhywbeth yn y pryd bwyd wedi anghytuno â'n stumogau ac fe dreuliodd y ddau ohonom y noson honno yn rhedeg 'nôl a blaen i'r tŷ bach, gyda'r ddau ben yn gweithio, gwaetha'r modd!

Erbyn y bore nid oeddem am weld bwyd ac i ffwrdd â ni yn ddiymdroi am y gronfa ddŵr. Wedi ymweld â'r tŷ bach ar lan y llyn, i lawr â ni at y lanfa, camu i mewn i'r cwch ac i ffwrdd â ni am ben pella'r gronfa.

Roedd poenau'r stumog yn gwaethygu a bu raid anelu am y lan agosaf, neidio o'r cwch a rhedeg y tu ôl i lwyni er mwyn gwaredu'r drwg o'r stumogau. Yn ôl â ni wedyn yn araf at y llyn ond doedd dim sôn am y cwch. Roedd y gwynt wedi gafael ynddo a'i chwythu rhyw ganllath mas oddi wrth y lan. Er bloeddio a chwifio breichiau, cymerodd yn agos i awr cyn i ni gael help.

Yn ôl i mewn i'r cwch â ni a dechrau pysgota o ddifri. Ar

yr ail gast aeth fy lein bysgota newydd sbon yn sownd yn yr injan a thorri'n yfflon rhacs. Dyma osod lein arall cyn sylwi bod un o'r rhwyfau'n eisiau. Roedd honno wedi llithro dros ochr y cwch yn ystod cyflafan y lein. Chwiliwyd ym mhobman, gyda'r cwch un rhwyf yn mynd rownd a rownd mewn cylchoedd. Ymhen rhyw hanner awr dyma ddod o hyd i'r rhwyf a bant â ni unwaith eto.

Roedd pethau'n dechrau gwella a ninnau'n dal ambell bysgodyn. Wrth i mi geisio glanio'r pumed – clobyn da o rhyw dri phwys – dyma Emyr yn bachu un hefyd. Rhwydais fy mhysgodyn a phasio'r rhwyd i Emyr ond wrth i hwnnw ymestyn amdani, llithrodd y rhwyd dros ochr y cwch a diflannu i'r dwfn.

Dyma benderfynu ei bod hi'n amser troi am adre a dilyn yr heolydd bach am y draffordd. Yn gwbwl ddirybudd dyma'r car yn dechrau pesychu a'r injan yn pallu! Edrych dan y bonet wedyn a'r ceir o'n hôl yn canu'u cyrn – mewn cythraul gyrru. O rywle ymddangosodd dyn yr AA ac ar ôl cael ei gymorth ef, dyma'i throi hi am adre. Pam tybed y cawsom y fath anawsterau mewn un diwrnod? A oedd rhywun yn rhywle yn ein rheibio am beidio troi adre'n gynt? Tybed!

Pennod 21

Annwyl gyfeillion ...

Ers deng mlynedd bellach rwy'n byw yn Aberystwyth gyda fy ngwraig a'm ffrind annwyl, Julia. Pan own i'n nesu at fy mhedwar ugain oed, penderfynais briodi am yr eildro. Roedd Julia a finne wedi bod yn gweithio yn y byd addysg gan iddi hithau hefyd fod yn athrawes, prifathrawes ac ymgynghorydd yn gyflogedig gyda'r un Awdurdod Addysg. Felly roeddem yn adnabod ein gilydd ers rhai blynyddoedd.

Ei diddordeb, ei chefnogaeth a'i chymorth hi ym mhopeth rwy'n ceisio'i wneud sydd wedi fy ngalluogi i barhau i bwyllgora, ysgrifennu a physgota hyd yn ddiweddar – er bod y ddau ohonom erbyn hyn yn raddol laesu dwylo o ran y cyfrifoldebau hynny.

O ran iechyd, ni ddylwn achwyn o gwbl a minnau wedi hen oroesi oed yr addewid. Mae gen i glun artiffisial ers rhai blynyddoedd ac mae'r hen fegin yn galw am chwistrelliad o ocsigen bob nos. Ac am y clyw, wel, oherwydd fy hoffter o saethu ym mlynyddoedd fy ieuenctid mae'r clyw yn wael. Gymaint felly fel bod gen i ddau declyn, un ymhob

Julia a fi ar ddydd ein priodas.

246

clust i'm helpu i glywed. Yn anffodus maen nhw, gan amlaf
yn fy mhoced, ac mae Julia, druan yn gorfod dygymod â
hynny, a chodi llais weithiau er mwyn i mi ddeall beth sy'n
cael ei ddweud.

Yn ffodus mae dwy afon nid nepell o ddrws y tŷ, sef yr
Ystwyth a'r Rheidol. A rhyw ben o bob dydd bydd fy
ngwialen yn chwipio dyfroedd y naill afon neu'r llall. Neu
hyd yn oed wyneb un o gronfeydd dŵr hyfryd Cymru.

Ydw, rwy'n dal i bysgota – ac yn fodlon iawn fy myd.
Mor briodol felly i rywun fel fi yw geiriau R Williams Parry
am ei nefoedd ef:

> O! mwyn yw cyrraedd canol
> Y tawel gwmwd hwn,
> O'm dyffryn diwydiannol
> A dull y byd a wn;
> A rhodio'i heddwch wrthyf f'hun –
> Neu gydag enaid hoff, cytûn.

Ac felly, ddarllenydd annwyl. Rydych wedi cyrraedd
diwedd y llyfr – a diolch i chi am ei ddarllen. Mawr obeithiaf
i chi fwynhau pori drwy'r tudalennau a chael, gobeithio,
rhywfaint o bleser a mwynhad o'r hyn a gofnodais.

A finne nawr yn nesu at ben talar, rwy'n atal rhag edrych
nôl i weld pa siâp sydd ar y cwysi. Ofni ydw i na fyddant mor
gymwys ag y dymunwn iddynt fod ac y bydd y gwallau'n
dangos. Fe osododd Dic Jones y peth yn berffaith.

> Eiddo fi'r mwynhad ar derfyn dydd
> Os bydd fy nghwysi weithiau'n hardd eu llun;
> Ond pan na fyddo cystal graen ar waith,
> Rhowch i mi'r hawl i wneud fy nghawl fy hun.

Fe'n hatgoffir bawb nad rihyrsal yw bywyd. Ac rwy'n

credu i mi ddefnyddio'r ychydig dalentau a roddwyd i mi hyd yr eithaf a chael bywyd prysur ac amrywiol iawn o'r herwydd. Mae fy niolch i'r rheiny a'm gosododd ar ben y ffordd ac i'r rhai fu'n cydgerdded a chydweithio â mi ar hyd y daith.

Yn ystod fy mywyd daeth nifer o anrhydeddau annisgwyl i'm rhan. Fel cynrychiolydd WSTAA, bûm yn eistedd ar sawl pwyllgor ac yn cyfrannu'r gorau fedrwn i er mwyn hyrwyddo pysgota a physgodfeydd. Mae yna ddywediad sy'n mynnu nad oes anrhydedd i broffwyd yn ei wlad ei hun. Er hyn, mae'n rhaid i mi gyfaddef gyda gwyleidd-dra a balchder i mi – er nad yn broffwyd – dderbyn mwy nag un anrhydedd.

Un o'r rhai sy'n sefyll yn y cof yw'r un gan Gyngor Chwaraeon Cymru. Bob blwyddyn byddai'r Cyngor yn anrhydeddu pobl oedd wedi cyfrannu'n helaeth at chwaraeon, ac yn 1987 gwahoddwyd fi i'r seremoni yng Nghaerdydd ar sail fy nghyfraniad i bysgota. Y flwyddyn honno rown wedi trefnu Gornest Bysgota Plu Ieuenctid y Byd yng ngogledd Cymru, un a fu'n llwyddiant mawr. Ar y

Y pump a dderbyniodd fedalau aur gan Gyngor Chwareuon Cymru.

noson cefais fy hun yng nghwmni Ian Rush, y pêl-droediwr adnabyddus, Jack Peterson, y cyn-focsiwr hynaws a Theresa John, yr athletwraig anabl gyntaf i'w anrhydeddu gan y Cyngor ynghyd â'i hyfforddwr, Peter Gunn.

I mi roedd hi'n fraint aruthrol i fod yng nghwmni'r rhain, a'n medalau am ein gyddfau. Syndod er hynny oedd sylweddoli – er ei fod e'n arwr ac yn chwaraewr pêl-droed o fri – mai gŵr tawel a swil oedd Ian Rush. Nid oedd yn malio llawer am seremonïau cymdeithasol ond roedd y gwmnïaeth o gwmpas y bwrdd y noson honno'n hyfryd, a phob un yn ymfalchïo yn llwyddiant y llall.

Syndod mawr arall oedd fu gwybod fy mod wedi cael fy anrhydeddu gyda'r OBE. Pan gyhoeddwyd fy mod i dderbyn yr anrhydedd roeddwn allan yn Iwerddon gyda thîm pysgotwyr anabl Cymru, Lloegr, yr Alban ac Iwerddon. Enwebwyd fi am fy ngwaith gwirfoddol yn hyrwyddo pysgota a physgodfeydd yng Nghymru. Ni wn hyd heddiw pwy yn union oedd ynghlwm â'r enwebiad ond teimlwn fod yr anrhydedd yn dod nid yn unig i mi ond i bawb oedd yn cydweithio mor gydwybodol yn y maes ar y pryd.

Roeddwn wrth y bwrdd brecwast pan ddaeth y newyddion. Rheolwr y gwesty wnaeth gymryd yr alwad ffôn, ac yn gwbl ddirybudd dyma fe'n galw am dawelwch ac o flaen cant a mwy o westeion yn cyhoeddi bod Moc Morgan wedi cael ei

Ar ôl derbyn yr OBE – Mehefin 1991.

wneud yn 'Syr'! Tipyn o embaras, mae'n rhaid dweud, ac er ceisio esbonio ystyr yr OBE bu'r mwyafrif yn fy ngalw'n 'Syr' am weddill yr wythnos. A dweud y gwir mae ambell wag o Wyddel yn dal i fy ngalw i'n 'Syr'!

Roedd yr anrhydedd yn golygu taith i Balas Buckingham i dderbyn y fedal o law'r Frenhines. Achlysur ffurfiol iawn oedd hwn a theimlwn yn bur nerfus ac yn falch o gael y cyfan drosodd. Ond roedd gweld ymdrechion i hyrwyddo pysgota a physgodfeydd Cymru yn cael eu cydnabod yn y modd yma o fudd mawr i'r achos.

Bob blwyddyn bydd y Gymdeithas Perchnogion Tir Gwledig (CLA) yn cynnal ffair sbort cefn gwlad ar dir rhai o stadau mwyaf Cymru a Lloegr. Arddangosir ynddi bob math o agweddau ar sbort cefn gwlad gan gynnwys hela, pysgota a saethu. Bûm yn mynychu'r ffeiriau am flynyddoedd fel arweinydd tîm o hyfforddwyr yn dysgu plant a phobl ifanc sut i fynd ati i bysgota. Roedd hi'n gornel boblogaidd o'r maes a llu o ieuenctid yn dod atom i fanteisio ar y cyfle i ddysgu sgiliau pysgota. Yn 2000 ces fy mhlesio'n arw pan gyflwynodd y CLA Wobr Gwasanaeth Oes i mi am fy ngwaith yn hyrwyddo pysgota gydag ieuenctid.

Yn fy nhyb i, Sioe Amaethyddol Cymru yw'r sioe orau oll. Ac am gyfnod o ddeugain mlynedd bûm yn gyfrifol am ardal sbort cefn gwlad y sioe. Roedd hon yn ganolfan hyfryd i bawb oedd yn ymddiddori mewn pysgota gyda chyfleoedd dyddiol i ddysgu sut i glymu plu a chastio lein yn cael eu cynnig am ddim. Bûm hefyd yn sylwebu ar gŵn hela wrth eu gwaith ac roedd hwn yn atyniad hyfryd ar faes y Sioe. Yn 2010 cefais fy ngwneud yn un o Is-lywyddion y Sioe, anrhydedd y byddaf yn ei gwerthfawrogi am byth. Cyflwynwyd y dystysgrif i mi gan yr hynaws Trebor Edwards, Llywydd Anrhydeddus y Sioe'r flwyddyn honno ynghyd â'i wraig Ann. Bu'n achlysur bythgofiadwy.

Wedi hanner can mlynedd o wasanaeth i'r IFFA, sef

Trebor Edwards a'i wraig Ann yn cyflwyno Tystysgrif Is-lywydd i mi yn y Sioe Frenhinol.

Cymdeithas Ryngwladol Pysgotwyr Plu daeth yn amser i roi'r ffidil yn y to. I nodi'r achlysur fe gyflwynodd y gymdeithas ddarlun hyfryd i mi o'r bont ym Mhontllanio o waith Terry Lambert. Mae fy niolch i'r gymdeithas a'i haelodau'n enfawr, a llu o atgofion yn chwyrlïo trwy'r cof o hyd.

Treuliais ran helaeth o'm hoes yn pwyllgora. Mae'n debyg y gellid fy ystyried yn un o'r pwyllgor-ddynion bondigrybwyll hynny! Un o'r pwyllgorau pwysicaf i mi fod yn aelod ohono oedd Pwyllgor Ymgynghorol Prydain ar yr Eog. Deuai'r aelodau o'r Alban, Lloegr a Chymru a'n prif waith oedd trin a thrafod dyfodol yr eog gan grynhoi gwybodaeth a chynnig atebion i'r argyfwng oedd yn wynebu'r pysgodyn rhyfeddol hwn. Roedd y pwyllgorau'n cael eu cynnal yn Glasgow, Caeredin, Stirling ac Inverness.

Cefais fy ngwneud yn Gadeirydd ar un o'r is-bwyllgorau oedd yn ymdrin â rhwydo'r arfordir ac effaith hyn ar yr eog. Roedd hwn yn bwyllgor tanllyd gan fod nifer o'r aelodau'n rhwydo. Ond rhaid i mi gyfaddef i mi ddysgu tipyn am y

Michael Callaghan o Iwerddon ac Ian Campbell o'r Alban yn cyflwyno anrheg yr IFFA i mi.

ddawn o gadeirio pwyllgor. Y gyfrinach oedd canmol sylwadau a dadleuon y ddwy ochr a gorffen drwy ddatgan i mi nodi'r cyfan ac y byddwn yn penderfynu ar y ffordd orau mlaen ar ôl mynd adre. Tybed pam fyddai geiriau Idwal Jones: 'Rwy'n eistedd ar ben llidiart a meddwl beth i'w wneud', yn dod i'r cof wrth i mi anelu am adre!

Roeddwn hefyd yn cynrychioli pysgotwyr a physgodfeydd Cymru ar Ymddiriedolaeth Eog yr Iwerydd. Galwyd fi hefyd yn un o ddau i gynghori Aelodau Seneddol Cymru pan oedd y Mesur Eog yn mynd trwy'r Tŷ'r Cyffredin. Roedd deall system y Tŷ yn gymhleth gan mai dim ond ychydig iawn o wythnosau a roddwyd i ni i drafod y mater.

Anodd credu, ond bûm yn eistedd ar bwyllgor cenedlaethol FERAC, sef y Pwyllgor Pysgodfeydd, Amgylchedd, Adloniant a Chadwraeth am dros ddeng mlynedd ar hugain, record mae'n debyg! Roeddwn arno er mwyn cyfrannu mewnbwn ar faterion yn ymwneud â

i. Os byddaf wedi cael digon o amser, byddaf wedi cael gair
â Phedr, y Pysgotwr Mawr a'i gyd-bysgotwyr ar Fôr Galilea.

Hwyrach y byddaf wedi dod o hyd i'r pyllau gorau yn yr
Iorddonen ddofn ac yn gwybod lle mae'r pysgod mawr yn
llechu. Pwy â ŵyr? Ond hyd yn oed ym Mharadwys bydd
angen y tactegau gorau arnom. Felly, byddwch yn barod!

Ond os, fel Cynan y byddaf am ddychwelyd i'm hoff
afon am noson o bysgota, fydd yna ddim i'm hatal. Canys yn
ôl ei ddiweddglo i'w gerdd i'r Teifi dywed:

> Nac ofnwch, myfi fydd yn llithro drwy'r gro
> O erddi Paradwys i Deifi am dro.

> Hwyl fawr,
> Moc

*Dyma fi wedi cyrraedd 80 oed ac yn cymryd hoe fach
ar ben y dalar.*